WITHDRAWN

ANA ITURGAIZ nació en Getxo (Bizkaia) y es licenciada en Historia, aunque toda su experiencia profesional ha estado ligada a las bibliotecas y los archivos. Tiene diversos relatos publicados en antologías colectivas: «Eres mi destino» *(Be my Valentine)*, «Después del futuro» *(Veinte pétalos)*, «Tan lejos, tan cerca» y «Recuerdos olvidados» *(La mirada del amor)*, «Los pasos siguientes» *(Ese amor que nos lleva)*, «Al borde» *(El hombre que leía a Dumas)*, «Año de nieves» *(El trueno en la memoria)* y «Antes, ahora y siempre» *(La mujer suave)*.

Su primera novela publicada ha sido *Bajo las estrellas* (Vergara, 2012), que con su trasfondo histórico resultó finalista del Premio de Novela Romántica 2010 organizado por Ediciones B y El Rincón de la Novela Romántica. A ella le han seguido *Es por ti* y la presente *Acordes de seda* (2013).

www.anaiturgaiz.com

D1178476

1.ª edición: junio, 2014

© Ana Iturgaiz Rodríguez, 2013
© Ediciones B, S. A., 2014
    para el sello B de Bolsillo
    Consell de Cent, 425-427 - 08009 Barcelona (España)
    www.edicionesb.com

Printed in Spain
ISBN: 978-84-9872-828-6
DL B 9697-2014

Impreso por NOVOPRINT
            Energía, 53
            08740 Sant Andreu de la Barca - Barcelona

Acordes de seda

ANA ITURGAIZ

A Carlos, a Amaia y a Iratxe,
para vosotros siempre.
Al resto de mi familia,
por su maravilloso entusiasmo
y a vosotras, a mis más feroces críticas,
gracias por estar ahí.

1

—¿Estáis segura de no querer que os acompañe alguien?

Clara ya había salido a la calle y se había cubierto con el manto.

—No os preocupéis, señora Josefa, a un paso tengo la catedral y de ahí a la casa de mi tía, no tardo nada.

—Abrigaos bien, hija, que la noche llega fría —dijo la dama, al tiempo que hacía la señal de la cruz en el aire—. Dios os guarde.

La joven hizo una leve inclinación, se ajustó la cesta en la cadera y comenzó a andar. Sonreía por debajo de la capucha. En aquel barrio, precisamente el que ocupaba las calles de la antigua judería, era en el que más oraciones, salmos y plegarias se escuchaban a lo largo del día.

Y ni aun así su tía Socorro se convencía de que los pobladores de aquellas calles eran auténticos cristianos, como ella, como los de siempre.

«¡No son más que unos herejes!», solía decir. Y tenía razón. Aunque eso nunca lo sabría. No iba a ser ella la que traicionara la confianza de aquella gente que la acogía con tanto afecto. No iba a ser ella la que explicara que los Delareina escondían en el arcón de la alcoba marital la imagen de un pequeño candelabro de siete brazos o que la señora Beatriz Latorre ocultaba en uno de los cajones superiores del mueble de la habitación de su hija mayor un colgante en forma de estrella de seis picos. Clara sabía que contaba con la simpatía de muchos de ellos y por eso, por la confianza que le tenían, le compraban a ella y no a otras. Para desgracia de su tía, que, estaba segura, preferiría verla en casa todo el día sin hacer nada antes que trabajando para los conversos, si es que la mujer con la que convivía desde pequeña conseguía enterarse algún día de lo que su sobrina hacía en vez de visitar el convento de las Clarisas como le decía. Hacía ya más de año y medio, desde que su tío Joaquín había fallecido, que Clara vendía los bordados, que confeccionaba a la luz del candil de su habitación, y todavía no la había descubierto.

La decisión la había tomado después de una pelea el día en que le prohibió salir a la calle sin compañía, no hacía ni unas horas que habían dado tierra al cuerpo de su tío. Hasta entonces, ella no había sido en aquella casa más que un estorbo, una criada, a veces hasta una figura invisible. Su tía solo había vivido para atender al marido. Y para rezar. Pero cuando la presencia masculina desapareció de aquella casa, las cosas cambiaron por completo. Todo era Clara por aquí, Clara por allá, Clara no leas, Clara no escribas, Clara no cosas para la calle que no somos unas don nadie, Clara no salgas sola, qué va a pensar la gente. Era imposible tener un segundo para ella misma y ¡qué decir de un poco de dinero para sus gastos! Sospechaba que la intención de su tía era separarla del mundo. De esa manera tendría que quedarse a su lado para siempre. Con su madre le había funcionado, pero no con ella.

Así que no había tenido más remedio que agarrar las riendas de su propia vida. No era mucho lo que había podido ahorrar, sin embargo, la suma que escondía debajo de una de las piedras del pozo pronto se vería incrementada con el encargo que acababan de hacerle: confeccionar un faldón de bautizo con las puntillas más delicadas que se habían visto en la ciudad en los últimos años. El primer nieto de la señora Encarnación bien se lo merecía.

Se le escapó una sonrisa al imaginarse la cara bermellón de su tía y la del resto de las señoras cuando vieran desfilar a una parte de los habitantes de la antigua judería por la nave central de la catedral, camino de la pila bautismal.

Terminó de subir la calle y se encontró ante la escalinata de la explanada de la catedral. Al fondo, dos antorchas iluminaban la puerta central de la fachada, aunque, a duras penas, dejaban escapar un pequeño haz de luz. La celebración hacía ya tiempo que había finalizado. Su tía ya debía de estar en casa. Aquella noche no se libraba de las preguntas. Se disponía a acelerar el paso cuando lo oyó. Un leve sonido, un pequeño quejido. ¿Había sido una risa ahogada? Escuchó. Nada. Apretó su cesta de labores contra el costado y siguió andando. Cuanto antes llegase a casa, sería mejor. No tenía ganas de reprimendas, aquella noche estaba demasiado contenta. Comenzó a repetirse la misma excusa tantas veces ensayada, y que siempre le había dado tan buen resultado: «La hermana Águeda ha insistido en que me quedara hasta que finalizara el arreglo de la almohada del culto para que el padre Fernando la utilice mañana durante la eucaristía.»

Clara sabía que mencionar el nombre del confesor de las hermanas Clarisas era mejor que tener firmada una dispensa del obispo.

El sonido de una piedra al caer la obligó a mirar a su derecha; las amenazadoras tenazas, las inmensas moles de piedra, las gigantes poleas, las gruesas maromas, los montones de troncos, las montañas de arena... Todo ello se apilaba delante de la catedral desde tiempos inmemoriales, mucho antes de que ella naciera. Lo había visto siempre. De niña, se había escondido entre ellos, por eso nunca hubiera imaginado que llegaría un día en el que todos aquellos aparejos, con los que se intentaba finalizar la construcción del templo, le parecerían amenazadores. Se estremeció.

El perfil de la iglesia quedó atrás y, cuando dobló la antigua casa de los Figueroa, se encontró con la calle a oscuras. Ni en la puerta de los Núñez ni en la de los Osorno lucían los faroles. El roce de una tela por detrás de ella le advirtió de que no estaba sola. Dudó si darse la vuelta y enfrentarse a quien fuera. Si, como suponía, eran gente de bien, el único que quedaría magullado sería su orgullo, pero ¿y si no lo eran? Imaginó la figura de unos embozados y contuvo la impaciencia de ponerse a correr. Solo dos callejas más y se metería por la esquina del convento, aún sin terminar, de las madres Descalzas.

Giró para entrar en la rúa donde residía. ¿Era una figura humana la que se escondía a mitad de la calle? No hacía ni dos minutos que escuchaba los sonidos detrás y ahora los tenía delante. Desechó la idea de estar a punto de ser atacada. Los cuentos de viejas nunca le habían afectado y no lo iban a hacer ahora.

Encaró la bajada con determinación. La seguridad de que su tía ya había llegado y la desgana por encontrarse con ella obligó a Clara a dirigirse a la pequeña huerta que se extendía a un lado de la casa. Eran muchas las ocasiones en las que escondía la cesta de los bordados entre la maleza del rincón más oscuro. Y aquella iba a ser una más.

No había puesto un pie dentro cuando alguien apareció ante ella. Clara dio un respingo, aunque reaccionó de inmediato y la empujó con fuerza. La persona cayó al suelo. Y Clara avanzó en su dirección dispuesta a estamparle el canasto en plena cara.

—¡No me hagáis daño!

La que gritaba era una mujer.

—¿Qué hacéis aquí escondida? —exclamó depositando la cesta en el suelo.

—¡Ayudadme a levantarme! —pidió la desconocida con un acento extraño.

Se acercó a la voz y tendió una mano. La mujer la cogió y se impulsó hacia arriba. El crujido de la tela al desgarrarse resonó en el silencio de la noche.

—¡El vestido de la celebración! ¡Tenéis que hacer algo! ¡Su Majestad lo notará en cuanto lo vea! —Clara había dado un paso atrás y miraba asombrada el bulto que se había levantado delante de ella—. ¿Habéis visto a Justa?

—¿A quién?

—Se metió entre unas casas y la perdí.

—¿Quién sois vos?

—No podrá regresar al alcázar sin mí. Se lo tiene bien merecido por no atender a mi llamada.

—¿Justa?

—Es una muchacha no muy alta, más o menos como vos. ¿De verdad que no la habéis visto?

Pero la contestación llegó del interior de la casa.

—¡*Clara!*

Su tía la había descubierto y ella no tenía ganas de dar las explicaciones que seguro le pediría. Cogió a la mujer del brazo y la arrastró fuera de la huerta, hasta la calle, mientras la desconocida le seguía dando detalles de cómo era la tal Justa.

—¿Queréis hacer el favor de callaros? —le susurró—. ¿Quién sois?

El farol de la puerta de la casa le mostró el rostro de la chica. Era bastante más joven que ella. No tendría más de dieciséis o diecisiete años. La capucha del manto había caído hacia atrás y le dejaba el rostro al descubierto. Las perlas que le delineaban la línea de la frente y la elegancia de la ropa que vestía indicaban que no vivía en ninguna de las casas vecinas.

La mujer siguió sin prestarle atención a pesar de haberse callado, solo tenía ojos para el desgarrón que se abría en la parte inferior del vestido.

—Tenía que haberle hecho caso a Justa —se lamentaba mientras rozaba la tela rota—. ¡Solo se me ocurre a mí escaparme de palacio con el vestido de la boda!

—¿La boda? ¿Habláis de la boda del rey?

La chica la miró extrañada.

—¿Cuál si no? La boda de mañana, la boda de mi señora, Ana de Austria.

—¿Pertenecéis al séquito de la reina? —Clara estaba abrumada.

—¿Y qué le voy a decir a la reina ahora que el vestido para la celebración está roto?

Clara era consciente de ser la culpable de aquel desastre; le había pisado el bajo mientras le ayudaba a levantarse. Corrió a la huerta y rescató la cestilla de las labores.

—¡*Clara! ¡Qué haces que no entras! ¿De dónde vienes? No de la iglesia y ¡no me digas que has estado en el convento de las Clarisas porque...!*

Clara torció el gesto. El responso de su tía se desvaneció cuando regresó hasta la joven. Se agachó y examinó el roto a la escasa luz. Era un buen agujero.

—Creo que tengo un poco de hilo de este color —comentó mientras intentaba localizar algo al fondo de la cesta.

—¿Eres costurera? ¡Eres mi salvación! Precisamente hace dos semanas perdimos a una que nos acompañaba desde Praga. Era la mejor de todas, las labores de las demás no tienen parangón. ¡Pobre mujer! Después de lo mal que lo pasó en el barco hasta que llegamos a la costa española, resulta que la pobre cogió unas fiebres por el camino y la tuvimos que dejar al cuidado de una familia muy piadosa. ¿Cómo estará ahora? ¿Crees que se habrá recuperado? ¡Con lo ilusionada que estaba por este enlace! ¿Sabes? Tenía mucho aprecio a mi señora. ¡Tenía unas manos! Su hija también nos ha acompañado hasta Segovia, pero no la puede reemplazar puesto que apenas es una niña todavía. Su madre se quedó en la ciudad de Burgos. ¿Crees que se entenderá con los que la acogieron? Después de tantos años de servir a la reina, nunca aprendió español. Y aunque mi señora intentó enseñarle, ella...

Clara dejó de prestar atención al parloteo de la mujer y se dispuso a solucionar el desastre que ella misma había provocado. Ya había cortado una hebra con los dientes, la había enhebrado con mucha dificultad y se disponía a clavarla sobre la tela. No había dado ni dos puntadas cuando llegó a la conclusión de que sería inútil. Con aquella luz no conseguiría más que realizar un mal zurcido, indigno hasta de una niña la primera vez que asía una aguja.

—No creo que me sea posible arreglarlo.

—¡No puedes dejarme así! Tengo que llevarlo mañana en la misa de velaciones. ¡Su Alteza Real ya sabe qué vestido voy a lucir y se dará cuenta de que algo ha pasado si no me lo pongo!

—Lo que yo haga en estas circunstancias lo notará cualquier persona que no esté ciega. Necesito más luz.

—¡Ya sé! Acompáñame a palacio. Allí podrás arreglarlo. ¡Te recompensaré! —añadió cuando vio que Clara daba un paso atrás.

—¿A la corte? No sé si...

—*Muchacha, ¿qué haces en la puerta? De comadreo con las vecinas. ¡Como si lo viera! ¡Te he dicho una y mil veces que...!*

Clara frunció el ceño y echó un vistazo rápido a la casa cuando se oyó el ruido del cerrojo al correrse.

Se levantó con rapidez, pinchó la aguja en el vestido a la altura del pecho, asió la cesta y asintió.

—Está bien, os acompaño.

No se demoraron ni un segundo. Para cuando la señora Socorro Pérez Valbuena abrió la puerta y sacó la cabeza a la calle, hacía tiempo que las dos jóvenes habían desaparecido.

Fue ver la gran torre y ser consciente de la locura que acababa de cometer. Sin embargo, no le dio tiempo a decirlo en voz alta. Atrás habían dejado su calle, atrás la antigua canongía, atrás quedaba el caserío de Segovia, y delante... delante una persona que se levantó en cuanto las vio aproximarse.

—¡Justa!

Clara observó cómo la dama reprendía a la criada y cómo le respondía la otra. Se hizo a un lado con discreción hasta que dejaron de discutir.

Entrar fue más fácil de lo imaginado. La criada tomó la iniciativa. Se agachó, cogió una piedra del suelo y la lanzó contra el muro, al lado mismo de la entrada. El sonido retumbó en la oscuridad.

El puente se bajó al instante.

—Adelante —dijo la joven y, con un gesto, invitó a las dos acompañantes a seguirla.

El puente se cerró de nuevo en cuanto Clara dejó de pisarlo.

Y de nuevo tuvo la sensación de que la vida acababa de cambiarle para siempre.

Los soldados se pusieron en pie cuando las vieron aparecer.

—Estos señores han sido tan amables de dejarnos salir cuando se lo hemos pedido. No hemos tardado mucho, ¿verdad? —dijo la dama en voz alta.

—No querían dejarnos pasar, pero doña Inés ha acabado por convencerles. No quería abandonar la villa sin conocer al menos algunas de sus calles —terminó de explicar la criada con tono molesto.

Clara no sabía qué pensar. Una cosa era que ella, una vulgar ciudadana, se escapara de casa para poder negociar con sus labores y otra muy distinta, que una joven de la corte saliera a escondidas en busca de aventuras.

—¿Suele hacerlo a menudo? —tartamudeó aún estupefacta.

—Siempre que puede. Yo hago lo imposible por impedírselo —confesó Justa—, pero casi nunca cede a mis peticiones.

—Señoras —les interrumpió uno de los soldados que había cogido un pequeño farol y se había colocado por delante de ellas—, si hacéis el favor...

Entraron en un estrecho pasadizo que se internaba por debajo de la gran torre.

—¡Viene alguien! —avisó el militar—. ¡Hay que regresar!

Las tres mujeres dieron media vuelta y se volvieron tan rápido como pudieron.

—¡Por aquí!

Clara se metió apresurada por donde le indicaban. Unos escalones tallados en la piedra le dieron la pista de que no se dirigían precisamente a la alcoba más lujosa del palacio. La humedad era patente en los muros verdosos, y aumentaba según descendían. El apagado sonido del agua filtrándose por algún punto le indicó que bajaban hacia el aljibe del palacio.

—Esperaremos. Los soldados nos avisarán. Justa, siéntate a mi lado para darme un poco de calor.

Clara escuchó el rozar de tela e imaginó que la criada había obedecido. Ella hizo lo mismo; se sentó y depositó la cesta en el regazo.

Estaba loca si había pensado que iba a sacar algo de aquella aventura. En cuanto la descubrieran, la echarían de allí a patadas. Y no es que ella quisiera quedarse —¡bien sabía Dios que no era así!—, pero por un momento le había parecido una buena idea. Cuando escuchó a su tía gritar de aquel modo desde dentro de casa sin esperar una explicación, se le había encendido la sangre. ¡Odiaba a aquella mujer! De ninguna de las maneras permanecería mucho más tiempo a su lado. En cuanto tuviera dinero suficiente para sobrevivir una temporada se marcharía. Ni sabía ni le importaba adónde.

Las voces de los soldados la hicieron regresar.

—¿Creéis que tiene un amante?

—¿Quién, la joven dama? ¡Estás loco! Si acaba de llegar a España.

—Y si no, ¿a qué va a salir de palacio? Ya llevan aquí unos días, le ha dado tiempo a buscarse alguno.

—La criada le habrá apalabrado algún encuentro. O esa otra que viene con ellas. Esa que ha dicho que es costurera. ¡Ni que nos creyéramos la historia!

—¿Qué pensáis que dirá la reina si se entera? Ella que pasa la mitad del día arrodillada ante el altar.

—¿No estarás pensado en denunciar la salida de la dama?

—¿Me crees tan estúpido como para quedarme sin las monedas prometidas? Aunque pensándolo mejor, igual cambio los reales por un buen revolcón con la villana.

Las carcajadas de los soldados hicieron temblar a Clara.

—No sé cómo te atreves a tocar eso. Corres el riesgo de que te escuche cualquiera y te denuncie.

Nicolás dejó de rasgar la vihuela y soltó una carcajada.

—No temas, a estas horas nadie se arrima por aquí, lo tengo comprobado. Ya se han cobijado en las alcobas. Y espero que no seas tú quién me delate.

—Sabes que no se van a enterar por mí. Pero un día de estos te descubrirán tocando música profana y el maestro te expulsará de la Capilla.

—¡No lo llames así! —bramó Nicolás—. No tiene ningún derecho a recibir ese título.

—Te guste o no, él es el que ha sido nombrado para sustituir a Bonmarché como responsable de la Capilla Musical de la corte.

—Solo hasta que designen al nuevo maestro.

—Sí y mientras tanto tendrás que fingir que lo soportas.

—No es más que un cantor, por muy veterano que sea. ¿Has visto alguna de sus composiciones? No ha hecho ningún mérito para detentar el puesto que le han asignado.

—Eso es lo que tú crees, pero otros más arriba no comparten tu opinión. Además, ¿no eres tú el que asegura que haría lo que fuera para conseguir ser el compositor principal de la Capilla Musical de las Españas? Aguantar a Molina es solo la primera de las pruebas.

Nicolás resopló.

—Lo sé, y lo voy a conseguir. Pero me exaspera. Esta tarde me ha mandado repetir más de diez veces el Te Deum. ¡A mí!

—Calla —le urgió José.

—¿Qué sucede?

El músico hizo un gesto con la mano que el cantor acató al instante. Dejaron pasar unos segundos.

—He oído algo.

—Ha debido de ser tu imaginación.

—Vámonos de aquí. No tengo ganas de que nadie me descubra merodeando por palacio a deshoras. Después, cuando yo no esté, regresas si se te antoja.

—Tú y tus ruidos.

José ignoró el comentario y tendió la mano a su amigo para que se levantara. Entraron en el palacio y se internaron por los pasillos.

—Volviendo a lo que hablábamos. Bonmarché también era muy estricto. Además, no te quejes de Molina que te ha escogido para cantar en la boda de Sus Altezas Reales.

—Porque lo que quiere es quedar bien con Sus Majestades. Sabe que soy el mejor.

A José se le escapó una media sonrisa. Nicolás no era precisamente el más humilde de los hombres.

—Sea como sea vas a tener la oportunidad de que la reina te escuche y sepa quién eres.

—Tú también.

—Yo no soy más que un ministril que sopla dentro de un sacabuche, uno más. No lo hago mal, pero no mejor que muchos. Pero tú eres el propietario de esa impresionante voz. Otros con tu edad, haría mucho tiempo que habrían desaparecido de palacio camino de la universidad. Pero tú no, el maestro Bonmarché lo sabía y por eso te mantuvo a su lado hasta...

—... hasta su fallecimiento.

—Y por eso te hizo responsable de los cantorcicos —Nicolás torció el gesto— y por eso no has tenido que tomar los hábitos para seguir siendo cantor en la Real Capilla.

—Pero no es lo único que quiero. Ya no me vale con eso. No me sirve con cantar, quiero que todo el mundo escuche mi música, la que yo imagino, la que yo escribo. Quiero que tú y el resto de los ministriles la interpretéis ante el rey, ante la reina y ante Dios.

—Corres demasiado. Eres demasiado impaciente.

—Llevo más de quince años soñando con ese instante, con el momento en el que la corte se postre a mis pies, el mayor compositor del reino. Así que no me digas que voy muy deprisa.

—Lo haces, Niek.

—No me llames así. —Su voz se había vuelto más amarga—. Desde que me trajeron a este país, soy Nicolás, igual que tú eres José.

—Yo me llamo Joos y lo sabes, así me bautizaron. ¿No te acuerdas nunca de ellos?

—No.

Siempre decía que no, que no los recordaba. Mentira.

¿Cómo se olvida a una madre llorosa, a un padre orgulloso y a cuatro hermanos despidiéndose de uno a la puerta de casa? Los podía ver aún, diciéndole adiós, agitando las manos en el aire mientras él miraba atrás desde la carreta en la que lo habían metido.

Ya había dejado de juzgarlos, y hasta había terminado por comprenderlos. ¿Quién se resistiría al honor de que uno de sus hijos, un simple cantor del coro de la iglesia cercana, fuera elegido para formar parte de la corte del emperador? Nadie en su sano juicio.

Nicolás los entendía, pero entender no significaba perdonar.

En cuanto el soldado del farol les avisó de que el camino estaba despejado, las tres mujeres salieron del escondite. La dama cogió la iniciativa y condujo a Clara y a la criada a los aposentos de las acompañantes de la reina.

Aparte de los guardias, que custodiaban algunas de las puertas, no se encontraron con nadie. Era como si el monarca y su nueva esposa se alojaran en cualquier otra residencia de Segovia menos en aquella.

Atravesaron una sala alargada, decorada en color granate; otra de iguales dimensiones, y con una de las cubiertas más bellas que Clara había visto antes; pasaron por una estancia con un hermosísimo zócalo de azulejos; y a partir de ese momento, Clara se perdió. De vez en cuando llegaban a unas escaleras que descendían de nuevo al pasar a la habitación siguiente. Hasta habían salido a un pequeño patio rodeado de almenas para volver a entrar por otra puerta.

Después de subir al piso superior, había dejado de intentar averiguar en qué parte del alcázar podía estar; se encontraba completamente desorientada. Además, se sentía como una ladrona que aprovecha la ausencia de los amos de la casa para entrar a hurtadillas. Solo que ni estaba robando ni aquello era una casa normal; puesto que el dueño se trataba, ni más ni menos, que del rey, y la reina descansaba en la estancia ante la que pasaban de puntillas en ese momento.

—¡Chsss! ¡No hagáis ruido! —susurró la dama—. Su Majestad tiene el oído muy fino.

La criada se paró ante la cámara contigua y la abrió con sigilo. Un pequeño empujón, y Clara supo que habían llegado.

La puerta se cerró con más ímpetu del deseado. Durante el silencioso recorrido, a Clara le había dado tiempo a pensar que había sido un error dejarse llevar por la ira contra su tía y acompañar a la extranjera. Ahora lo único que podía hacer era terminar lo más pronto que pudiera y marcharse cuanto antes.

—Si os parece y os quitáis el vestido... —sugirió, depositando el cesto en el suelo.

La dama se dio la vuelta y Justa se acercó con rapidez para ayudarla a desembarazarse de los ropajes. Clara aprovechó el instante para examinar la alcoba en la que la habían introducido. Apenas era más grande que la suya propia y la cama ocupaba gran parte de ella, con lo que quedaba poco sitio para nada más. Las cortinas de terciopelo granate rodeaban un lecho que nada tenía que ver con el pobre camastro en el que ella dormía. No había sobre los muebles ningún objeto personal que indicara que se trataba de la estancia de la dama que se quitaba la ropa delante de ella. La mesita que se apoyaba contra el zócalo de azulejos verdes daba lástima; nada había sobre ella y nada en su pequeña balda de cuero. Aparte de la puerta por la que acababan de entrar, había otras dos que conectaban con otras estancias, pero no existían ventanas. Sin duda aquella no era una de las estancias principales de palacio.

Clara notó un golpecillo en el hombro y se dio la vuelta. Justa le tendió el vestido. Por suerte, el verdugado no estaba sujeto a la tela, no tendría que lidiar con aquel desagradable armazón de alambre, en el que las mujeres de buena cuna se metían y que les confería el ridículo aspecto de una alcuza de aceite.

—Habrá que acercar la silla al fuego —comentó.

La criada hizo lo que le indicaba y aproximó el asiento a la luz. Clara se sentó en él y examinó la tela con detenimiento.

Era un suave tafetán de color azul tormenta con unos detalles en plata en la parte más baja de la falda. Ninguno de los rombos grisáceos se había rasgado y, por suerte, el daño era menor de lo que le había parecido en un principio.

—No hay nada mejor que descansar en tu propia cama, ¿no te parece, Justa? —oyó decir a la dama mientras se escuchaba el crujir del colchón—. Sí, no me mires así. Sabes que no soporto estar encerrada y que necesito salir de vez en cuando para tomar aire.

—Pero si Su Majestad os llega a descubrir...

—No se va a enterar. ¿O acaso le vas a ir con el cuento? ¡Mira! —exclamó al tiempo que señalaba la puerta cerrada situada a su izquierda—. Ni siquiera se ha dado cuenta de que nos hemos movido de aquí.

Y, como si aquellas palabras fueran la llamada a la oración, la puerta se abrió.

—¿Inés, ya has vuelto?

La joven, que se había incorporado de repente, se volvió a

tumbar en la cama al tiempo que dejaba escapar el aire que retenía en los pulmones.

—¡Catalina, qué susto me has dado!

—¿Pensabas que era Su Alteza? —rio la recién llegada—. Eres una mujer con suerte; nunca te descubre. ¿Cómo lo consigues?

—Es más fácil de lo que piensas. ¿Acaso no te has dado cuenta de que lo único que le preocupa es mantener su espíritu en paz?

—Y su matrimonio.

—Bien dices, nadie habría imaginado que el alma de Ana de Austria rebosaría de amor por un hombre que le dobla la edad, y que además es su propio tío.

—A mí tampoco me importaría dejarme agasajar por alguien tan atractivo como él —susurró Catalina, aproximándose al fuego.

Clara escuchó la risita que soltó doña Inés ante el comentario de la recién llegada, que se percató entonces de la presencia de Clara y se volvió hacia su amiga.

—¿Quién es?

—Lo cierto es que no lo sé. ¿Cómo te llamas? —preguntó, pero continuó hablando sin esperar respuesta—. Necesitaba sus servicios. Es costurera. El vestido se desgarró mientras recorría las calles de la ciudad.

Clara le agradeció en silencio que no explicara su participación en el incidente.

—¡Eres una insensata! ¡Menuda ocurrencia salir con el vestido que tienes que usar mañana!

La joven dama se levantó de un brinco, se acercó a Clara y se arrodilló junto a ella.

—Pero no tengo ninguna duda de que va a quedar como si fuera nuevo, ¿no es verdad? ¡Mira, Catalina! —añadió al tiempo que empezaba a revolver en la cesta de la costura de Clara—. ¡Mira qué hermosuras confecciona!

Del canasto salieron tres rollitos de puntillas, le siguieron media docena de gorgueras, un par de pechos con encajes segovianos de cruces entrelazadas y, por último, el pequeño faldón que había llevado a casa de la señora Encarnación, como muestra de lo que había pensado para su nietecito.

Catalina se había sentado también en el suelo y daba vueltas a los cuellos entre las manos.

—En verdad que haces unas exquisitas labores.

—No se me da mal —contestó sin poder evitar que el orgullo le iluminara la cara.

—¿Cómo vas a explicar su presencia cuando tenemos a otras zurcidoras? —preguntó Catalina a Inés.

—Pero ninguna como ella, tú misma has visto. Sin embargo, la reina no se va a enterar. Tendría que contarle cómo y dónde la he conocido. Se irá de palacio en cuanto acabe, a pesar de mi pena por dejar escapar a unas manos como las suyas.

La recién llegada llevó a Inés al otro lado de la estancia.

—Si es tan buena como parece, ¿no podríamos intentar quedarnos con ella? La reina sabrá reconocer nuestro buen hallazgo después de la pérdida que sufrió en Burgos —susurró para que Clara no la oyera.

2

—No, no —negó Clara—, no voy a quedarme, de ninguna de las maneras.

—¿No ves que es una oportunidad única? Irás a Madrid, entrarás en la corte, podrás coser para la reina.

Abandonar Segovia, olvidar a su tía. Marcharse al fin.

Abandonar Segovia, olvidar a los amigos, desprenderse de sus clientes.

—No, es imposible —repitió, mientras extendía sobre la cama el vestido recién arreglado.

Prefirió no pensar de nuevo en el ofrecimiento y comenzó a recoger. Doña Inés le arrebató la cesta y la escondió a su espalda.

—¿Por qué no? ¿Qué te ata a la ciudad para rechazar una propuesta como esta?

A Clara comenzó a pesarle la cabeza; ¡la tentación era tan fuerte! Nuevo trabajo, nueva ciudad, nueva vida lejos de su tía.

—Inés, déjala en paz. Ya ves que no...

Unos golpes en una de las puertas interrumpieron la conversación.

—¿Catalina? ¿Inés?

Las dos jóvenes se miraron entre sí con los ojos muy abiertos.

—¡Ahora mismo vamos, Majestad! —contestaron al unísono.

—Tienes que marcharte al momento, antes de que la reina te vea —susurró Inés a Clara mientras abría la puerta que daba al corredor y la empujaba fuera—. ¡Justa!, ¿dónde te has metido?

Clara intentó asir la cesta que había visto en manos de la joven dama no hacía ni dos segundos antes, pero ya no se encontraba allí.

—Mi...

La madera le dio en las narices. Estaba en una galería en medio del alcázar, a solas y sin nadie que respaldara su presencia. Apretó la manilla de la puerta para volver a entrar y la encontró cerrada. Las damas se habían asegurado de que su señora no viera a la costurera, así no tendrían que dar explicaciones. Levantó el puño para llamar, pero lo detuvo en el aire.

¿Qué ganaría con aquello? No las monedas que le habían prometido, desde luego. Aunque al menos, recuperaría su cesta y su trabajo. La echarían a patadas. Las damas no tendrían más que asegurar que no la habían visto nunca para que acabara de cabeza en la calle... o en la mazmorra.

Suspiró. Siempre era igual, el pez grande se comía al chico. Y aquel no era su día de suerte.

Dejó caer los brazos y miró a uno y otro lado. Tenía que encontrar la salida.

Clara se arrimó contra la pared, escondida en la zona más oscura. No sabía cómo había llegado hasta allí. Se había perdido. Había dado vueltas y más vueltas intentando localizar un camino conocido, pero había sido imposible. A veces, algunas de las estancias por las que pasaba le resultaban familiares, pero cuando entraba en la siguiente no la reconocía por más que se esforzaba. Volvió a tener la sensación de que aquel enorme castillo estaba vacío. Hasta que había llegado a aquel pequeño patio, junto a las almenas.

Cuando salió al exterior de la noche, sintió alivio. Había pasado por allí. Se detuvo un instante para recordar cuáles habían sido los pasos seguidos a su entrada y casi tenía el recorrido en la mente cuando lo oyó. Un pequeño susurro, un leve murmullo.

Se escondió de nuevo. Con suerte, no eran más que dos criadas yendo a algún sitio. Con suerte, no la verían.

Un rato después llegó a la conclusión de que ni eran mujeres ni quien fuera tenía intención de abandonar el lugar. Aunque lo más inaudito fue escuchar aquella cancioncilla popular.

La música procedía de muy cerca. Apenas era un suspiro, un leve batir de cuerdas, unas notas susurradas que, sin embargo, creaban una alegre tonada.

Sin darse cuenta, golpeó con el pie el suelo siguiendo el ritmo.

—¿Quién está ahí? —Clara dejó de respirar—. ¡Sal de tu escondite! ¿Qué pretendes espiándome? —Lo oyó acercarse—. Si eres el cobarde que imagino que eres...

Lo tenía encima. Media docena de pasos más y la pisaría. Ella se separó del muro y salió a la claridad de la noche.

—No sé quién imagináis que soy, pero creo que no estáis muy acertado.

Lo escuchó soltar un suspiro de alivio.

Era alto y más rubio que cualquier otro hombre que conociera. La luz de la luna brillaba por detrás de él y creaba un halo centelleante alrededor de su cabeza. No pudo verle la cara.

Él la miró de abajo arriba con todo el descaro del mundo.

—Eres una de las doncellas del séquito de la reina —afirmó al fin.

Y sin decir una palabra más, se dio la vuelta y regresó a la misma esquina que ocupaba antes.

—¿Y qué si lo fuera? —se encaró ella, siguiendo sus pasos.

Le había faltado darle una patada para tratarla como lo haría con una piedra del camino.

—Sería bueno para mí —dijo él con tranquilidad mientras se volvía a sentar en el suelo, al resguardo de las almenas y de cualquiera que apareciera por allí.

—¿Por qué?

—Porque eso querría decir que nadie se va a enterar de que estoy aquí.

Clara se echó a reír ante la seguridad de su voz.

—Confías demasiado en una desconocida.

Él le echó una penetrante mirada que Clara no pudo ver.

—Confío demasiado en mí —dijo con naturalidad.

«¡Será fatuo!»

—Y según tú, ¿de qué se supone que tengo que acusarte? No creo que no recogerte en tus aposentos después de la cena sea un pecado en la corte.

—No.

—¿Y bien?

—¿Vas a quedarte parada ahí arriba? —preguntó Nicolás desde el suelo.

Clara dudó. ¿Le estaba invitando a acomodarse junto a él? Nunca hasta entonces le había sucedido algo como aquello. Nunca la habían invitado a compartir espacio con un hombre. «Nunca», pensó y se sentó.

—Todavía no me has dicho por qué se supone que no debías estar aquí.

—Soy un cantor.

—Bien.

—De la Real Capilla.

—Vale.

—A los cantores de la Real Capilla no nos está permitido cantar nada que no sea música religiosa.

«Ni cortejar a las sirvientas.»

—Así que estás infringiendo la ley.

—Algo así.

—Aún estoy a tiempo de acusarte ante la reina.

Ambos giraron la cabeza al unísono, estaban uno frente al otro, a menos de un palmo. Ahora sí, ahora sí que lo vio. Él tenía los ojos claros, finos, enarcados por unas cejas profundas; la nariz larga; la boca completa, los labios carnosos. Tenía la mirada penetrante, calculadora, las cejas en tensión; la nariz angulosa; la mandíbula dura, el gesto áspero, y la sonrisa más punzante que había visto nunca.

No podía apartar la vista de él.

El músico rompió el hechizo cuando volvió a coger el instrumento. Colocó la vihuela sobre el pecho, pinzó con la mano izquierda una de las cuerdas y con la otra, la rozó levemente.

La suave melodía se alzó entre ambos durante un rato. Clara

había cerrado los ojos y escuchaba con deleite los sonidos arrancados a aquel trozo de madera con tres agujeros y cuatro cuerdas. Pero pronto fueron dos los instrumentos que sonaban en sus oídos.

Nunca hasta entonces Clara había conocido a una persona a la que envidiar. No pudo evitarlo. Ser bendecido por Dios con una voz como aquella debía de ser un regalo difícil de agradecer.

La tonada terminó, pero ella todavía escuchaba los acordes alejándose por el aire.

—Hora de irse —dijo Nicolás, que se levantó de un salto.

Clara tuvo frío. El vacío que dejó el cuerpo masculino provocó que apretara el manto contra ella. Se controló para no levantarse y marcharse en pos de él.

A la altura del pozo, él detuvo el paso y la miró.

—Así que eres de las que se pasean a solas en la noche. ¿Lo sabe tu señora? Se dice que la nueva reina es muy estricta en cuestiones de moral.

—Y tú eres de los que cantan en cuanto tienen ocasión.

—Solo a veces.

—A veces, ¿cuándo, cuándo aparece la luna? —comentó con ironía.

Él le guiñó un ojo y se coló por la misma puerta por la que ella había llegado. Antes de desaparecer, se dio la vuelta.

—No, solo cuando tengo una mujer hermosa a mi lado.

Clara luchó para no salir de la somnolencia y seguir disfrutando del calor de la cama. Entre la neblina de la duermevela aún permanecía el ligero eco de la noche reparadora. Unas notas lejanas resonaban todavía en sus oídos. Apretó los ojos y se concentró en la lejana melodía que se empeñaba en huir de su conciencia. Soñó que la atrapaba entre sus manos y no la dejaba escapar nunca más. Soñó que la guardaba en el pequeño joyero de su madre y la escuchaba a su antojo. Soñó...

Las campanas de la catedral sonaron como una explosión de pólvora y la obligaron a huir del letargo. Ya había amanecido y ella todavía no se había levantado. Intentaba que su cerebro volviera a ponerse en marcha cuando un portazo la dejó caer en el vacío. Salió de la cama de un salto. Ni se molestó en calcular la hora. La conocía a la perfección; la primera misa de la mañana había finalizado y también el tiempo que su tía dedicaba a la oración después de esta.

Se sacó por la cabeza la camisa de noche a toda prisa y se colocó la de día, que había dejado, como siempre, extendida sobre el arca. Aún no se había atado el justillo cuando unos pasos decididos se escucharon por el pasillo. Socorro Pérez Valbuena entró en la alcoba como un vendaval.

—¿¡Se puede saber dónde te metiste anoche!?

—Perdonadme, tía, cuando llegué ya estabais acostada y no quise molestaros —se disculpó Clara con cortesía.

—¿¡Se puede saber dónde te metiste anoche!? —volvió a repetir la mujer fuera de sí.

—Os lo puedo explicar —comentó Clara mientras asía la falda y comenzaba a metérsela por los pies.

—¡Ya lo creo que me lo vas a explicar! ¡Me vas a explicar ahora por qué mi sobrina, a la que he amparado con mi generosidad durante todos estos años, desaparece con una desconocida en mitad de la noche!

—Tía, apenas había anochecido...

—¡Me vas a explicar ahora —continuó la mujer sin hacer el menor caso— por qué tengo que seguir proveyendo de cama y comida a una mujerzuela!

—Tía, si dejarais que os explicara... os estáis equivocando, yo no...

—¡Que tú, ¿qué?! Ahora me vendrás con que no eres una desvergonzada, que no has pasado la noche con el primero con el que has tenido ocasión.

Era suficiente. Clara aprovechó el momento en el que su tía cogía aliento para salir de la habitación. Su pariente la siguió. Pero en cuanto atravesó la puerta de la cocina, Clara se dio la vuelta y se enfrentó a ella.

—Si eso es lo que pensáis de mí después de...

—¡Sí! Después de todo lo que yo he hecho, después de todos

mis desvelos, después de que os recogí a ti y a tu madre cuando el sinvergüenza de tu padre abandonó a la desgraciada de mi hermana a pesar de saber que estaba encinta, después de...

—¡Mi padre siempre dijo que volvería!

—Entonces, ¿dónde está, eh? Entonces, ¿por qué no ha vuelto aún? ¡A buscar el reconocimiento que aquí no se le daba, dijo él que se iba! —La mujer soltó una risotada—. Y la idiota de mi hermana se lo creyó. ¡Valiente necia!

—¡No os permito que habléis así de mi madre!

—¡Yo hablaré de mi hermana como y cuanto me dé la gana! Para eso os mantuve durante tantos años.

—Mi madre se ganaba el sustento.

—¡Ja! Remendando camisas. Los canónigos solo se las daban porque era mi hermana y le tenían lástima. ¡No era más que una limosna! Con los reales que aportaba no llegaba ni para las ascuas del brasero.

Clara sabía que no era cierto. Sabía que su madre había ganado dinero suficiente para pagar todos los gastos de ambas en aquella casa. Todos. Hasta que se puso enferma. Había sido entonces cuando ella la reemplazó en la tarea, cuando Clara había hecho de su recreo su profesión. Que su tía menospreciara ahora todo su empeño por contribuir en el sostenimiento de aquella casa la golpeó en lo más hondo.

—¡Eso es mentira! ¡No sois más que una ruin y una mentirosa! Una falsa que se arrodilla en el confesionario cada mañana con la única idea de sentirse una santa el resto del día.

—¡Y tú! —siseó la dueña de la casa con lengua de víbora—. ¿Qué eres tú? Nada más que una sinvergüenza que se ha estado aprovechando de mi bondad, que no ha esperado a estar casada para echarse en brazos de un hombre.

—¡Sabéis que eso no es cierto!

—¿Dónde has perdido la honra? ¿Cuándo? ¿Con quién? Seguro que con alguno de aquellos hombres que te cortejaron en varias ocasiones.

Clara se quedó muda al ver el rencor que le profesaba aquella mujer. ¿Cómo podía alguien de su propia familia lanzar aquellas falsas y odiosas acusaciones contra ella?

—Vos misma estuvisteis presente las veces que me encontré con ellos y sabéis que no sucedió nada.

—¡Porque no tuvisteis ocasión! No me extraña que se alejaran de ti antes de que fuera demasiado tarde. Yo misma les avisé del tipo de persona que eras y se pusieron a salvo.

Clara empezó a respirar pesadamente con las pupilas clavadas en los ojos inyectados de la mujer que tenía delante.

—¡¿Qué?!

—Y a los que no me creyeron no hizo falta más que ponerles una bolsa repleta delante de los ojos —se ufanó la tía.

Había sido su propia tía la que había comerciado con su porvenir. Y se enorgullecía de ello. Había sido ella la que había truncado su futuro, la que le había cortado la posibilidad de salir de aquella casa, que la había obligado a permanecer junto a ella todos aquellos años.

—¿Por qué? —logró preguntar a aquella mujer que la miraba con odio.

—¡¿Y aún lo preguntas!? Porque si no lo hubiera echo te habrías marchado con el primero que hubiera aparecido y me habrías abandonado, me habrías dejado sola. ¡A mí, que me he gastado mis buenos dineros para darte de comer!

Clara quería salir de aquella casa, necesitaba marcharse de allí o se ahogaría. Con un empujón, apartó a la mujer del camino.

—No me voy a quedar aquí, no me voy a quedar aquí —murmuraba mientras se dirigía a la salida.

La risotada la alcanzó casi en la puerta.

—¿Y adónde vas a ir, desgraciada?

La respuesta la esperaba al otro lado de la puerta.

—¡Justa!

La criada se encontraba delante de la casa. La había sorprendido a punto de llamar.

—Me envían de palacio.

Clara salió al exterior.

—¿Qué haces aquí? —susurró.

—La señora te solicita de inmediato.

—¿Acaso se le ha vuelto a romper el vestido? —gruñó Clara con excesivo sarcasmo.

Lo que le faltaba. No era suficiente la que tenía montada dentro de las cuatro paredes que tenía a su espalda, y ahora aquello.

—Mi dama no, la señora, es la reina la que suplica vuestra asistencia.

—¿La reina?

—Después de que te fuiste, Su Majestad descubrió las labores y quedó fascinada por ellas. Doña Inés le ha asegurado que no tienes ningún inconveniente en acudir a su llamada. Ya le he dicho yo que a veces no se puede salir con la suya y que podías estar ocupada.

—¿Se trata de una consulta breve o...?

La criada se encogió de hombros.

Clara giró la cabeza y clavó la vista en el grueso y desgastado portón. No necesitó mucho tiempo para pensarlo. ¿Qué se le había perdido a ella en palacio? ¿Qué ganaría quedándose en aquella casa?

—Aguarda un momento.

Lo más rápido que pudo, entró de nuevo y se acercó hasta el pozo. Tiró de una de las piedras de la base, metió la mano, sacó la bolsa con sus ahorros y los ocultó en el puño. Dio un par de pasos hacia la casa. Tenía que coger el manto. El día de San Millán no hacía como para salir a la calle sin abrigo.

—¿Quién ha venido? ¿Con quién hablas? ¡Seguro que es con ese sinvergüenza con el que estuviste anoche!

Se lo pensó de nuevo. Prefería congelarse antes que volver a ver la cara de aquella mujer, por mucho que fuera el único familiar que le quedaba. Salió a la calle sin más abrigo que la ropa que llevaba encima y cerró de un portazo.

—Al alcázar entonces.

Cuando empezó a subir la calle detrás de Justa, se sintió ligera por primera vez en la vida. Era como si siempre hubiera llevado a cuestas un saco lleno con cantos del río Eresma y acabara de desprenderse él.

—¿Estás segura de que te han dicho que me trajeras aquí? —preguntó Clara por tercera vez.

—Sí.

El castillo parecía aún más desierto que la noche anterior.

Aparte de los dos soldados que vigilaban la puerta, no se veía a nadie por ningún sitio. La única muestra de que la furia celestial no había descendido del cielo y había arrasado con todo allí dentro era el placentero rumor que procedía de algún lugar de dentro de aquellos muros.

—¿Dónde está todo el mundo?

La criada la miró con incredulidad.

—Es el día de la boda.

—Lo sé, lo sé —repitió Clara, apelando a la poca paciencia que le quedaba después de la discusión con su tía—. También sé que la celebración no será hasta esta tarde en la catedral.

—Está siendo en la capilla.

—¿De palacio?

—De ahí procede la música que se escucha. Es la misa del velo.

«Por supuesto —pensó Clara—, al fin y al cabo están casados hace más de medio año.» Felipe II y Ana de Austria habían contraído matrimonio por poderes los primeros días del mes de mayo de 1570, pero no se habían encontrado hasta el día anterior. Segovia era la ciudad elegida para festejar el nuevo matrimonio. Hasta donde sabía, aquella tarde, la del 12 de noviembre, darían comienzo los festejos por los esponsales reales. La ciudad llevaba días organizándolo todo y habría sido del todo imposible que hasta los ratones de los desvanes no se hubieran enterado de lo que sucedía.

—De velaciones, la misa de velaciones —le corrigió Clara.

—¿Sabes lo que es?

Asintió. Estaba harta de acudir a ellas. Nada le gustaba más a su tía que asistir a aquellas celebraciones, que solo las familias más pudientes de la ciudad se podían permitir, para propiciar que los hijos de la pareja recién casada se educaran en la cristiandad y que parte de la descendencia futura dedicara su vida a la Iglesia.

Se preguntó entonces por qué su pariente, tan religiosa como era, no la había orientado hacia el camino de Dios. La respuesta fue sencilla: «Era mucho más práctico tenerme como criada.»

Clara dejó de fijarse por dónde pasaba. Caminaba con el pensamiento puesto en las voces que se oían. Según ellas avanzaban, las notas subían de intensidad. Al salir de una de las estancias fue como si el grupo hubiera abandonado el coro y se hubieran dispuesto alrededor de ella, tan cerca se alzaban los acordes.

—¿Son los músicos que han acompañado al rey desde Madrid? —preguntó mientras recordaba con nerviosismo al cantor con el que había estado la noche anterior.

—Esos y muchos otros que envió el monarca para que se unieran a nosotros cuando la reina desembarcó en España.

Clara no pudo evitarlo y se detuvo. Cerró los ojos. Pensó que aquella era una bonita forma de empezar la mañana, escuchando aquella melodía. Y no a gritos, como le había sucedido a ella.

—Podría quedarme aquí todo el día —susurró.

—Sigue —farfulló su acompañante—. ¡Nos van a ver!

A la izquierda de Clara había un pequeño cubículo abierto a la galería por la parte superior y enrejado a modo de confesionario. El sonido se escapaba por los agujeros de la madera.

—¿La capilla está ahí detrás?

Justa hizo un movimiento afirmativo a la vez que la asía del brazo y tiraba de ella para apartarla de la celosía.

Unos pasos más y los acordes se fueron evaporando como la lluvia de verano en contacto con los rayos del sol. Cuando llegaron a la escalera por la que Clara había ascendido el día anterior, tuvo que concentrarse para apreciar la melodía que continuaba resonando en la profundidad del castillo.

Subir dos tramos por la escalinata de piedra fue suficiente para perderla. Pero no bien puso un pie en el piso superior, la cadencia volvió a ella con mayor intensidad. Era como el batir de alas de una bandada de estorninos, sin embargo, enseguida aumentó de intensidad y se convirtió en un bosque de otoño mecido por el viento, en el salpicar de un río saltando entre las rocas en primavera. Y de pronto… el silencio.

Y cuando ya parecía que todo había acabado, cuando ya el vacío se le instalaba en el pecho, de nuevo aquella voz elevándose en el aire. Fresca, húmeda, refrescante como la niebla matinal.

No tuvo más remedio que pararse ante la puerta del coro, que permanecía abierta. En medio, un enorme facistol sujetaba el libro más grande que había visto nunca. Delante de él, los religiosos se disponían en tres filas, a cada una de ellas más elevada, de tal manera que Clara podía ver los perfiles de los cantores.

Todos habían enmudecido, todos excepto un hombre que se mantenía un par de pasos adelantado. De él procedían los sonidos. De él aquella maravillosa armonía.

—¡Vamos! —la conminó Justa—. No puedes pararte aquí.

En ese instante el hombre se volvió. Y por la expresión de sus ojos, supo que la había reconocido. Igual que ella a él.

La celebración había terminado. Los esposos habían abandonado el templo detrás del sacerdote y del acólito y, tras ellos, había partido el resto de la corte.

Solo se había quedado Nicolás, que miraba la capilla desde arriba, con los brazos apoyados en el balcón del coro. El retablo que tenía ante los ojos era magnífico y la imagen de la virgen delicada, pero a él le gustaba más el otro, el de la pared izquierda, el que representaba a Santiago montado en un corcel blanco. Por su fuerza, por su agresividad. Elevó la vista y la paseó por el maderamen del techo. Las líneas, unidas y repetidas hasta la saciedad, conformaban un cielo plagado de grandes estrellas mudéjares.

Pero nada de esto había visto durante la ceremonia; solo había notado que la nueva reina se cubría la cabeza y el rostro con un velo blanco y encarnado, similar al que el rey llevaba sobre los hombros. Sin embargo, ni se había enterado cuándo se habían arrodillado ni cuándo el capellán se había acercado a la pareja para leer las oraciones ni cuándo les había rociado con el agua bendita. Solo había estado pendiente de cuándo le tocaba entrar en el Gloria, en el Credo y en el Sanctus. Hasta que la había visto a ella.

Una voz desde la puerta le salvó de que sus pensamientos tomaran un rumbo incómodo.

—Estabais aquí.

Se incorporó al ver entrar a uno de los mayores compositores españoles y futuro maestro de la Capilla Musical de la catedral de Sevilla.

No le era ajeno a Nicolás que la capilla de la catedral de Sevilla era una de las más prestigiosas de la península. Sabía también que el monarca se había quedado prendado de su buen hacer cuando la había conocido en Yuste, tanto que la había enviado al encuentro de la reina a su llegada a España.

—No veía el momento de encontraros —explicó Nicolás mientras se aproximaba a Francisco Guerrero con la mano tendida.

Aun sin conocerse, se fundieron en un caluroso saludo. Ambos sabían reconocer a un justo contrincante.

—No me parece que os hayáis esforzado para buscarme —respondió el sevillano con una sonrisa.

—Sabía que permaneceríais junto a la reina durante varios días más así que no dudaba de que tarde o temprano nos cruzaríamos.

—Os han indicado bien, mi gente se quedará para daros a vos un descanso.

—Un descanso innecesario —replicó Nicolás, molesto.

—Estoy seguro de que el resto del coro agradecería un respiro. Además, un receso en vuestras obligaciones no perjudicará vuestra garganta.

El cantor sopesó las palabras del religioso y supo que lo había subestimado. En cambio, este parecía conocerlo a la perfección.

La conversación se interrumpió cuando otra persona hizo aparición en el coro. El maestro Molina. Su maestro.

El recién llegado se dirigió al sevillano y obvió a Nicolás.

—No imaginaba que os encontraría aquí.

—He venido a felicitar al más insigne de sus cantorcicos.

Nicolás se irritó; hacía muchos años que había dejado de ser un cantorcico para convertirse en cantor, el mejor de todos.

—Y él os lo agradece. Sobre todo después de lo de hoy —insinuó Molina.

Si se hubieran podido exprimir aquellas palabras habría salido un líquido más agrio que el zumo de un limón.

—Es hora de retirarme —se apresuró a decir Francisco Guerrero, pero antes de partir se dirigió a Nicolás—. Atended a mis palabras, a veces es mejor descansar para después volver con más ímpetu —le aconsejó.

—¿Qué quería decir? —preguntó Molina cuando la sotana del clérigo andaluz desapareció por la puerta del coro.

—¿Quién puede comprender los mensajes de un hombre con hábito? —farfulló el joven para sí mismo.

—No seas descarado —le reprendió el maestro, alisándose nerviosamente las faldas de su túnica—. Yo venía a anunciarte algo.

—Vos diréis.

—No participarás en la ceremonia de la catedral.

Así que era aquello de lo que le había querido avisar Guerrero. Molina tenía intención de dejarle fuera.

—No podéis hacerlo. Me necesitáis.

—Eso suena bastante petulante, ¿no crees? ¿Pensabas que iba a permitir que arruinaras el rito de la tarde después del desastre de hace un rato?

—No sabéis lo que decís —se mofó Nicolás, controlándose para no dejar traslucir el desprecio que sentía por aquel hombre.

—Las cosas son peores de lo que pensaba si no eres capaz de distinguir el temblor en tu voz, la apatía en tus cuerdas, el tiempo de retardo en las notas más graves, y lo peor, ¿en qué estabas pensando cuando has enmudecido? Menos mal que lo has vuelto a retomar sin que se notara demasiado.

—Nada de lo que me acusáis ha ocurrido. Si acaso, un pequeño retraso en una ocasión.

Había sucedido cuando se había encontrado con sus ojos, con aquellos oscuros y enormes ojos capaces de reflejar la luna plena. Los había encontrado. De nuevo.

—Está decidido; olvídate de cantar esta tarde.

El maestro no esperó contestación. Salió por la puerta antes de que Nicolás se defendiera de las recriminaciones.

«¡Malnacido!», pensó al tiempo que golpeaba el pasamanos de la balconada con el puño cerrado.

Miró con odio una de las lápidas que jalonaban el suelo de la capilla y deseó que el hombre que acababa de apartarle de la gloria estuviera enterrado debajo de una de ellas.

3

Clara terminó de subir los ciento cincuenta y seis escalones y salió al exterior. Una fría corriente le agitó los cabellos y la obligó a apretar los brazos en torno a ella.

Observó con interés a los trabajadores del castillo que, aunque no habían podido abandonar el alcázar para unirse a la celebración, habían recibido permiso para seguir desde lo más alto de la torre lo que acontecía en la villa.

Hacía horas que los reyes habían cruzado el puente camino de la catedral. Los ciudadanos más selectos de la ciudad, y de las poblaciones aledañas, habían acudido junto a todos sus parientes con el único objeto de ver con sus propios ojos a la nueva reina de España, la misma que tenía por delante la difícil tarea de sustituir a Isabel de Valois en el corazón del monarca, de ser la madre de sus hijas más pequeñas y de traer al mundo un heredero varón, ahora que el monarca había perdido a su único hijo.

Clara estaba igual de interesada que el resto de los criados por ver lo que sucedía en Segovia, sin embargo, todas las almenas estaban ocupadas y tuvo que propinar un par de empujones para hacerse un hueco en el lado este de la torre desde donde, además de la iglesia de la Vera Cruz y de la linde del río, se veía parte del caserío de la villa.

Paseó los ojos por encima de los tejados de la ciudad que la había visto nacer. Las cosas habían cambiado demasiado deprisa;

no solo eran los tejados del alcázar, que Felipe II había ordenado renovar por completo para agasajar a su nueva esposa, ni tampoco se trataba de las puertas del barrio de la Claustra, que acababan de ser derribadas para que la comitiva de la reina no encontrara obstáculos en su entrada a la ciudad; era toda su vida la que había sufrido un completo cambio.

Meses antes, había acogido la noticia de la boda del monarca sin ningún tipo de interés. Nada de lo que sucediera en la corte le interesaba. Al fin y al cabo, la atracción que esta había ejercido era la causante de la desgracia de su madre y de la suya propia. Su padre, Luis Román, había sido hechizado por las riquezas que podía conseguir en Toledo y se había encaminado hacia allí con la intención de regresar en busca de su familia a la primera ocasión. Pero nunca había cumplido la promesa. Y su madre se había visto obligada a acogerse a la falsa piedad de su hermana para el resto de sus días. Los primeros tiempos, Clara se había repetido hasta el infinito las palabras de su madre. Esta culpaba a la corte de retener a su marido en contra de su propio deseo. Así pues, cuando a Segovia llegó la noticia de que se trasladaba la capital a Madrid, pasó varios meses preguntándose por qué, ahora que estaba más cerca, su padre seguía sin regresar a buscarla. La lucidez le llegó un par de años más tarde, cuando fue lo suficientemente mayor como para saber que su padre no volvía porque no quería.

Y Clara dejó de aborrecer unos desconocidos vestidos con lujosos jubones, abultados greguescos, pantalones acuchillados y sobrias calzas y empezó a odiar al hombre, cuya imagen emborronada por el paso del tiempo su madre escondía al calor del pecho.

Pero si tan poco interés tenía en formar parte de la corte, ¿qué se le había perdido en el palacio de Valsaín?, pues ese era el lugar al que acompañaría a los reyes al día siguiente, y ¿qué se le había perdido en Madrid? ¿Por qué había accedido a entrar al servicio de la reina?

Se repitió en silencio que no seguía el mismo camino que había tomado su progenitor. Ella no abandonaba a nadie, nadie había que la necesitara, nadie que la esperara. No tenía ninguna duda de que, después de que se le pasara el enfado y las malas lenguas hubieran dejado de murmurar, su tía no volvería a pensar en ella. El recuerdo de aquella mujer le revolvió el estómago. Recordó sus palabras sobre su madre y sobre sus pretendientes. Hacía bien dejándola sola, se dijo. Al intentar mantenerla a su lado había provocado su huida.

El tañer de las campanas de las más de dieciséis iglesias y el fragor que salió de la garganta de los allí congregados hicieron reaccionar a Clara.

—¡En breve los veremos aparecer por la Canongía Vieja! —exclamó la muchacha que tenía al lado.

—No seas ansiosa, los reyes aún tardarán en regresar —contestó otra.

No hubo tiempo para nada más. Un sonido silbante, que pareció no terminar nunca, se elevó entre el griterío de la multitud y esta se quedó muda. El bombazo posterior anunció lo que venía a continuación. Los fuegos de artificio dieron comienzo.

Y las almenas se quedaron casi desiertas. Solo los criados más jóvenes y las doncellas más valientes continuaron en el sitio. El resto desapareció tan rápida y silenciosamente que a Clara apenas le dio tiempo a vislumbrar el movimiento de las faldas, el roce de las calzas, ni el ruido de los calzados al descender de la torre todo lo aprisa que la escalera circular permitía para refugiarse debajo de sus jergones.

Aquel espectáculo de fuego era lo más bonito que Clara había contemplado nunca. Como si las estrellas descendieran a la altura de la tierra. Al principio, el silencio se adueñó de las almenas. Pero después de unos tímidos aplausos, nadie permaneció impasible. Los ¡oh! iniciales dieron paso a los ¡ah!, a los ¡uy! y, más tarde, a los ¿habéis visto eso? Y así, entre exclamaciones de júbilo y expresiones de incredulidad y deleite, Clara decidió que acompañaría de buen grado a la corte solo por disfrutar de sus distracciones. Sus juegos y su música bien merecían la pena.

Cruzaba andando la única puerta que quedaba en las canonjías cuando una carreta se colocó a su lado.

—Buen día —saludó a Justa, sentada sobre uno de los arcones que transportaba el vehículo.

—¿Por qué no subes? —le propuso la criada—. El viaje será mucho más cómodo.

La primera etapa de la luna de miel de los recién casados la pasarían en el palacio de verano que la corona tenía en el bosque de Valsaín, a menos de cuatro leguas de Segovia.

Clara posó su cesta de labores, que había recuperado en cuanto llegó al alcázar, sobre los maderos y estiró la mano para que Justa la ayudara.

—¿A quién pertenece todo este equipaje? —se interesó Clara.

—Mi señora Inés siempre acarrea mucho más de lo que después utiliza. Nos obliga a empaquetar todos los vestidos que posee, los nuevos que se ha hecho confeccionar para cada ocasión y los que nunca vuelve a utilizar. ¿Ves esos baúles? Llenos de afeites los lleva y eso que no necesita ninguno para relucir en los salones. Otras sí, pero ella... Ese arcón, el de la cerradura grande, repleto está de calzados, que si unos zapatos, que si otros chapines, que si los zuecos... Y la mitad le hacen daño —añadió en voz baja, como si fuera un secreto de estado que doña Inés de Medina sufriera de los pies.

—Ella no es española, ¿verdad?

—¿Quién, mi señora? Tanto como yo y como la reina. Castellana de pura cepa, de Medina del Rioseco, hija del conde de Melgar.

—¿Como la reina dices?, pero ¿no procede de más allá de Francia?

—Venimos de Praga. Para llegar, hemos tenido que atravesar tierras germanas y flamencas y surcar los mares por aguas congeladas, sin dejar de apelar a la gracia divina para que soplaran vientos favorables y no nos detuviéramos frente a las costas de Francia.

—Así que la reina es española. Cualquiera lo diría al ver la palidez de su semblante.

—Lo ha heredado del conde, su padre. Su madre es doña María de Austria y Portugal, sobrina del monarca. Aunque los condes residían por lo normal fuera del Imperio, Dios tuvo a bien que se encontraran aquí en ese momento y que nuestra nueva reina naciera en Cigales. Yo soy una de las hijas de su ama de cría —añadió con el orgullo de haber compartido calor materno y alimento con la nueva regente—. Mi madre acompañó a la emperatriz, María de Austria, cuando regresó a Alemania y, al ser yo un bebé, me llevó con ella. ¡Mi pobre madre! Siempre quiso regresar y reencontrarse con el resto de sus hijos, pero el Señor no le concedió ese deseo. Aunque yo lo voy a hacer posible. —Rebuscó entre sus ropas y sacó un papel doblado por varias partes—. Aquí guardo la dirección de una de mis hermanas.

—Entiendo entonces tu cara de felicidad, sin embargo, Cigales queda muy lejos de Madrid.

—Madrid me parece un sitio estupendo para vivir. Y a mi hermana también, puesto que se encuentra allí. ¿Y tú? ¿Por qué quieres abandonar esta ciudad? —le preguntó Justa con la mirada puesta en los arcos superpuestos del acueducto que les esperaban al final de la cuesta—. Se me antoja bastante divertida.

—Menos de lo que supones —aclaró Clara con tono agrio.

A Justa no le pasó desapercibido el gesto.

—Así que has aprovechado tu oportunidad para escapar de...

—... un futuro sin esperanza —aseguró Clara, desechando la punzada de tristeza que le invadió al pensar en que se alejaba del lugar que la había visto nacer.

—No te creo. Seguro que hay más de un hombre dispuesto a alegrarte los días. A menos que los hombres de esta villa hayan perdido la vista, sabrán apreciar el óvalo de tu cara, el color de tu tez, la profundidad de tu negra mirada, los oscuros rizos de tu melena y la grana de tus labios.

—¿Un hombre? ¿A mi edad?

Justa soltó una carcajada.

—¿A tu edad, dices? No más de una veintena de años debes de tener.

—Aciertas de pleno. Pero veinte son demasiados para muchos, para casi todos. Créeme si te digo que los hombres ya han dejado de interesarse por mí. Hubo quien prefirió apartarlos a tiempo y hubo quien se dejó —confesó humillada.

—¿Lo amabas?

Nunca se lo había planteado. ¿Había querido a alguno de sus acompañantes?

—No.

—No te preocupes que, aunque Su Majestad no lo permita, no ha de tardar quien te persiga por los pasillos de palacio.

Dicho y hecho.

—¿Adónde se dirigen estas bellas damiselas?

Media docena de hombres, tres a cada lado, rodeaban la carreta.

—Me temo que nuestros pasos nos conducen al mismo sitio que los vuestros —contestó Justa con desparpajo y la cara iluminada.

—Eso no lo dudéis, con vuestras beldades subidas a ese carruaje, mis pasos no harán otra cosa que seguir sus rodadas. No les perdonaría que nos guiaran a cualquier otro lugar que no formara parte de vuestro camino. ¿No es verdad, muchachos?

Un «por supuesto» común se elevó en el aire.

Clara estuvo a punto de soltar una carcajada.

—Callaos, callaos, deslenguado, que vais a conseguir asustar a mi nueva amiga —se apresuró a responder Justa con diversión.

—¿Cuál es su nombre si puede saberse? —apremió uno de los que iban más atrás.

Justa se giró para contestar a quien acababa de hablar.

—Clara Román, pero para ti, doña Clara.

—Una reverencia para «doña Clara» —pidió el que había iniciado la conversación y que parecía el cabecilla.

Todos a una se pusieron la mano en el pecho y se inclinaron ante la carreta con mucho ceremonial.

Clara pensó que aquella situación era de lo más cómica, hasta podía haber salido de una de las coplillas que circulaban por las poblaciones para regocijo de los ciudadanos.

—Os presento a la caterva de músicos más descarados y menos trabajadores de palacio —se dirigió Justa a Clara.

—Os recuerdo, señora mía, que eso de lo que nos acusáis no es más que una injuria sin ninguna constatación —se quejó con seriedad fingida el que llevaba la voz cantante.

Justa rio.

Ninguno de los ministriles negó tamaña acusación. Un «por supuesto» común se elevó en el aire y arrancó de nuevo una sonrisa a Clara.

—Yo no veo que hayáis traído vuestros «instrumentos» —incitó Justa.

—Para «afinarlos» necesitamos de vuestra ayuda —contestó el músico.

Clara se quedó estupefacta. ¿Qué diría su tía si oyera aquella conversación tan poco recatada? Se le alegró el espíritu solo de imaginarlo. Pensar que alguien, fuera quien fuese, podía hablar en público en aquellos términos le resultaba de lo más reconfortante. Bastantes años se había pasado sometida bajo todo tipo de normas, se dijo, y decidió participar ella también.

—Y de esa manera, ¿conseguiréis arrancar de ellos las mejores «notas»? —preguntó.

Su intervención acaparó las miradas de los hombres.

Pero alguien había decidido poner fin a la diversión.

—Hay quien con solo una mirada consigue desentonar al instrumento más templado.

La voz procedía de atrás.

Todos se volvieron para ver quién era el que ponía la nota discordante, quién arruinaba el momento de alegría.

Era él, el que había conocido en las almenas del alcázar cuando estaba perdida, el que tocaba una canción. Era él, el músico. Era él, el cantor.

Estaba claro quién era la destinataria de la insinuación del tenor, así que todas las miradas regresaron a Clara en espera de su reacción.

—¿Lo decís por experiencia propia? —le preguntó esta sin amilanarse.

Nicolás no tuvo tiempo de contestar.

—¡Acércate a conocer a nuestra nueva inspiración, a la diosa que conseguirá que todos nuestros sueños se conviertan en realidad! —gritó el jefe del grupo de ministriles.

—Creo que con nuestro «artista» ayer consiguió el efecto contrario —se rio otro de los músicos, haciendo una referencia expresa a la vacilación del cantor en la ceremonia de velaciones.

—Y es que, aunque él no es un hombre fácil de impresionar, la vista de esta beldad apabulla a cualquiera. ¡Yo mismo hubiera confundido un Kyrie eleison con una antífona! —se carcajeó otro de ellos.

—Pero yo estoy seguro de que nuestro amigo hubiera preferido convertirse en un confinado a galeras antes que exponerse a ser censurado por Molina.

Un «por supuesto» común se elevó en el aire. Pero la hilaridad de Clara ante el servilismo de aquella cuadrilla de músicos por su cabecilla se congeló cuando el aludido clavó en ella los ojos más fríos que esta había visto nunca.

—¿Has visto cómo bailaban?

Justa descendía por la escalinata del palacio de Valsaín. La chica era de lo más alocada y a cada segundo tenía una nueva ocurrencia.

—¿Cómo van a bailar? Como todo el mundo —contestó Clara, salvando los últimos peldaños y saliendo al patio principal.

—¿Me concede este baile, bella dama? —le preguntó su amiga con una reverencia.

Ella se sujetó la falda con delicadeza y se agachó levemente, como había visto hacer a la reina.

—Sería un placer para mí danzar con tan gallardo caballero.

Ambas se cogieron de la mano y comenzaron a avanzar juntas a pasos cortos al son de una música inexistente. Todo fue bien mientras mantuvieron la vista al frente, pero en el momento en el que cruzaron las miradas, estallaron en carcajadas.

—¿Crees que alguna vez podremos nosotras bailar pavanas, gallardas o españoletas con hombres tan elegantes como los de ahí arriba? —preguntó Justa cuando se recobró.

—¿Por qué no? —contestó Clara, más por seguir la broma que porque lo creyera realmente.

—¿Y aún lo preguntas? No hay más que vernos para saber que nosotras somos de las que duermen en los sótanos o en los desvanes —dijo Justa, colocándose de espaldas a la torre del reloj que presidía el patio y señalando el corredor donde se encontraba la Cocina Grande y las estancias de servicio— y no de las que descansan en los aposentos de la primera planta entre sábanas de fino lino de Flandes.

—Yo no creo que esas mujeres sean mejores que tú o yo por mucho que vivan rodeadas de tapices, de lámparas cargadas con velas de la mejor cera, se sienten sobre terciopelo rojo y sus pies reposen en mullidos escabeles.

—Eso lo dices porque hasta ahora no has servido a nadie sino a ti misma. Si hubieras nacido obligada a ello como yo, sabrías que hay dos tipos de mujeres: las que dependen de otra mujer y las que lo hacen de un hombre.

—Tú no sabes nada de mí ni tienes idea de cómo era mi vida antes —comentó Clara, notoriamente molesta ante la insinuación de que había vivido una infancia cómoda.

—Tienes razón, no me has contado nada. Pero no hay más que observarte para saber que no has tenido que agachar la cabeza diez o quince veces cada día durante todos esos años. —Echó a correr hacia el centro del patio—. ¡Si al menos hubiera encontrado a un hombre! —gritó al cielo.

A Clara no le quedó más remedio que volver a sonreír ante las locuras de su nueva amiga.

—¡Pues aquí tienes a uno dispuesto a tomar lo que le ofrezcas! —se oyó desde el fondo del patio.

Seis hombres aparecieron por la esquina de la galería y se aproximaron a ellas. Justa regresó junto a Clara.

—¡Los músicos! ¿Qué hacéis aquí en vez de estar prestando vuestros servicios donde más se os necesita? —dijo haciendo un gesto hacia el piso superior, de donde procedía la melodía.

—Nosotros pertenecemos a la Real Capilla. Hoy les toca el turno a los de la Cámara del Rey, ¿no es así? —se dirigió a sus acompañantes.

El predecible «por supuesto» común se elevó en el aire. Y Clara disimuló la sonrisa que siempre le provocaba aquella situación.

—Así que estáis dedicados a la vida ascética —añadió Justa sin dejar de pasear la vista por las casacas, profusamente decoradas, de los hombres. Por fin se detuvo de nuevo en el que llevaba siempre la voz cantante—. Pues me está pareciendo que no tienes nada de santo.

Sin mediar palabra, el hombre se acercó a Justa, la sujetó por los brazos y la apretó contra él con más violencia de la necesaria.

—Espera a que te lo demuestre, preciosa.

Clara dio un paso adelante, alarmada por la brusquedad del tipo, aunque se detuvo a la espera del siguiente movimiento de su amiga. Que a ella no le gustaran los modales del músico no era óbice para que su amiga tuviera otra opinión al respecto.

Pero no, no la tenía, opinaba exactamente lo mismo que ella.

—Suéltame —siseó Justa mientras luchaba por desembarazarse de las manos que la oprimían.

—Vaya, vaya, así que la palomita tiene la lengua demasiado larga y dice cosas que después no cumple.

El coro de risas procedente de los otros cinco acompañantes obligó a Clara a reaccionar. En dos zancadas estaba junto al agresor.

—¡Te ha dicho que la dejes! —le increpó con fiereza.

—Vaya, vaya —repitió este—, así que la amiga también quiere participar en el juego.

Hizo un gesto en dirección a sus secuaces y uno de ellos, más bajo y más grueso que el que hablaba, se acercó a toda velocidad.

—¡No la toques! —gritó Justa sin poder desasirse de las garras de su agresor—. Ella no tiene nada que ver con esto.

El segundo hombre se detuvo.

—Pues yo creo que está muy interesada en lo que sucede —farfulló el músico soltando el aliento sobre la cara de Justa.

—¡He dicho que la sueltes! —repitió Clara, sin amilanarse.

Y como viera que el que sujetaba a Justa no tenía intención de hacerle el más mínimo caso, se aproximó con decisión y comenzó a separarle los dedos para intentar liberar a Justa. Pero tan pronto como soltaba uno y comenzaba con el siguiente, el primero volvía a la posición de partida. Mientras tanto, Justa continuaba debatiéndose. Sin embargo, tanto una como la otra lo único que conseguían era que los hombres que las rodeaban se rieran de ellas.

Los siguientes minutos le parecieron a Clara eternos. Ella aporreaba la espalda del agresor, Justa se revolvía y lanzaba patadas al aire y los músicos se reían. Hasta que el tipo se cansó del entretenimiento.

—Voy a domar a esta fiera —aseguró mientras arrastraba a Justa hacia la salida que conducía al patio de Caballerizas—. Encárgate de la amiga —ordenó al ministril que se había acercado a ella.

Este sujetó a Clara por la cintura y la arrancó del lado de su amiga.

—¡Justa!

—¡Clara!

—¡Se acabó!

El cantor apareció acompañado de otro hombre de entre las sombras de la escalera principal. El que se llevaba a Justa se detuvo a pocos pasos de ellos, sin aflojar la presión sobre la chica. El otro, el que sujetaba a Clara, lo hizo también y el resto de los ministriles se quedaron quietos y mudos.

—De nuevo aparece nuestro «amigo» —comentó el músico, ignorando premeditadamente al compañero del cantor—. ¿Has acabado ya con tu recital?

—Tomás Sánchez, suéltala.

—¿No pretenderás quedártela para ti solo? Mira que yo la he visto primero.

—Déjala marchar.

—No es lo que ella quiere, ¿verdad, preciosa?

—Tú suéltala y después que sea ella la que elija si acompañarte o quedarse con su amiga.

Clara se preguntó cómo aquella voz, que imitaba el canto de un ruiseñor, podía ser ahora tan enérgica.

Respiró más tranquila cuando vio al tenor plantado delante de aquella bestia. Su postura, con las piernas separadas y los brazos cruzados, dejaba ver que no se movería de allí hasta no conseguir lo que quería.

Ambos hombres se mantuvieron la mirada unos segundos. Hasta que el que sujetaba a Justa, de repente, soltó a su presa. Y su otro compinche, como obligado por la misma fuerza, soltó a Clara. Esta corrió junto a su amiga, que se refugió en sus brazos, temblando.

—Solo era una broma que estábamos gastando a las chicas, ¿verdad, muchachos?

El inquietante «por supuesto» común se elevó en el aire mientras los seis hombres se batían en retirada por el mismo sitio por el que habían llegado.

—¿Estás bien? —preguntó Clara a Justa a la vez que la obligaba a sentarse en la base de una de las columnas.

Justa cabeceó varias veces mientras intentaba controlar los nervios.

—Perdóname —dijo al fin.

—No te preocupes. No hay nada que perdonar.

—Sí, sí. Soy una estúpida.

—No es cierto.

—Lo es. ¿Quién me manda a mí tratar de esa manera a un hombre al que apenas conozco?

—No creo que haya sido culpa tuya.

—¡Sí, lo ha sido! —gritó Justa, que se levantó de repente.

Clara la siguió.

—¿Adónde vas?

—No es solo por hoy, también por ayer. Si ya me decía mi madre que soy demasiado charlatana, es que me pongo a hablar y no sé parar. Y lo peor de todo es que pierdo la noción de lo que digo y a quién lo digo, y trato a los hombres como lo hago a las mujeres... ¡Ay, Señor! Si no llega a ser porque aparece el cantor, no quiero ni imaginar lo que hubiera sido de mí a estas horas. —Se dio la vuelta de repente y se echó las manos a la cabeza—. ¡Y de ti! ¡Ay, Señor! ¡Que el otro animal también ha estado a punto de...! ¡A ti!

Justa se echó encima de Clara y comenzó a sollozar. Clara la instó a sentarse un rato y la acogió en su regazo.

Un rato más tarde, cuando los lloros de la joven se habían transformado en un leve gimoteo, el acompañante del cantor se acercó a ellas.

—¿Todo bien?

Clara miró hacia arriba antes de contestar.

—Solo ha sido un susto. Enseguida se le pasará.

Justa se movió en ese instante. Y se plantó en pie de un salto.

—Ya está —dijo limpiándose los enrojecidos ojos con el dorso de la mano—. Se acabó. Ya me he lamentado lo suficiente —añadió y echó a andar hacia la cocina.

A Clara no le había dado tiempo a reaccionar y la chica ya había doblado la última columna de la galería.

—Pero... ¡Justa! —la llamó sin resultado mientras se levantaba del suelo.

—Yo me encargo —dijo de repente el amigo del cantor, y, antes de que se diera cuenta, ya había desaparecido detrás de su amiga.

—¿Y tú? —Clara se volvió hacia la voz—. ¿Todo bien? —repitió el cantor al ver que no contestaba.

—¿Perdón?

—A ti también te estaban agrediendo. ¿Estás bien?

Tenía los ojos verdes, verdes o grises, casi transparentes. Y Clara no podía dejar de mirarlos. Tenía la voz melodiosa. Y Clara no podía dejar de escucharla.

—Bien, sí. Estoy bien.

¿Por qué se sentía tan subyugada? ¿Por qué se portaba como una necia ante él?

—Deberías tener más cuidado —dijo él acercándose a ella con lentitud.

Tenía razón. «Debería tener más cuidado.» Con él, con ella; con aquellos ojos, con sus ganas de mirarlos; con aquella boca, con sus ansias por besarla; con aquella nariz, con el goce de recorrerla con la yema de los dedos; con aquella mandíbula. Debería. Debería tener más cuidado.

—¿Quién eres tú para decirme algo así?

La profundidad de la mirada de Nicolás casi obligó a Clara a volverse y comprobar si había alguien a su espalda.

—Nicolás Probost —se presentó— y alguien que te imagina en mejor compañía —respondió él, que se aproximó aún más.

Clara dio un paso atrás y se apoyó en una columna. El frío de la piedra contribuyó a mitigar el sudor de sus palmas. No estaba alarmada por el hombre que se le acercaba sino por ella misma, por el deseo, por la flojedad de sus piernas y por la debilidad de su mente. Podía haberse marchado, él no la retendría. Clara sabía que no lo haría. ¿Qué le impelía entonces a seguir allí, manteniendo aquella arriesgada conversación? La figura de su tía le cruzó por la cabeza con la rapidez de un zorro en plena huida. Fue ella y el recuerdo de lo que se le había escapado, de lo perdido, de todos aquellos años pasados en balde lo que avivó su audacia.

—Y yo Clara Román —y, sin dejarle tiempo a reaccionar, respondió con un interrogante—. ¿Compañía como la tuya?

Los ojos de Nicolás brillaron.

—¿Acaso te parece menos peligrosa? —contestó él.

Ahora era Clara la que mostraba diversión ante su enorme soberbia.

—La verdad es que no sé qué pensar —confesó resuelta—. En cada uno de nuestros encuentros imagino de ti algo distinto.

—¿Y qué te parezco ahora? —susurró él a un palmo de su oído.

Clara cerró los ojos y aspiró el olor que emanaba de él. Era una mezcla de humo de velón y la frescura de las hojas de otoño. Cuando los abrió, se encontró con su propio reflejo en las pupilas de Nicolás.

—¿Un gato acorralando a un pajarillo? —murmuró.

Nicolás se apartó de ella y soltó una carcajada. Tan fuerte que Clara se sobresaltó y se separó del fuste en el que se sostenía.

—A fe mía que nunca nadie antes me había comparado con un felino —dijo entre risas antes de darse la vuelta y marcharse.

Clara se quedó estupefacta. ¿Aquello era todo? De ninguna de las maneras. No, no estaba dispuesta a quedarse sin lo que aquellos ojos le habían prometido apenas unos segundos antes. Así que lo siguió, lo agarró por un brazo y lo frenó. Nicolás ni tuvo tiempo de pensar qué estaba sucediendo cuando ella atrapó su boca y lo besó. Lo besó sin miedo, con el valor que da saber que no hay nada que perder porque todo está ya perdido.

Al músico el beso le llegó como una brisa insospechada. Y se dejó llevar. Notó la firmeza de sus labios y la frescura de su lengua. Al principio, se quedó quieto. Dejó que los labios de Clara oprimieran los suyos, que su lengua se adentrara en la suya, que sus dientes lo atraparan a pequeños mordiscos. Al principio, se dejó hacer, pero pronto no fue suficiente. Introdujo las manos entre su pelo y la sujetó por la nuca. La empujó hasta el muro y se apoyó sobre ella sin soltarla. La apretó contra él, la apremió con su lengua, se abrió camino junto a ella, la incitó con los labios. Y la besó, la besó con toda el alma. Una, dos, tres... diez veces. La instigó con ardor. Y le exigió respuesta. Clara no sabía, no podía pensar, solo actuó, solo respondió, solo atendió a lo que su propio cuerpo demandaba. Respuesta, respuesta, respuesta. Besos, besos y más besos. Y el contacto con él, con sus manos, con sus labios, con su cara, con sus brazos.

Nicolás estaba dispuesto a no dejarla escapar. Se sentía enfebrecido, endemoniado. La empujaba con la única idea de hacerle sentir parte de su propia urgencia. Se comportó como un animal sin conciencia. Hasta que se detuvo a respirar y la noción regresó a él. Si Molina se enteraba de que se besaba con una de las criadas de la reina, tendría una buena excusa para deshacerse de él.

Se separó de ella.

—Deberías tener más cuidado con las compañías peligrosas —repitió con la voz ronca por el deseo al tiempo que rompía su abrazo.

La dejó apoyada en la pared y jadeante.

Ascendió los peldaños de la escalinata de dos en dos y pensó que hacía mucho tiempo que no atendía a su apetito con tanta urgencia, que hacía mucho tiempo que no le inundaba semejante anhelo, que hacía mucho tiempo que un desazón como aquel no le atrapaba las entrañas.

4

Dejaba las habitaciones de doña Inés cuando Justa le salió al paso. Hacía cuatro días, desde el ataque de Tomás Sánchez y su camarilla, que apenas se veían. Clara se apresuró a coger uno de los lados de la cesta de ropa blanca para almidonar que transportaba su amiga y la acompañó.

Juntas habían bajado a las cocinas en donde Clara no había hecho más que esperar; esperar a que Justa metiera un ascua en la plancha, alisara y doblara las telas mientras ella se limitaba a mirar. Había observado cómo planchaba su amiga y cómo lo hacían las otras tres muchachas dedicadas a la misma labor. Así se habían pasado más de dos horas, hasta que le había llegado el turno al mantel de altar.

En cuanto lo vio, se acercó para admirar el delicadísimo trabajo. Era una auténtica preciosidad. Estaba realizado en el más fino tejido y acabado con una exquisita puntilla, bordada en su totalidad en punto de Venecia. Hacía mucho tiempo que sus dedos no disfrutaban de semejante textura. No lo dudó y se ofreció voluntaria para devolverlo a su lugar, a pesar de que aquella ocupación no formaba parte de su cometido. Lo que fuera con tal de poder admirar aquella hermosura más tiempo.

El piso superior estaba extrañamente vacío. Era una buena oportunidad para husmear en las estancias de palacio aún desconocidas para ella. Sin embargo, contuvo las ganas de acercarse hasta la galería que tanto daba que hablar entre los criados. Las escenas de la Batalla de San Quintín representadas en las paredes eran, al parecer, fastuosas. Así se lo había contado Justa, que lo había escuchado de otra chica, que lo había oído a...

Había dado unos pasos hacia la izquierda cuando escuchó que alguien subía por la escalera. «Tendré que dejar la visita para más adelante», se dijo. Ya en el corredor, escuchó que alguien cruzaba el patio principal y se asomó. Abajo, dos muchachos de los que atendían las caballerizas se divertían lanzándose chanzas. Tres mujeres pasaban a su lado sin parar de reírse.

Clara sonrió y continuó caminando. A pesar de las dudas iniciales de entrar a trabajar en la corte, lo cierto era que su trabajo no estaba nada mal. Perder de vista a su tía para siempre había sido un buen cambio. Además, había tenido suerte. No estaba encargada de mantener las habitaciones de las damas principales caldeadas ni de abrir sus camas, no tenía que levantarse antes del amanecer ni esperar a acostarse a que su señora lo hiciera, ni tenía que dormir al lado de la dama y atender los caprichos de esta a media noche. Ni siquiera tenía que tratar con ellas ni con el resto de las costureras, que la miraban con animadversión cada vez que se las encontraba. Eran las doncellas las que acudían a ella llevando las camisas descosidas, los botones rotos y los guantes desgarrados. Definitivamente la vida de la corte, mientras permaneciera en Valsaín, era de lo más apacible. No cambiaría su situación ni por ser una de las damas de honor de la recién estrenada reina.

Pasó delante de la galería de los Espejos y se olvidó de sus cavilaciones. La estancia se encontraba abierta, no había nadie a su alrededor. Ahora sí, ahora sí que le pudo la curiosidad e introdujo la cabeza por el hueco de la puerta. Era simplemente impresionante. Unos enormes espejos se alternaban con cuadros en los que se representaban varias ciudades desconocidas para ella. No quedaba rastro de las mesas en las que se había dispuesto el ágape para los invitados ni de las sillas en las que se habían sentado las señoras para descansar ni de las inmensas lámparas repletas de velas que llenaban el salón de luz. ¿Dónde se guardaría todo aquello? Sin duda en alguna de las múltiples buhardillas o en los profundos sótanos, bajo recaudo del mayordomo real.

El recuerdo del baile le trajo la imagen de Justa danzando en el patio. La joven era una soñadora. Al contrario que ella, que de ninguna de las maneras imaginaba vivir como lo hacían los poderosos. No había más que echar un vistazo a los lujosos aposentos de la primera planta y después a los más sencillos de la planta baja para saber que bastaba un tramo de escaleras para colocarte en tu lugar. Y a ella le había correspondido el piso menos gratificante.

Apretó el paño que sujetaba y siguió adelante por la galería sin darse cuenta de que su presencia no pasaba desapercibida para alguien.

La puerta del templo estaba cerrada. Clara ni se molestó en empujarla puesto que aquella misma mañana había visto cómo uno de los capellanes se guardaba la llave al finalizar la eucaristía. Sin embargo, en la puerta de al lado estaba la sacristía y allí era donde se guardaban los ropajes de los eclesiásticos y el resto de la ropa de altar. No tuvo más que empujar y estaba dentro.

Las paredes estaban forradas de armarios hasta la altura del pecho. No tenía ni idea de en cuál de todos aquellos cajones se guardaba el mantel que llevaba. El primero que abrió fue el del aparador de su derecha. La vestidura religiosa era espléndida. Se trataba de una casulla de terciopelo, brocada en oro en su mayor parte, y con un escapulario central que la recorría desde el cuello hasta el borde inferior. En él estaba bordado un Cristo en la cruz y el Descendimiento con hilos de seda y oro. El gozo de Clara habría sido total si hubiera podido ver la belleza que, sin duda, ocultaba en la parte posterior. Se conformó con estirar la mano y deslizar la yema de los dedos sobre semejante hermosura. La suavidad de los bordados le confirmó lo que ya sabía. Aquello era una obra de arte y ella hubiera deseado ser su artífice.

Cuando sus ojos quedaron llenos de hilos dorados, abrió el cajón de al lado. Una dalmática elaborada sobre una tela de raso blanco cubierta de flores azules, rojas y verdes la hizo retroceder. No le cupo duda alguna de lo que hacer a continuación; abrió todos y cada uno de los veinticinco enormes cajones de la estancia con la única idea de ver las maravillas que guardaban.

Despertó del embelesamiento mucho tiempo después, cuando la sensatez regresó a ella. Comenzó a cerrar las gavetas con cuidado, con miedo a que alguien escuchara el ruido y entrara a ver qué sucedía. Pero antes de finalizar de ordenarlo todo, extendió el mantel que había llevado encima de los otros y se dispuso a abandonar el lugar.

Pero no pudo. Ya casi había alcanzado la puerta cuando advirtió el libro. Era desmesurado, como lo eran todos los libros de música escritos para ser vistos a la vez por un coro entero de monjes. Con mucho tiento, abrió la portada. Las hojas crujieron.

Unas letras en rojo bermellón marcaban el inicio de cada frase. Pasó la vista por una V, una C y una I del tamaño de su mano.

«Veni sancte spiritus, et emitte caelitus», murmuró con una pequeña entonación mientras seguía las letras dispuestas sobre los cuadrados y rectángulos, que representaban las notas.

«Veni sancte spiritus, et emitte caelitus lucis tuae radium», repitió un poco más alto.

«Veni sancte spiritus, et emitte caelitus lucis tuae radium. Veni, pater pauperum, veni, dator munerum», se atrevió a cantar imitando la articulación vocal, que tantas veces había escuchado en las celebraciones de la catedral de Segovia.

Se rio de sí misma y de lo mal que sonaba. Dejaría la música para los cantores. Cantar no era su fuerte, nunca lo había sido. «Será la falta de práctica.» Normal, si se tenía en cuenta que cada vez que su tía la descubría tarareando cualquier tonadilla de las que se escuchaban en la calle, la mandaba callar.

«Será mejor que deje todo como estaba antes de que me descubran haciendo algo indebido.»

Sintió una brisa, un ligero movimiento de aire detrás de ella, una leve corriente que llegó hasta su cuello al tiempo que un sonido embriagador acariciaba sus oídos.

Veni sancte spiritus, et emitte caelitus lucis tuae radium.
Veni, pater pauperum, veni, dator munerum,
veni, lumen cordium.
Consolator optime, dulcis hospes animae, dulce refrigerium.

Ven Espíritu Santo y desde el cielo envía un rayo de tu luz.
Ven padre de los pobres, ven dador de las gracias,
ven luz de los corazones.
Consuelo óptimo, dulce huésped del alma, dulce refrigerio.

Sin verlo, Clara lo supo. Supo que era él. Tuvo que tragar una bocanada de aire antes de volverse.

—Eres toda una caja de sorpresas —declaró el músico.

—¿Me has seguido con la única intención de criticarme?

No era precisamente la crítica lo que Nicolás tenía en mente cuando la había escuchado. Pero no le iba a contar el calor que había sentido al descubrir que era ella, no le iba a contar que no había resistido a la tentación de espiarla por la rendija entreabierta de la puerta. No, no se lo iba a contar. En vez de eso, se apoyó en la madera con aspecto relajado, dispuesto a pasar un rato entretenido.

—No lo haces mal.

—¿Cantar? No te burles. Algunos no hemos tenido la dicha de que se nos otorgue la gracia de Dios como a ti.

Nicolás se puso en guardia. Si había algo que no soportaba era ser despojado de lo que había conseguido por méritos propios.

—Tener buena voz no es suficiente. Tú que coses sabes mejor que nadie que dos puntadas seguidas no tapan un agujero.

Clara contuvo no una sino dos sonrisas. La primera al saber que le había dado justo donde más le dolía y la segunda al descubrir que él había estado indagando sobre ella. Hasta hacía no mucho, él la suponía una más de las criadas, pero ahora estaba enterado de cuál era su oficio real. Así que el gran Nicolás Probost, el ruiseñor de la corte, el cantor de las plegarias reales, se interesaba por ella. Pues bien, ella también lo hacía por él.

—Tienes razón, para remendar un desgarrón hace falta dedicarle mucho tiempo, pero no me negarás que una delicada gorguera no se hace solo a base de horas. Es la sensibilidad de la bordadora la que lo hace posible, lo que diferencia a una labor bien hecha de una obra de arte y eso es una cualidad que raras veces se enseña; se tiene o no se tiene. —Clara alzó la mano para detenerlo cuando lo vio dispuesto a replicar—. A ti te pasa lo mismo con la voz. Tienes que reconocer que si no fuera por ese regalo, tú no estarías donde estás ni gozarías de los beneficios de los que disfrutas.

Pero Nicolás no había entrado allí a discutir con ella sobre sus cualidades ni sobre su carrera profesional.

—Y tú no sabrías leer si no te hubieras tomado el esfuerzo de aprender.

—¿Cómo...?

Nicolás hizo un gesto hacia el descomunal libro en el que Clara apoyaba los dedos.

—Hay más probabilidades de que alguien se haya tomado la molestia de enseñarte el significado de las letras que de que hayas recibido clases de armonía musical —dijo señalando las notas del libro de coro.

Clara se sintió desnuda. Era la primera vez que alguien lo descubría. Ni su tía lo sabía. Había sido cosa de su madre, de su madre y de uno de los canónigos que vivía en el barrio de la Claustra. Un día que Clara la acompañaba para entregar la labor de la semana, lo habían encontrado enfrascado en la lectura de unas hojas que sostenía entre las manos. Él se había levantado para charlar con su madre y había olvidado los papeles sobre el banco en el que estaba sentado. A la primera oportunidad, Clara se había acercado y los había cogido. El sinfín de pequeños signos, pegados unos a otros, la había dejado hechizada. Tanto que se había atrevido a pedirle al sacerdote que tradujera lo que decían. Cuando este terminó la primera hoja —un tratado sobre los sacramentos en latín—, Clara se la apartó con rapidez y le pidió que continuara. Al hombre le había hecho tanta gracia que una muchacha de su edad tuviera ese afán de conocimientos que se había ofrecido a enseñarle a leer. A partir de entonces, y durante más de un año, todos los viernes el religioso empleaba dos horas después de los oficios de la tarde en instruirle.

Y nadie hasta entonces había conocido su secreto. Cerró el libro de golpe, notoriamente alterada.

—¿Y qué si lo hago? ¿Y qué si sé leer? Eso es algo que a nadie más que a mí le interesa.

En los tiempos que corrían, una mujer con determinados conocimientos podía ser considerada peligrosa en algunos ámbitos. Clara tenía la seguridad de que la corte española era uno de ellos.

Pero Nicolás no era de la misma opinión.

—No te alarmes —dijo con una gran sonrisa—. Sé mantener la boca cerrada.

—No estoy preocupada. Además, ¿qué tiene de gracioso?

—Que ahora tú sabes un secreto de mí —añadió él mientras imitaba el gesto de rasgar una vihuela— y yo guardo otro de ti.

—Entonces, estamos en paz.

—No lo creo —añadió él dando un paso adelante. Se acercó a ella con una mirada que Clara no supo interpretar—. Todavía tenemos una cuenta pendiente —murmuró al tiempo que la sujetaba por los hombros y le arrasaba la boca.

No por inesperado fue menos deseado. Y Clara no tuvo más que abrirse a él y dejarse llevar por la calidez de su aliento. Ambos se retaron, se tentaron, se acariciaron. Con los labios, con la lengua. Lo que empezó como un beso profundo y duro, acabó siendo suave y tierno. Tremendamente suave, tremendamente tierno. Y real. Lo que empezó como una lucha de voluntades, pasó a ser abierta provocación y finalizó como pura seducción. Al principio, Clara solo sintió los inflexibles labios, la enérgica lengua y los sólidos dientes, y se puso rígida ante la furia que contenían. Pero poco después su boca se había transformado en un mullido diván en el que Clara se dejó caer con abandono, al tiempo que una placentera pesadez se apoderaba de ella.

Los furtivos roces de su primer pretendiente, los descarados escarceos del segundo y los inexistentes del tercero desaparecieron de su pasado cuando se dio cuenta de que por primera vez desde que naciera se sentía viva. Tenía un trabajo, tenía un techo sobre la cabeza y el estómago lleno. Pero nada de aquello era suficiente. No después de adivinar que los años pasados hasta entonces habían sido en vano, que todo lo que había supuesto acerca del mundo era falso; no después de saber que la habían retenido lejos de la realidad, lejos de las experiencias, lejos de la existencia; no, no era suficiente, no después de sentir aquello que la llenaba, que la colmaba; no después de notar aquella boca sobre ella y a su propia piel palpitar bajo la cálida sensación de sus húmedos besos.

Y antes de separarse y escapar por el hueco de la puerta, él recitó algunas de las palabras que un momento antes le había cantado:

> *... emitte caelitus lucis tuae radium.*
> *... veni, lumen cordium.*
> *... dulcis hospes animae, dulce refrigerium.*

> *... desde el cielo envía un rayo de tu luz.*
> *... ven luz de los corazones.*
> *... dulce huésped del alma, dulce refrigerio.*

Clara se volvió. Necesitaba reponerse antes de salir de allí. Apoyó las dos manos a los lados del cantoral y colocó la frente sobre el volumen que contenía las palabras que le resonaban en los oídos.

—¿Todavía estás aquí? Llevo un rato buscándote por el piso de abajo, pensando que ya habías regresado. —Clara se irguió al escuchar la voz de Justa—. Menos mal que Joos y Nicolás me han dicho dónde encontrarte. Por cierto, ¿qué les has dicho? El cantor parecía divertido. ¿Qué haces con ese libro? No me digas que ahora vas a sustituir al maestro y vas a dar clases a los cantores —bromeó—. Deja eso antes de que alguien te descubra y te reprenda. Además, nadie que yo conozca entiende lo que pone ahí.

Justa no sabía que Clara podía descifrar las palabras que estaban allí escritas, no sabía que había aprendido a leer. En latín. Justa no lo sabía, pero Nicolás, sí.

> *... dulcis hospes animae, dulce refrigerium.*

> *... dulce huésped del alma, dulce refrigerio.*

Nicolás escuchó el ruido de la hojarasca al ser pisada y dejó de silbar. Con rapidez, sopló un par de veces sobre el papel que tenía entre las manos y lo echó al suelo, para esconderlo tras el banco de piedra en el que se sentaba. Metió la pluma dentro del jarro de la tinta, que también desapareció entre el seto más cercano.

Joos apareció detrás de los arbustos.

—¡Estabas aquí! Ni sé el tiempo que me ha llevado encontrarte.

—¡Eres tú! —exclamó Nicolás volviéndose para rescatar del suelo la composición que había guardado.

—¿Y a quién esperabas? Tú mismo me has mandado recado para que me encontrara contigo en el jardín.

Si es que jardín se podía llamar a aquel inmenso bosque, situado entre el palacio y las caballerizas. Decían que el rey había hecho instalar más de cinco mil árboles traídos de Flandes, cuatro estanques de peces exóticos y dos fuentes cubiertas de azulejos de Toledo con veinte caños cada una.

—Hace un rato me pareció escuchar un ruido y me dio la impresión de que alguien me observaba. ¿La has traído?

—Tal y como pedías —afirmó Joos al tiempo que sacaba la vihuela que llevaba a la espalda.

—Trae aquí. ¿No te habrá visto nadie? —preguntó Nicolás arrancándosela de las manos.

—¿Desde cuándo ir contra las normas ha sido problema para ti?

Nicolás dejó el instrumento sobre el asiento y rescató el recipiente donde guardaba la tinta.

—No quiero que nadie se entere de lo que hago.

Su amigo se sentó a su lado.

—¿En qué trabajas?

—En una partitura en la que tengo puestas muchas esperanzas. Será lo mejor que ha visto Molina en mucho tiempo. No le va a quedar más remedio que incluirla en el repertorio.

A Joos se le escapó un silbido.

—Aspiras a mucho, a demasiado diría yo. Antes tendrás que mejorar tu disposición hacia él.

—No me va a hacer falta. La música hablará por mí. No es tan necio como para renunciar a algo como esto.

—Déjame ver —le exigió mientras le arrancaba la partitura de las manos.

—¡Ten cuidado! La tinta aún está húmeda.

Joos pasó por alto la clave en forma de épsilon que había al inicio de las líneas horizontales y paseó la vista por los círculos blancos, por las líneas que salían de estos, y por los puntos y las rayas representados en el papel.

—Tócala —pidió a Nicolás.

Este comenzó a tañer la vihuela interpretando la melodía sin necesidad de leer lo que él mismo había escrito.

Su amigo hizo un gesto enigmático cuando terminó.

—No está mal.

—Espera a verlo interpretado por un órgano. Reconoce que es bueno.

Pero el músico no estaba dispuesto a que la vanidad de Nicolás aumentara más aún, en parte, por pura envidia —la composición era buena, rabiosamente buena— y, en parte, porque consideraba que a su amigo no le vendría nada mal ser un poco más modesto.

—Tiene posibilidades —dijo simplemente.

Nicolás le arrancó la hoja de la mano, enojado.

—Trae aquí eso, pasarte todo el día tocando la música de otro ha terminado por anular tu propio juicio.

Apoyó la vihuela sobre la pierna izquierda, la hoja sobre la derecha y continuó con la labor. De vez en cuando, rasgaba las cuerdas con suavidad repitiendo varias veces las últimas anotaciones como para reencontrar la inspiración y seguía escribiendo. A cada ruido que llegaba a sus oídos, y que no procedía de sí mismo, se paraba, alerta, solo para continuar después de convencerse de que estaban solos.

—¿A qué tanta prevención? —preguntó Joos la cuarta vez que Nicolás detenía el trabajo.

—No quiero que nadie lo escuche antes de tenerlo acabado. Por si acaso —añadió en voz baja.

Al músico no le quedó más remedio que reírse.

—Supongo que tampoco querrás que se sepa de dónde has sacado las hojas en las que trabajas.

Como artículo de lujo que era, el precio del papel que Nicolás necesitaba para acabar un motete de cuatro voces como aquel podía sobrepasar el montante de sus gajes mensuales. Y, aunque no era extraño que su presencia fuera solicitada para distraer a pajes y damas en las tardes más aburridas de invierno, no tenía intención de gastar las gratificaciones que ganaba.

—Los copistas tienen muchas partituras que transcribir. Nadie notará la falta de una de vez en cuando.

—¿Y a cuál de todos esos desgraciados has sobornado esta vez? Lo digo por saber a quién expulsarán de la Capilla si lo descubren.

—¿Te has vuelto mi ángel de la guarda? —gruñó Nicolás sin mirarle siquiera.

—Estoy pensando seriamente en convertirme en él, más ahora que te dedicas a perseguir a indefensas damiselas.

Ahora sí, ahora sí que captó el interés de su amigo.

—¿Lo dices por algo en concreto?

—Lo digo por la cara que tenías al salir de la sacristía de la capilla.

—No sé de qué me hablas.

—Eso mismo dijiste ayer y yo te vuelvo a repetir que tenías la mirada de un águila que ha encontrado a su presa.

—¿Acaso me estás controlando?

—No seas necio, Niek. Nos conocemos hace demasiado tiempo para que ahora desconfíes de mí —le increpó—. Te arriesgas demasiado. Molina te crucificará en cuanto sepa que has dado un paso en falso. Solo está esperando a tenerte en el centro de la diana para disparar la flecha. Y seducir a parte del servicio de las damas de la reina no es igual que robar una hogaza de pan de la cocina real.

—Hay cosas por las que merece la pena arriesgarse —dijo con despreocupación mientras evitaba sentir alegría al pensar en Clara—. De todas maneras, Molina no va a enterarse.

—¿Lo has hecho? ¿La has enamorado? —Nicolás le contestó con un guiño y el amigo le premió con una palmada en el hombro—. ¡Serás desvergonzado!

—¡Y me lo dices tú que persigues a su amiga!

Joos apretó la mano más aún.

—Al parecer con peores resultados que tú. Lo que voy a hacer es pegarme a ti como el muérdago a las ramas de los árboles para ver si consigo aprender alguna de tus estrategias. Cuenta, ¿cómo es?

Nicolás se echó a reír.

—Si crees que te voy a referir una sola palabra, estás muy equivocado.

El otro le empujó con el hombro en un gesto cómplice.

—No sería la primera vez que lo haces. ¿Ya has olvidado aquella que...?

Nicolás alzó una mano con expresión divertida.

—Solo voy a decirte una cosa. ¿Sabes cómo sería comerse un bocado de nieve el día más tórrido del verano madrileño? Ella es más o menos así.

Ahora el que soltó una carcajada fue Joos.

—¡Te has prendado de ella!

Más risas, muchas más risas.

—¿Te has vuelto loco?

—No tienes más que mirarte en un espejo para descubrir la cara de majadero que se te ha quedado cuando la has mencionado. El «gran» Nicolás comienza a interesarse por algo más que por su propia carrera.

Nicolás, que había perdido la sonrisa durante un instante, volvió a recuperarla.

—No hay nada, ¿has oído?, nada, que me haga salir del camino que me he fijado —anunció con semblante severo.

Pero tan pronto como pronunció aquellas palabras, a su cabeza acudieron las imágenes desordenadas de los dos encuentros que había tenido con Clara. Y se convirtieron en sensaciones. Tan fuertes, tan intensas que hasta notó cómo sus pezones se solidificaban, su miembro se endurecía y una bala de cañón se le instalaba en el estómago.

Ni vio cómo Joos cabeceaba para darle la razón.

—No me negarás que resultaría divertido verte convertido en un perrito faldero para conseguir los favores de una mujer.

Te conozco y sé que algo así es imposible, pero déjame que me divierta con la idea.

Nicolás miró a su amigo con ojos turbios. Aquello era del todo imposible, Joos lo sabía, pero ¿lo sabía él?

Hacía tiempo que su amigo había desaparecido, sin embargo, Nicolás no había escrito una sola nota más; no conseguía concentrarse. Continuaba dando vueltas a la pregunta que se le había formado en la cabeza con el último comentario de Joos. Dejó a un lado los utensilios para evitar que se le resbalaran de los dedos.

¿Sería capaz de abandonar sus aspiraciones más elevadas por una mujer? Sabía la respuesta, la había sabido siempre, desde que abandonó la niñez y fue capaz de planteárselo. No. Así, sin más, sin un pero, sin cuestionárselo ni un solo segundo. No. Nada era más importante que verse en la cima, nada más vital que saberse alabado, nada más valioso que aquello. Subir, escalar, ascender, prosperar, avanzar, encaramarse hasta la cumbre era fundamental, como seguir respirando.

Tenía que admitir que Clara le intrigaba y le atraía. La primera vez que la vio pensó que era una criada, una más de las muchas sirvientas con las que la reina había desembarcado en España. Bastante desenvuelta, eso sí, puesto que no había muchas que se atrevieran a dejar sus obligaciones para pasear en la oscuridad. Después, cuando le interrumpió en medio de la misa de velaciones, quiso matarla. Con sus propias manos. Lo hubiera hecho aquel día si se la hubiera cruzado. Pero, cuando la volvió a ver en el trayecto hasta Valsaín, la forma en la que se había levantado contra él para cubrir la ignorancia propia le había resultado atractiva y sugerente. Era de lo más atrayente.

Pasó por alto la tensión sentida al encontrarla junto a la amiga y a aquellos miserables de la camarilla de Tomás Sánchez en la galería del patio y saltó a lo siguiente, que era lo que más le había impactado de ella. El beso.

Nicolás se llevó los dedos a los labios.

No era el mejor beso que había recibido, no era el más intenso, ni siquiera el más largo, pero sí el que le había dejado más conmocionado. No era habitual que fuera la mujer la que tomara la iniciativa. De hecho, nunca le había sucedido. Siempre había sido él el que había decidido comenzar —y terminar— una nueva relación. Nunca ellas. Por eso le había afectado tanto el asalto de Clara. La idea de que una mujer se abalanzara sobre él y le forzara a hacer algo tan íntimo le había excitado mucho más de lo que hubiera imaginado nunca. «En mal momento», se dijo. Tenía problemas mucho más importantes de los que preocuparse. «¿Por qué se ha tenido que morir el viejo de Bonmarché? ¡Maldito Molina!» Con los obstáculos que le ponían dentro de la Real Capilla ya era suficiente. Su cabeza estaba demasiado ocupada para preocuparse por nadie más. Así que se había apartado de ella. Por unos días. Durante cuatro largos días. Sin embargo, cuando la vio entrar en la sacristía no había podido evitarlo y la había seguido. Al principio, se había quedado fuera, en duda entre entrar, sorprenderla y aprovechar para encender de nuevo la llama o darse media vuelta y desaparecer. Los pies se le habían quedado clavados en el pasillo a la espera de verla aparecer. Pero como ella no había salido, no había tenido más remedio que entrar a buscarla.

Y la había encontrado cantando aquella tonada. Escucharla intentado reproducir la Secuencia de Pentecostés le había velado el juicio. Y no había podido controlar las ganas de tenerla entre los brazos.

Una ráfaga de viento tiró al suelo el pliego que había dejado sobre el banco.

«¿Qué me está sucediendo?», pensó mientras se agachaba a recogerlo. No, no era un buen momento para pensar en nada que no fuera en superar las trabas que Molina le ponía en el camino.

La costurera no iba a conseguir distraerle del objetivo que se había fijado, pero ¿por qué iba a renunciar a los buenos ratos? Siempre había escuchado decir que lo mejor del juego era precisamente eso, jugar. Pero él sabía que el único motivo por el que merecía la pena arriesgarse era para ganar.

Mojó la plumilla en el jarro de tinta, dibujó varios trazos en la esquina de la partitura en la que trabajaba, escribió cuatro palabras y esperó a que se secara la tinta. Desgarró el pedazo que acababa de garabatear y se lo guardó dentro del jubón. Estaba listo.

5

Había encontrado cinco notas a lo largo de cinco días. Y nunca las había descubierto de la misma forma. ¿Quién se las mandaba? Conocía la respuesta. «Nicolás.» No podía ser otra persona, no con aquellas palabras escritas. ¿Cómo se las arreglaba para hacérselas llegar? No tenía ni idea.

Clara se movía por el palacio de una forma más o menos libre. Acudía a la llamada de las sirvientas, se presentaba delante de las damas y se personaba ante cualquier criado de la capilla que demandaba sus servicios. Eso sí, a la reina todavía no la había visto, a pesar de que el primer día Justa —por boca de doña Inés— le había asegurado que había sido ella en persona quien la había hecho llamar.

El primero de los papeles lo había encontrado en su propio lecho. Al principio ni se había dado cuenta. Estaba demasiado ocupada en acurrucarse en el centro del colchón y ahuyentar el frío de noviembre como para percibirlo. Había sido bastante tiempo después, cuando el cuerpo empezó a coger calor, que había introducido una mano bajo la almohada y lo había notado. Pero, cansada y somnolienta, no se había preocupado de lo que estaba tocando. No había sido hasta la mañana siguiente, mientras tiraba de la manta para tensar la ropa, que lo había visto, a sus pies, caído en el suelo. Era la esquina de una hoja. Alguien había escrito el texto «*caelitus lucis tuae radium*» y debajo había dibujado una pequeña partitura con cinco notas en ella.

De una sola ojeada reconoció el cántico que le había susurrado Nicolás en la sacristía. Pero, ¿qué significaba? ¿A qué estaba jugando? Clara estaba desconcertada. No reaccionó hasta que la compañera del camastro contiguo, una de las chicas de la cocina, le había preguntado si le sucedía algo. «Te has quedado más tiesa que el mango de un almirez», había sido el comentario. Ella guardó la nota en la manga a toda prisa y se pasó el resto del día dándole vueltas a lo que significaba. Pero todas las pesquisas fueron en vano. No se encontró con Nicolás ni aquel día ni los cinco siguientes. Aunque las notas seguían apareciendo un día tras otro. Apenas pasaban veinticuatro horas cuando localizaba la siguiente.

Pero si encontrar la primera la había confundido, hallar la segunda la dejó desorientada. ¡La había puesto entre las escudillas de la cocina, justo debajo de la que ella había cogido aquel día! Nada más ver el papel, lo ocultó a toda prisa. Finalizó el almuerzo a todo correr para salir de allí y esconderse en algún lugar fuera del alcance de ojos curiosos. ¿Cómo lo había hecho? ¿Cómo había adivinado cuándo comería? Los criados de palacio no tenían horario fijo. En los fogones siempre hervía una olla con caldo y cada cual llegaba cuando podía —y cuando las obligaciones le dejaban libre—, se servía a su antojo y se sentaba en el rincón más discreto —no fuera a llegar alguien con algún otro mandado—.

Esa vez el texto era otro, sacado también de los mismos versos, pero distinto. Y mucho más breve. «*dator munerum*», decía simplemente. ¿*Dator munerum*? ¿Dador de gracias? Las notas musicales volvían a estar colocadas salteadas y en distintos lugares que en la misiva anterior. Todo aquello no tenía sentido. No desde luego para ella. Y ni siquiera tenía la posibilidad de saber de qué se trataba. Había preguntado a Justa varias veces si había visto a Nicolás. No lo había hecho. Estaba deseando echarle la vista encima. ¿Jugaba con ella? Estaba claro que sí. Ese segundo día lo pasó con el ceño fruncido, sin dejar de repetirse que no había llegado hasta allí para que nadie se riera de ella con aquel descaro.

Para dejarle el tercer mensaje no fue demasiado lejos. La

despensa era tan buen sitio como otro cualquiera. Y bajo la plancha que Clara usaba a diario para alisar la ropa que cosía, el mejor. Nicolás se molestaba en averiguar cuáles eran sus costumbres. De las cuatro planchas que había en palacio, Clara únicamente utilizaba una de ellas. En dos, la tapa en la que se introducía el carbón no cerraba bien y la ropa se manchaba a poco que se descuidara la planchadora. La otra no tenía depósito para las ascuas y había que ponerla cada poco tiempo sobre el fuego para que se calentara. La mayoría de las veces, la planchadora se quemaba al cogerla y la ropa al ponerla sobre ella. Esta vez el texto era más largo y todavía más desconcertante: «*Sancte... lucis tuae radium. Veni, pater*» Las palabras formaban parte de dos frases distintas. ¿Qué tenía que hacer ahora? ¿Adivinar las palabras que faltaban o adivinar la música que estaba escrita más abajo? Encima, seguía sin encontrar al culpable de todo aquello. Aquel día, su humor no mejoró lo más mínimo.

«*dator munerum, veni, lumen cordium. Consolator optime, dulcis hospes animae, dulce refrigerium.*», rezaba el cuarto escrito que descubrió debajo de la banqueta con la que acudía a la alcoba personal de las damas. No conseguía entender cómo se había mantenido sujeta el día entero sin caerse con el movimiento, atrapada simplemente como estaba en una astilla medio desprendida. «¿Dulce huésped del alma?» ¿Se referiría a él? No le quedó más remedio que reírse. Aquel hombre era de todo menos modesto. «Claro, que con esa cara de ángel y ese cuerpo...» Y Clara no supo por qué, pero lo que restaba de día lo pasó con la sonrisa a punto de escapar de sus labios.

Lo del día siguiente fue lo último que se habría esperado. ¡Se la había dejado en la capilla! Clara había estado distraída durante todo el oficio. Las escenas del Nuevo Testamento que decoraban las paredes habían acaparado toda su atención. No conseguía concentrarse en la salmodia de las oraciones y se limitaba a mover los labios a la vez que el resto para disimular el desinterés. Hasta el incesante parloteo de doña Inés le hubiera parecido el mejor de los entretenimientos. Una de las veces que paseó la mirada desde el muro hasta el suelo, lo vio. A su lado. Sobresalía de una pequeña grieta que se había abierto en un azulejo del zócalo. Con todo el disimulo que pudo, alargó el brazo. Asió la misiva con la punta de los dedos y la ocultó dentro de la otra mano con toda rapidez. «*dulcis hospes animae*», era el mensaje completo. De nuevo «*dulcis hospes*». ¿Repetido? El acertijo empezaba a intrigarle. Bastante. A decir verdad, mucho.

El niño terminó de repartir todas las copias y, al pasar al lado de Nicolás, este le premió con un gesto de asentimiento. Todo un regalo para el muchacho, que veía en él a su ídolo. El director del coro había accedido a su petición y habían elegido aquel día en el que el maestro de la Capilla Musical acudiría al ensayo.

Molina hizo aparición en ese momento. «Tarde, como siempre», gruñó Nicolás para sus adentros. Un par de golpes en el suelo con el bastón y los monjes abrieron la primera de las partituras que el cantorcico les había entregado. El director dio la entonación y, en un instante, todos empezaron a cantar.

Nicolás escuchó los primeros acordes y cómo se alzaban las voces de diez de los monjes «*Vidi speciosam sicut columbam ascendentem desuper rivos aquarum...*». Esperó a que pronunciaran «*desuper rivos aquarum*» y entró él.

El «*Cuius odor vestimentorum*» sonó más potente y enérgico, pero cuando pronunció «*erat sicut flores rosarum*» y vio que el rostro de Molina se relajaba mientras continuaba marcando el ritmo con las manos, supo que no tendría problemas. Al fin y al cabo, él, Nicolás Probost, era la esencia del coro.

Pero según las canciones se fueron agotando y se pasaron las hojas, comenzó a sentirse nervioso. No tenía más que ojos para ver la esquina de la partitura que sobresalía del cuadernillo. En cuanto acabaran el «*Nume enim si centrum*» de Manchicourt, la tendrían delante.

Al pronunciar el verso «*qui bene vivis, habes*» le salió un falsete. Molina alzó la cabeza y lo miró con el ceño fruncido. Nicolás hubiera preferido vadear una tempestad en medio del mar del Norte antes que notar la marejada del estómago.

Dos golpes y un silencio lo separaban de la posteridad.

Todas las terminaciones nerviosas de su piel estaban concentradas en lo que vendría a continuación. Fue como si el tiempo se hubiera detenido por un instante y arrancara después a trompicones. La mano del maestro volvió a elevarse y el bastón con ella, para descender de repente. Dos golpes. El ruido de las páginas al volverse rasgaron el aire y la respiración de Nicolás se detuvo.

El silencio le golpeó en las sienes. Y después... la gloria.

Escuchar su propia composición musical interpretada por las mejores voces del reino le sacudió desde lo más profundo y, a pesar de la seguridad de su éxito, por un instante, le temblaron las rodillas. Se unió al coro con el corazón alegre y brío en la voz. Los frailes comenzaron a mirarse unos a otros preguntándose de dónde habría salido aquella canción, que era la primera vez que entonaban.

En la décima nota, los golpes del bastón de Molina amenazaban con agujerear la carpintería del suelo de la capilla del palacio de Valsaín.

—¿Qué es esto? —vociferó mientras se acercaba al responsable del coro y le arrebataba el libro de partituras.

Las tres hojas que Nicolás había insertado entre las copias que se usaban para los ensayos casi salieron volando del ímpetu con el que el maestro arrancó el volumen de entre las manos del director.

—Señor...

—¡Acabo de preguntar que qué es esto! —voceó sin dejar de buscar a los culpables con ojos acusadores.

Nicolás dio un paso adelante.

—Yo lo he metido ahí —anunció, dejando notar el orgullo que sentía ante su creación.

Molina se volvió hacia él con la ira exudando por la piel.

—¿Con la autorización de quién si puede saberse?

—La composición es buena, muy buena, y si la escucháis...

—¿Y quién eres tú para decidir qué se canta en la Capilla Musical de palacio? ¿Tengo que volver a explicar que *yo* soy el Maestro de esta Capilla y *yo* soy el que toma las decisiones?

—No, no tenéis que explicarlo de nuevo —aclaró Nicolás.

El odio que se entreveía entre las pestañas del hombre mayor le hizo ser cauteloso. No había llegado hasta allí para echarlo todo a perder por su inquina personal a aquel hombre—. Es cierto que el maestro es el único que puede seleccionar los cánticos, simplemente quería que conocierais la obra. Celebrar las próximas festividades religiosas con nuevas composiciones que ofrecer a la reina elevará sin duda la opinión que la corona tiene de vuestra labor.

Las mandíbulas de Molina se relajaron y Nicolás sonrió para dentro. «Engreído. No eres capaz de poner una nota delante de otra y tienes que servirte del trabajo ajeno.»

El maestro dio un paso atrás y volvió a golpear el suelo con el bastón por toda respuesta.

El coro comenzó de nuevo cuando escuchó la señal. Nicolás cantó como nunca, sin mirar la partitura ni una sola vez. No le hacía falta, se la sabía de memoria. Él era el artista, él, el hacedor, el creador de aquellos tres minutos de gloria.

Cuando todo finalizó, sus ojos buscaron de nuevo el rostro de Molina.

—¿Qué os ha parecido?

—¿De dónde ha salido?

—¿Qué opináis de ella? —preguntó Nicolás casi a la vez.

—Tendría que examinarla de nuevo.

—Ahí la tenéis, podéis mirarla todo lo que queráis, pero no encontraréis la más mínima pega.

—¿Me vas a decir de dónde la has sacado? —preguntó agitando los papeles delante de la nariz de Nicolás.

—¿No os lo imagináis? —El cantor se inclinó y se acercó a él, más de lo que dictaba la prudencia—. *Yo* lo he escrito —enfatizó.

Todos los componentes del coro lanzaron una exclamación. No tanto por la osadía de colar una partitura fuera de toda norma, sino por lo que aquella declaración escondía: era una auténtica acusación. «Yo canto, yo compongo, yo creo. Yo y no tú», decían las palabras no pronunciadas.

De repente, Molina se volvió hacia el resto del grupo.

—Podéis marcharos.

—Pero si todavía... —comentó un sacerdote desde el fondo.

—¡El ensayo se ha acabado por hoy!

Comenzaron a desfilar. El primero que salió fue el cómplice de Nicolás, que pasó a su lado con la cabeza hundida entre los hombros, el resto formó una fila ordenada y siguieron al muchacho a toda prisa. Y todos, sin excepción, elevaron la vista hacia Nicolás cuando pasaron a su lado. Las miradas de conmiseración de aquellos hombres rebotaron contra una coraza de vanidad.

La capilla se vació, solo quedaron dentro los dos hombres. Se retaron con la mirada.

—Ahora pretendes que la Real Capilla represente tus desvaríos.

—¿Tan mala pensáis que es? Meditadlo bien. Si confiáis en mí, podréis presentar una misa completa muy pronto.

—Mucho habrás de trabajar para tener listo algo como eso.

—No es lo primero que compongo.

Molina comenzó a dar vueltas alrededor de Nicolás. Parecía un león, viejo y sin fuerzas, que sabe que la única posibilidad que le queda para cazar a su presa es aterrarla.

—Así que pretendéis hacer el trabajo del maestro. ¿Acaso ambicionáis mi lugar?

—Sería un estúpido si lo hiciera. En dos años a más tardar, llegará otro afamado músico y ocupará el puesto.

Nicolás oyó rechinar los dientes de Molina. Todo el mundo sabía que el puesto de maestro de la Capilla Musical en la corte de Madrid nunca se había reservado para los españoles, siempre era para un flamenco. Hasta en eso le sacaba ventaja.

—Ya entiendo. Lo único que buscas es tu propia fama.

—Vos os podéis beneficiar de ella tanto como yo.

El silencio que siguió a aquellas palabras hizo que Nicolás casi pudiera escuchar la velocidad a la que trabajaba la mente del hombre. Este echó una mirada rápida a la partitura, que todavía sujetaba en la mano.

—Dos motetes y una antífona. Veremos cómo lo haces. Lo quiero el viernes que viene a más tardar —exigió, y, sin esperar respuesta, se separó de él y abrió la puerta de la capilla.

—Si os agrada el resultado, quiero que me permitáis componer una misa.

El maestro giró la cabeza con lentitud y clavó los ojos en él.

—Y supongo que me vas a decir que quieres que se interprete en la Natividad.

Nicolás no estaba en condiciones de negociar y lo sabía. Un «no» salido de la boca de Molina y se haría añicos su futuro. Pero no iba a claudicar en aquello. Tenía que quedar claro desde el principio.

—Os equivocáis. Será durante la Semana Santa, el Domingo de Gloria.

—¿Te has pensado que...?

Nicolás no lo dejó continuar.

—Además cualquier cosa que componga, y que decidáis incluir en el repertorio, será públicamente identificada como de mi autoría.

El puño de Molina se crispó sobre la manilla de la puerta.

—Te descontaré el precio del papel que has usado para esto —añadió al tiempo que agitaba lo que tenía en la mano—. Robar a la corona es un delito que se castiga con escarnio público. Y no creo que te guste que tu espalda sufra un castigo semejante.

El portazo que siguió a aquellas agrias palabras solo consiguió arrancar una sonrisa de Nicolás.

—¡Date prisa, Clara, que Su Majestad está a punto de partir y no quiero ser la última en llegar!

—No os impacientéis, doña Inés, que no es cuestión de correr. Imaginaos que Clara no finaliza bien el trabajo y se os desprende el bajo del vestido en medio del paseo —advirtió Justa.

Clara hinchó los carrillos de aire y lo fue soltando poco a poco mientras elevaba los ojos hacia su amiga en agradecimiento.

—Ya estoy imaginando a la infame de Margarita señalando a todo el mundo mis desdichas. ¡Qué no haría esa con tal de ser la favorita de la reina!

Clara se mordió los labios para evitar que se le escapara la risa. La rivalidad entre las damas por ser las predilectas de la regente resultaba ridícula. Aunque aún era peor la crispada desconfianza de las criadas para conseguir ser la preferida de cada una de las damas. Ni siquiera ella, que era una recién llegada, quedaba fuera de las recelosas miradas de las otras costureras.

—Unos minutos más y podréis correr y saltar en el bosque —continuaba Justa mientras, con un rápido movimiento de la mano, urgía a Clara a terminar.

Esta se levantó de la pequeña banqueta de madera desde la que trabajaba para coger la cesta, que había quedado lejos de ella al haber tenido que seguir a la dama mientras se movía por la habitación, y cuando levantó el trozo de tela que la cubría, lo vio.

De nuevo el trozo de papel, de nuevo las notas, de nuevo las letras. Y con aquel ya eran seis.

—¡Apremia, mujer, que ya oigo ruido en el pasillo! —exclamó doña Inés, a punto de salir y sin esperar a que cortara la hebra que había dejado colgando.

Clara contuvo la impaciencia por examinar lo que ponía aquella vez y se apresuró a asir las tijeras y a terminar la labor antes de que doña Inés de Medina necesitara un galeno en vez de una costurera.

No consiguió un sitio tranquilo hasta bien mediada la tarde. Imposible leerla en la planta baja; entre la Cocina Grande, las despensas, las estancias del servicio —donde ella y otras veinticinco mujeres descansaban por la noche—, la Sala de Estado y los distintos salones en los que el rey recibía a los invitados y solventaba los problemas del reino, la algarabía era tal que había veces que Clara pensaba que las calles de Madrid no podían ser más bulliciosas que aquello. La segunda planta tampoco era un buen lugar. Los grandes salones contaban con varias puertas por las que se accedía a otras tantas cámaras que a su vez daban paso a otra multitud de habitaciones. Conclusión: era imposible encontrar un pequeño rincón a salvo de la mirada curiosa de cualquiera. Y ella necesitaba algo de tranquilidad para comprobar qué eran y qué significaban las notas que guardaba. Estaba la capilla, claro, y la sacristía. Descartó la primera por poco apropiada para el cometido que tenía entre manos y la segunda por... porque el mero recuerdo de lo que había sucedido en ella apenas una semana antes la desconcentraba todavía. Además, en la primera planta también estaban las habitaciones del rey y Clara prefería no señalarse demasiado. Si en algún momento veía que darse a conocer ante determinadas personas la beneficiaría, no dudaría en hacerlo. Pero por ahora, era mejor que nadie se fijara en ella hasta tener claro cuál era la mejor estrategia para sobrevivir en aquel mundo.

Al final, se decidió por subir a la tercera planta. Los aposentos de las acompañantes de las damas estaban sobre la capilla. Clara sabía que ninguna de las criadas de confianza pondría un pie en las habitaciones hasta después de la cena —alguna mucho rato después, ya que solo cuando las señoras se habían retirado, las criadas conseguían un descanso—. Clara sabía cuál de los cinco lechos, que se disponían en fila a lo largo de la habitación de Justa, era el de su amiga. Y tenía la gran suerte de estar apartado de la puerta.

Llegó al jergón, lo rodeó y se sentó en el suelo con la espalda apoyada en la pared. Solo entonces sacó el tesoro.

El sexto mensaje, el que había encontrado aquel mismo día entre los hilos, las tijeras y los retales, era el más largo «*dulcis hospes animae, dulce refrigerium*». Las mismas palabras una y otra vez.

Colocó todos los pedazos en el suelo, en tres filas, de dos en dos, seis en total y se preguntó si continuarían llegando. Cada día que pasaba era una cosa nueva, y cada uno de ellos igual de desconcertante que el anterior. Decidió observarlos con detenimiento y no cejar hasta llegar a una conclusión válida. Si aquel músico, cantante, cantor, o lo que fuera, se estaba riendo de ella, quería saberlo. Y si no, también.

Cambió los mensajes de lugar, los colocó del más corto al más largo y los miró durante mucho tiempo. No se le ocurrió nada. Varió su posición; primero el más largo, después el más corto. Otro tanto de lo mismo. Los ordenó por las palabras de la Secuencia de Pentecostés. Imposible averiguar nada. Más tarde, por orden de recepción. «Esto no puede ser tan complicado», se dijo, a punto de estallar de frustración.

Y volvió a empezar. No una ni dos, sino que repitió la misma sucesión tres veces; de pequeño a grande, de grande a pequeño y por orden de recepción. Todo para nada. Al final, no iba a tener más remedio que buscar a Nicolás y preguntárselo directamente. «Como que me llamo Clara Román que lo hago salir de la madriguera de donde se esconde», aunque tuviera que agujerear los sótanos del palacio, pensó mientras recogía el segundo mensaje y pasaba al tercero.

No hizo falta. Había cogido un papel por la parte superior. Casi todas las letras habían desaparecido tapadas por el dedo pulgar. Solo quedaban a la vista las últimas palabras y la partitura; los círculos que representaban las notas musicales estaban salteadas sobre las líneas como si alguien las hubiera puesto de forma aleatoria. Unas más juntas, otras más separadas, una debajo de la uve, otra debajo de la a, otra...

Se le iluminó el rostro. A toda prisa, volvió disponer los papeles tal y como los había recibido y empezó a leer solo aquellas letras bajo las que coincidía una nota musical, descartando todas las demás.

«*caelitus lucis tuae radium*» «*dator munerum*» «*Sancte... lucis tuae radium. Veni, pater*» «*dator munerum, veni, lumen cordium. Consolator optime, dulcis hospes animae, dulce refrigerium.*» «*dulcis hospes animae*» «*dulcis hospes animae, dulce refrigerium.*».

Seis mensajes, seis palabras: «*Clara*» «*torre*» «*nueva*» «*atardecer*» «*día*» «*hoi*».

Nicolás Probost, el gran cantor de la Capilla Musical de la corte, le pedía una cita. Una cita para ese mismo día.

Y no dejaba margen para una respuesta negativa.

Recogió las notas de un manotazo y volvió a guardarlas en el mismo sitio del que las había sacado. «¡No es más que un petulante!», pensó mientras salía de la estancia decidida. A ella, las personas que se creían tan fatuas como para suponer que el resto del mundo giraba en torno a ellas no le interesaban en absoluto.

Entonces, ¿por qué sonreía como si la hubieran elegido para coser el vestido de bautizo del primer vástago de la pareja real?

Nicolás apoyaba el pie en el tronco más ancho que había encontrado. Esperaba pacientemente a que Clara apareciera y se entretenía contemplando las copas de los árboles. Y pensando.

Por lo que había visto en sus ojos la última vez que los había cruzado con ella en la sacristía, aparecería. Tampoco tenía duda alguna de que habría conseguido descifrar las notas que él había ocultado para ella durante toda la semana. «Si hubiera podido observarla sin ser descubierto...» Rio. Le hubiera gustado verle la cara cuando adivinó el mensaje.

El sonido de las hojas secas al ser pisadas le anunció que sus expectativas se habían cumplido.

Se separó del árbol y se aproximó al muro exterior del edificio. Se detuvo debajo de la Torre Nueva.

La vio acercarse. Seria, pero con la mirada firme.

Era guapa. No la más guapa, no la más perfecta, no la que tenía el cutis más terso, no la más joven, no la más menuda, ni la más frágil, ni siquiera la más alegre, pero era la mujer que más atraía a Nicolás de las que había conocido en la corte. Notó que se había arreglado para el encuentro. Se había cepillado el pelo y lo había dejado suelto sobre los hombros. Tenía la tez más luminosa, los ojos más oscuros y los labios más rojos.

—Has venido —anunció él cuando Clara se quedó de pie frente a él.

—¿Tenías alguna duda?

La diversión saltó en los ojos de Nicolás. ¿Lo estaba halagando o se ensalzaba a sí misma? «Más bien lo segundo.»

—A decir verdad, ninguna —confesó con vivacidad—. Llegas justo a tiempo.

—A tiempo de...

El placer de Nicolás por tenerla allí, para él solo, aumentaba. Aquella iba a ser una tarde de lo más entretenida.

—¿A tiempo de dar un paseo por el bosque? —sugirió él haciendo un gesto con la mano para que pasara delante.

Clara consideró la proposición. No había mucho que pensar. Nicolás no arriesgaría el puesto en la Real Capilla por despojar a una criada de su virtud, y ella... Recordó las caras de los tres jóvenes que habían sido —o habrían podido ser— sus pretendientes y la de la mujer que había forzado su encierro y que había deseado su aislamiento. La elección no tenía duda.

—¿Un paseo por el bosque para buscar frutos de otoño? —preguntó con voz burlona al tiempo que echaba a andar hacia la foresta.

Nicolás no pudo menos que admirarla antes de seguirla.

Caminaban uno detrás del otro, sin decirse nada. Clara delante y Nicolás detrás, deleitándose de lo que tenía ante la vista. Para ser considerada una belleza, Clara tenía que ser rubia, tener las cejas finas, la frente despejada, los ojos cristalinos, la nariz recta, los labios sonrosados, los dientes blancos, la piel clara, las manos y los dedos largos, los pechos pequeños y, lo más importante, una actitud sumisa. Y era todo lo contrario; morena, con las cejas oscuras, la frente menos ancha de lo que dictaba el canon, los ojos oscuros, la nariz... angulosa, los dientes del color del papel, la piel morena, las manos del tamaño de una letra capital pintada en un códice y los pechos repletos. En el físico, lo único que cumplía era lo de los labios, y «en el carácter, nada», se dijo mientras la seguía. ¿Por qué entonces le parecía tan hermosa?

Se adentraron en el bosque sin que ella aflojara el paso.

Nicolás imaginó las chanzas de los ministriles si lo vieran; perseguir a una mujer como si fuera un lacayo cualquiera en pos de su señora no era una estampa en la que se le pudiera retratar muy a menudo. Aunque, a decir verdad, aquel no era un mal sitio. Delante, frente a ella, con los brazos alrededor de su talle y las manos en las posaderas, estaría mucho mejor, pero marchar detrás y deleitarse con el movimiento de su figura no era el peor de los lugares.

En algún momento, en medio del bosque, con el sol entrando en el ocaso, Nicolás empezó a fantasear en lo que sucedería si la oscuridad los atrapaba en medio de la arboleda. Pasar la noche con ella, acurrucados, abrazados, compartiendo calor, olor, sensación, y sentir la suavidad de su piel y la textura de su pelo al entrelazarlo entre los dedos. Y esta idea lo dispuso a favor de acompañarla hasta donde fuera necesario. Aún dejaron atrás un centenar de árboles, atravesaron dos claros, subieron una colina, la volvieron a bajar y cruzaron un arroyo hasta que Clara se detuvo.

Nicolás se paró, jadeando, y no solo por el paseo. Clara debió de notar que el hombre al que intentaba dar un escarmiento se había frenado y se volvió. Allí estaba, con la lengua fuera, inclinado hacia delante y con las manos apoyadas en las rodillas.

—Si llego a saber que me destinabas una paliza como esta, me habría guardado de mandar las misivas —resopló antes de incorporarse para observarla de nuevo.

Clara, plantada con firmeza sobre los pies, con las piernas separadas y los brazos en jarras, le aguardaba para el siguiente asalto.

—¿Y qué es lo que esperabas?

—¿Que te echaras a mi cuello y me premiaras con un beso sería pedir demasiado?

El rostro de Clara se relajó.

Para Nicolás, fue como subirse a la cima de una montaña y que las nubes se quedaran por debajo de los pies, como ver salir la aurora a la vez que se ponía el sol, como ver brotar las yemas de un almendro, como oír el agua de un arroyo chocando alegre contra las rocas y las campanas de una iglesia anunciando la llegada de un nuevo retoño. Y todo porque la veía sonreír.

Por primera vez en su vida, tuvo miedo. Miedo de desear que le ataran de pies y manos, de seguir mirándola, de ansiar acompañarla, de preferir acariciarla a ella antes que a una vihuela bien afinada, de cambiar las notas por la risa. Miedo de olvidar al riesgo que corría. Miedo de jugar y de perder. Pero, a pesar de todo, no pudo hacer nada por evitarlo.

—Solo lo hago con los hombres enfermos —se mofó ella.

—Moribundo me encuentro. ¿Queréis ver mis heridas? —preguntó él mientras echaba mano al botón superior del jubón.

—No dudo de que las tengáis, pero no he sido yo quien las ha provocado.

Tocado de muerte. Le había quedado claro. «¿Quién reparte la baraja?», le había faltado añadir. Saber que ella era consciente de que aquello no iba más allá que una buena mano de naipes, lo instó a continuar con despreocupación.

—Si eso es lo que te apena, te dejaré un resquicio de mi piel. Podrás hacer con ella lo que quieras —insinuó.

Ella se lo pensó un instante, un delicioso instante.

—¿Un bordado te resultaría muy doloroso?

Las carcajadas de Nicolás, a pesar de la distancia, hicieron vibrar los postigos de los balcones del ala este del palacio.

—¿Antes o después del beso? —pidió él.

—En pos de vuestro sacrificio, puedo daros dos: uno antes y otro después de finalizar el zurcido.

—Con una condición.

Aquello era un reto. Y Clara nunca daría marcha atrás. Se lo había prometido a sí misma.

—De acuerdo.

—Yo decido cuándo empezamos.

—Bien —aceptó—. Y yo, cuándo hacer el cosido.

—Perfecto.

—Ahora mismo —añadió Nicolás.

A Clara ni le dio tiempo a reaccionar y ya se encontraba entre sus brazos.

No la besó, no. Ni ella a él, tampoco. Simplemente se miraron a los ojos. Con las pupilas dilatadas por la creciente penumbra, Clara entrevió un atisbo de indecisión en los ojos masculinos. Fue un momento, un instante, solo un segundo, un parpadeo, pero existió. Ella no se resistió, levantó la mano y pasó el dorso de la mano por su mejilla. Hacía ya horas que la piel había sido afeitada. Notar la barba incipiente le resultó de lo más excitante. Aquella era la primera vez que tocaba la tez de un hombre tan abiertamente. Sintió las manos de Nicolás cerrándose en torno a ella con más fuerza y, cuando lo volvió a mirar a los ojos, estos brillaban, al igual que el agua del torrente que habían dejado atrás hacía un rato. Le emocionó la intensidad de lo que él parecía experimentar. Y le asustó lo que ella sentía.

Cuando Nicolás pudo desprenderse de la hipnosis a la que Clara lo había sometido y volvió a ser consciente de que la tenía entre los brazos, enterró la cara en el hueco de su hombro y rozó la parte superior del cuello con los labios. Notó el pálpito de las venas, la agitación corriendo por la sangre, y la saboreó a placer. Recorrió con la punta de la lengua el río que le daba la vida y que circulaba por su interior y dio gracias al cielo por aquella fortuna. No quería ni imaginar que aquel instante no se hubiera producido.

Ni sabía cómo podría contenerse.

Un suspiro fugitivo y la mano de Clara acariciando su nuca lo obligó a dejar a un lado la prudencia y ahora sí, ahora sí, buscó su boca. Y la encontró jugosa y abierta, dispuesta a ofrecer lo que él estaba dispuesto a robar. Se convertiría en ladrón solo por tenerla. Se precipitó con alegría en donde ya sabía que sería su sitio los próximos tiempos. La acogida fue completa, como tumbarse en un mullido diván. Clara lo envolvió con los labios, lo probó, lo saboreó. Y él se dejó hacer. Cuando el beso se intensificó y la lengua comenzó a explorar las profundidades, se unió a ella con una intensidad insospechada. Sus manos subieron hasta el pelo, metió los dedos por debajo de la melena y extendió las palmas por su nuca, los pulgares bajo el lóbulo de las orejas, y la apretó contra él. Una antigua melodía —la misma que tocaba en Segovia la primera vez que la vio— comenzó a sonar en su cabeza. Y la euforia se apoderó de él. Su lengua se internó en aquella deliciosa caverna que tanto ansiaba poseer. Y ella se unió a él, le acompañó en la más deliciosa de las danzas que hubiera bailado nunca.

Antes de que se quedaran sin aire, Nicolás se separó un instante, pero regresó a ella a la vez que a Clara se le escapaba un gemido por su ausencia. De nuevo otro beso como el anterior, que la arrojaba al abismo, de nuevo un avispero sonándole en los oídos, de nuevo, de nuevo aquel sofoco inenarrable, y de nuevo aquel hormigueo incesante que le surgía de la base del cráneo y descendía por la espalda para dejarle los brazos laxos y las piernas temblando.

Y de nuevo él y un millar de besos desperdigados por la comisura de los labios, por las mejillas, detrás de sus orejas, en la base de la mandíbula y el hueco de la garganta. De nuevo aquel delirio.

—Al que inició esta moda de añadir gorgueras al cuello de las camisas tendrían que condenarlo a galeras —gruñó Nicolás cuando sus labios se toparon con el borde de la ropa.

Esta vez no fueron sus ojos lo que encontró. En cambio, la risa de Clara penetró en él y se fundió con la tonada que todavía sonaba en su cabeza. Apenas la veía, la oscuridad se cernía sobre ellos y la poca luz que aún iluminaba el cielo quedaba oculta detrás de los árboles. ¿Por qué demonios la habría citado ya mediada la tarde? La próxima vez la emplazaría al amanecer y tendría el resto del día para estrecharla contra sí, para tumbarla en el suelo, para paladear su textura, para...

—Creo que tendrías que mandar a prisión al difunto monarca.

—Lo haría si aún estuviera vivo —farfulló, enfadado consigo mismo.

—Debemos regresar antes de que la noche nos alcance —musitó Clara depositando un último beso sobre sus labios para compensar la mala noticia.

—También habría que procesar a ese que obliga al sol a ponerse.

Clara contuvo una alegre exclamación ante el peligroso comentario, cualquier otro que lo escuchara podría acusarle de herejía por mentar a Dios en semejante circunstancia.

—Te recuerdo que es el mismo al que cantas alabanzas a diario en la capilla.

—Le compensaré dedicándole lo próximo que componga —añadió él con soltura mientras se dejaba coger la mano y llevar con renuencia.

El camino de regreso sirvió a Nicolás para comprobar que no podía haber hecho mejor elección. Clara era de la altura perfecta, con la coronilla a la altura de su nariz, apenas tenía que agacharse para besarla; su mano se adaptaba a la suya a la perfección; y, cuando rodeaba su cintura, se apoyaba contra su cadera con abandono.

Salieron de entre los árboles y Nicolás soltó a Clara. Ella hizo como si no se diera cuenta. Suspiró en silencio.

De vuelta a palacio.

Allí estaban, por segundo día consecutivo. En el bosque. Juntos.

Habían comenzado caminando entre los árboles. Pero no

como el día anterior; el sosiego y la lentitud habían sustituido a las zancadas y a los pasos apresurados.

Nicolás fue el primero en tomar la palabra. Habló sin descanso. No sobre él, no, sino de otros. En un rato puso a Clara al corriente de parte de las murmuraciones de palacio, de las que Joos tan gentilmente le informaba. Le habló de los componentes del coro, de la diferencia entre la Casa de Borgoña —a la que él pertenecía— y la Casa de Castilla, y sobre las prebendas de las que disfrutaba por pertenecer a la primera. Clara se enteró de que los músicos no solo estaban separados por trabajo y nacionalidad, sino que las normas que los regían eran distintas e incluso el sueldo que cobraban era diferente. Ella le preguntó por qué era el único cantor del coro que no había jurado votos religiosos y Nicolás le contestó con una sonrisa y una caricia en el rostro.

Aquella fue la primera indicación de que el paseo no tardaría en finalizar para dar paso a otra situación más placentera. La mano de Clara sobre la del cantor fue la señal definitiva.

Nicolás buscó con la mirada un lugar más propicio para acomodarse. Quedarse de pie no era la posición ideal para lo que tenía en mente.

—En aquel haya —le indicó Clara, ansiosa y nerviosa a la vez.

Las caricias comenzaron no mucho después. Los labios de Nicolás recorrían la suavidad del cuello de Clara y ella acogía el roce de su boca con deleite.

Después del robo del primer beso, de la sorpresa del segundo y del deleite del tercero, Clara no estaba preparada para la ternura del cuarto, ni para sentir la frescura del aire rozando su piel y mucho menos para percibir toda la sangre de su cuerpo corriendo dentro de ella. No estaba preparada para notar el corazón agitado por la brisa ni para detener la alegría que surgía de su interior.

—¿Sucede algo? —murmuró Nicolás cuando notó el titubeo.

Eso mismo se preguntaba ella. ¿Tenía algo que perder?, fue la siguiente pregunta. Las imágenes de su tía, del control que había ejercido sobre su vida, de los rincones de la casa en la que esta habitaba y de la lejanía del futuro se superpusieron en su mente.

—No —contestó.

Los siguientes tres días, el bosque se llenó de risas. De lentos paseos y de carreras juguetonas, de abrazos precipitados y de largos besos, de tardes de otoño tumbados en la pinocha, de cuchicheos y de carcajadas, de canciones susurradas y de profundos silencios.

Los siguientes tres días, el bosque se llenó de ellos.

6

Se veían siempre a la misma hora. A pesar de lo que Nicolás había pensado el primer día, les era del todo imposible encontrarse a una hora más temprana. Las obligaciones de ambos les ocupaban el día completo y no sacaban más que un rato para verse; después de que el rezo a la Virgen terminara y antes de que se escuchara la llamada a la cena.

Nicolás apenas había cogido la pluma desde su conversación con Molina; un momento próximo al mediodía y otro después del almuerzo eran los únicos minutos que disponía para garabatear unas cuantas notas en el pentagrama. Avanzaba a duras penas. A pesar de que repetía la melodía una y otra vez siempre se detenía en el mismo punto. La cabeza le dejaba de funcionar en cuanto la imagen de Clara se cruzaba en su mente.

A ella le sucedía algo parecido. A partir de la siesta, cuando muchos de los habitantes del palacio se relajaban, lo único que hacía era salir al patio y elevar la vista hasta el reloj de la torre, con el deseo de que los minutos se convirtieran en horas y que el tiempo pasara inmensamente más deprisa de lo que lo hacía. Aunque el milagro nunca se producía, al final, llegaba la hora y ambos se dirigían al lugar del encuentro.

Salían y regresaban por separado. Clara entraba un poco antes, Nicolás la seguía instantes después. Por fortuna, los guardias que custodiaban la verja de acceso al Parque del Rey nunca eran los mismos, así que, aunque todos los días cruzaban la cerca bajo las tímidas sonrisas de los soldados, nunca lo hacían bajo sus miradas burlonas.

Pero aquello acabaría pronto. La luna de miel de los monarcas terminaba y se marcharían en breve. Al parecer, la reina ansiaba comenzar a ejercer las obligaciones que había asumido hacía menos de quince días. Parte de los criados, soldados y los enseres ya habían sido enviados a la capital. Ellos no. Formaban parte de los «imprescindibles».

¿Qué sucedería a partir de entonces? La pregunta llevaba todo el día dando vueltas en su cabeza. Por más que había removido en su interior, por más que la había buscado en Nicolás, no había encontrado la respuesta. Lo único que sabía era que se le alegraba el espíritu cuando lo veía y a él le sucedía lo mismo. Lo sabía, notaba cómo le sonreían sus ojos, cómo apretaba su mano cuando se encontraban, con ansia, con codicia, con ¿deseo?

¿La deseaba? Ella sí lo hacía. Cada vez más, cada día más. Cada tarde era más fácil encontrarlo de nuevo y más difícil dejar de hacerlo. Y a él le pasaba lo mismo. Lo sabía, lo notaba. Y daba gracias al cielo por no haberle privado de los días más felices de su existencia.

Pero al día siguiente partían para Madrid.

Salieron del bosque en silencio. Abandonaron el anonimato de las sombras y alcanzaron el muro del edificio. Las ventanas de las ocho habitaciones que ocupaban el rey y su cortejo se alzaban por encima de sus cabezas.

—¿Crees que nos habrá visto algún día?

Nicolás miró hacia arriba.

—¿El monarca? —Clara asintió—. Tiene cosas mucho más importantes que hacer que mirar el paisaje, aunque sea tan bonito como esta sierra segoviana. —O al menos eso esperaba—. Llegamos —añadió, soltando su mano, al igual que hacía todos los días.

A Clara, como siempre, le desagradó el frío que se le coló entre los dedos y se la cubrió con la otra mano para calentarla.

Lo detuvo un instante después.

—¿Y ahora?

La pregunta no tenía duda. «¿Y mañana, y pasado, y al otro?

¿Y a partir de ahora?» Él esbozó una sonrisa tranquilizadora.

—Encontraremos algún momento para vernos. El viaje hasta Madrid es largo y el camino costoso. Allí donde paremos a descansar habrá un lugar para encontrarnos.

—¿Lo crees así?

Nicolás la empujó con suavidad hacia delante.

—Es hora de entrar.

Clara echó a andar. Sin embargo, antes de hacerse visible para la guardia, Nicolás la alcanzó, la sujetó por los hombros y le dio el último beso. Ella le acarició la mejilla y le sonrió con los ojos.

—Hasta mañana —susurró antes de volver a ponerse en marcha.

Y tan concentrada estaba en las sensaciones que aquel hombre provocaba en ella que, cuando entró en el patio de Caballerizas, no se dio cuenta de que aquel día, además de los soldados, había otra gente esperando su regreso.

Hacía un par de días que Justa había buscado a Joos, tan pronto como se dio cuenta de que su amiga se veía con alguien, con Nicolás Probost. Había encontrado al músico, lo había seguido y lo había interrogado sobre las pretensiones del cantor.

Al principio, el ministril se había quedado perplejo ya que le estaba pidiendo explicaciones sobre algo que no era de su incumbencia, pero pronto cambió de parecer. Al fin y al cabo, Justa era una mujer simpática y charlatana. Y le gustaba. El día que Tomás Sánchez la había atacado y él había salido detrás de ella, no había conseguido alcanzarla. Y ahora ella le ofrecía la oportunidad de disfrutar de su cercanía. Así que había decidido colaborar con ella para confirmar la identidad del enamorado de Clara.

Así, Joos decidió seguirle la corriente. Ayudarle a desentrañar si Nicolás y Clara se veían en secreto era muy entretenido, sobre todo en su compañía. Tenía suerte de ser un ministril de las Caballerizas y no de la Capilla Musical, donde las reglas relacionadas con las acompañantes femeninas eran mucho más estrictas y menores las oportunidades de estar con una mujer sin que llegara a oídos de alguien poco adecuado. En verdad que a Nicolás le debía de interesar mucho la costurera cuando se arriesgaba de ese modo a que alguien lo sorprendiera en semejante situación.

—¿Es ella? —murmuró Joos empujando a Justa hacia las sombras del muro del patio para que no los sorprendieran espiándolos.

—¿Quién si no? Desde que estamos aquí no ha salido nadie más.

—No sé si lo que vamos a hacer es lo más correcto —volvió a decir, fingiendo un dilema moral que no sentía. El problema era que si los descubrían, a Joos se le acabarían las excusas para seguir encontrándose con Justa.

—¿Otra vez con vuestras dudas? Creedme si os digo que es lo mejor para todos.

—No para Niek.

—Sí para Clara. Vos mismo me habéis contado las mujeres por las que ha pasado vuestro amigo y que ya ha olvidado. No pienso permitir que haga lo mismo con mi amiga.

—¿Y si esta vez es distinto?

—No voy a esperar a comprobarlo —añadió dando un paso hacia la entrada del recinto.

Pero no pudo avanzar. Joos la sujetó del brazo y la atrajo hacia sí.

—Esperaos —susurró.

El tono de su voz fue tan cálido que Justa se olvidó del frío de aquella noche de noviembre.

—¿Pasa algo? —preguntó con voz temblorosa.

Era la primera vez que se tocaban, la primera que estaban tan cerca. Y algo le decía a Justa que no sería la última.

Joos se rindió al impulso de aspirar su aroma de nuevo.

—Nada —contestó al fin y la empujó hacia delante.

Durante unos instantes, Justa no reaccionó, pero después, cuando vio a su amiga atravesar el patio, la siguió.

La alcanzó a la altura del pórtico de entrada, a punto de traspasar los siete arcos que daban acceso al patio principal y a las cocinas.

—¿Vas a contarme de dónde llegas todos los días a esta hora?

Clara dio un respingo asustada, aunque se relajó cuando reconoció la voz.

—¡Qué susto me has dado!

—Susto el que me agarra a mí cuando remuevo todo el palacio buscándote y no apareces por ningún sitio.

—Solo estaba dando un paseo —dijo Clara. Y echó a andar hacia dentro del edificio.

«Así que ahora jugamos a las mentiras.»

—Sí, tú sola por el bosque. Venga, que no he nacido ayer. Te estás viendo con alguien a escondidas.

«No lo niegues, sé quién es.»

Clara no la miró, ni se paró siquiera.

—Imaginaciones tuyas —volvió a fingir cuando llegaron a la galería interior.

Su amiga la obligó a detenerse. Como que era hija de su madre que la haría confesar.

—¿Quién es él?

—No sé si...

En ese mismo momento, Nicolás, acompañado por Joos, atravesaba la misma puerta que ellas acababan de cruzar. Clara no pudo evitar que la mirada se le trabara en la de él.

Justa siguió la línea que se dibujaba entre las pupilas de su amiga y las de Nicolás.

—No hace falta que digas nada —farfulló para sí—, me hago perfecta idea.

—¿Vas a criticarme?

—¿Me crees capaz de hacerlo?

—Lo cierto es que no —asintió Clara bajando las defensas—, pero ¿qué es lo que ha cambiado? Hace unos días tú misma coqueteabas con otros hombres delante de mí.

—Tú lo has dicho: «coqueteaba». Y eso es muy distinto a lo que tú estás haciendo.

—Aunque me parezca imposible, vas a reprenderme.

Justa volvió a ponerse en guardia.

—¿Debería?

—Sí, pero no por lo que supones.

Justa ya no sabía qué pensar.

—Ahora me dirás que te ves a escondidas con Nicolás Probost porque le estás enseñando a coser.

—No seas tan cáustica.

—Está claro que esta conversación no nos va a llevar a ningún sitio, así que, cuando quieras contarme algo, ya sabes dónde encontrarme.

Su amiga empezó a caminar sin confirmar las intenciones de Clara. Esta echó una mirada hacia donde había visto a Nicolás por última vez, pero él ya había desaparecido.

—¡Justa! Al menos deja que me explique.

Su amiga se detuvo y se volvió enfadada, aunque dispuesta a darle una última oportunidad.

Pero Clara había vuelto a dejar de prestarle atención.

En la galería superior, el «enamorado» de Clara y Joos recorrían el corredor, camino de la capilla. Nicolás solo tenía ojos para lo que sucedía en el piso inferior. Sus miradas habían vuelto a encontrarse y se acariciaron, ajenas a lo que acontecía a su alrededor. Justa miró a su amiga y después al cantor, lanzó un suspiro de impotencia y se alejó de Clara.

—No hace falta que digas nada —gruñía mientras se alejaba.

Pero tuvo suerte y Clara regresó junto a ella.

—No sé por dónde empezar...

—Te lo pondré fácil. Si lo haces por el principio, ¿qué tal un «es que es tan guapo...»? —se burló con voz de falsete— y si es por el final, bastará con la verdad, «estoy enamorada de él». Pero, sea como sea, yo insistiré en que es un error. Un hombre guapo no es garantía de honestidad, y ese que te come con los ojos desde ahí arriba es de los que esconde debajo de la camisa una lista de las mujeres más deseables y tacha los nombres de las que consigue.

—No me importa —confirmó.

—Sin contar con que la mayoría de las señoras de la corte, y no me refiero solo al servicio, se tirarían en sus brazos en cuanto tuvieran ocasión. Y, escúchame bien, él no es de los que desechan ninguna oportunidad. No hay más que mirarle a los ojos para saber que evalúa las posibilidades de todo aquel que se le pone delante.

—No me importa.

—Para los hombres como él una persona solo tiene dos opciones: me vale o no me vale, el resto no es más que aderezo. Ni que decir que no tiene mal gusto. Solo hay que observarte a ti y mirarme a mí. ¡Estaría loco si aspirara a algo menos que lo que tú le ofreces!

—No me importa.

—Eso sí, en el momento en el que vea que las cosas se complican contigo, que se ponen demasiado serias, o decide que has perdido el atractivo que tenías, se dará media vuelta y se irá por el mismo sitio por el que llegó. Así, sin más, sin pensar siquiera en que mereces una explicación por su comportamiento.

—No me importa —repitió Clara con terquedad.

—Y si encima fueras a pedirle explicaciones sobre por qué...

—¡Justa, detente! ¿Quieres escucharme?

¡Por fin! Por fin se había parado.

—Sí, pero...

—Escúchame bien. ¡No-me-importa! No, no estoy con él porque me parece guapo. No es que piense que no lo es, porque sí, sí lo es y mucho, pero no es eso lo que me atrae de él. Lo que me gusta es precisamente lo que tú le criticas: su grado de suficiencia, de estar por encima del resto. Pero lo que me acabó de decidir es otra cosa.

—Te sientes halagada porque se ha fijado en ti.

—Sí, también, pero eso no sería razón para ganarse mi afecto.

—¿Se puede saber cuál es entonces el motivo?

—¿Has visto alguna vez el vuelo de un halcón?

Justa asintió.

—A veces, en Praga, los halconeros menores hacían sueltas en las cercanías del palacio y veíamos a las aves pasar por delante de nuestras ventanas.

—Es la sensación de estar suspendida en el aire durante unos segundos lo que me fascina. ¿Has trotado alguna vez por un prado alfombrado de hierba?

Justa asintió de nuevo.

—Muchas veces.

—¿En los inicios de marzo, pisando las margaritas aún húmedas por el rocío de la mañana con los pies descalzos? Yo a veces me escapaba de la casa de mi tía y bajaba a la ribera del Eresma para hacerlo. Eran unos instantes maravillosos, no había nadie, ni un alma podía verme, era como si el mundo se hubiera detenido, como si hubiera desaparecido y solo quedara yo. Sentía que era yo la que dirigía el devenir de las gentes, de los animales y que hasta podría parar el curso de las aguas solo con desearlo. Y no sucedía únicamente porque yo no quería.

—¿Y...? —intentó preguntar Justa sin acabar de ver la relación de las palabras de su amiga con la discusión inicial.

—Pues que eso es lo que siento al estar con él; que soy libre, que hago y digo lo que se me ocurre, que nadie me controla, río cuando quiero, canto, bailo y hablo. A veces, hasta demasiado.

—¿Y él?

—Él también habla.

—¿Únicamente?

—Y me besa. Y lo beso. Y me abraza. Y lo abrazo. Por primera vez en la vida estoy despierta. Y viva. —Y como viera que su amiga la miraba con cara de incredulidad, añadió—: y no, no estoy enamorada de él —pero mientras lo dijo elevó la vista hacia el piso superior.

Justa siguió la mirada de decepción y descubrió que los hombres habían desaparecido.

«Ya.»

—¿Has terminado? —preguntó Nicolás cuando comenzaron a subir la escalera—, porque me estoy cansando de tanta monserga. Pareces una vieja sermoneando a su nieta o un sacerdote protegiendo el honor de una virgen. ¿Desde cuándo estás interesado en la virtud ajena?

—Lo único que quiero es protegerte de ti mismo para que no cometas ninguna torpeza.

—No te preocupes por eso. Sé bien lo que me hago.

—Enfrentarte a Molina y deslumbrar a una de las muchachas al servicio de las damas de la reina. Ninguna de ellas me parece la mejor decisión de tu vida.

Nicolás se volvió para contestar.

—No sé quién te habrá contado qué, pero desde ahora te digo que estás muy mal informado.

—Tú no me lo has dicho, desde luego. Todavía estoy esperando a saber por ti qué sucedió el miércoles en el ensayo.

El nuevo tema arrancó una sonrisa a Nicolás.

—Molina me ha concedido una oportunidad.

—Pero si el zagal me ha dicho...

—Así que me pones espías.

—Esa tarde no se hablaba de otra cosa entre los músicos. Contaban que la cara del maestro se había pintado con el color de las cerezas cuando descubrió que habías introducido una de tus composiciones en el repertorio. Las apuestas de que vas a ser expulsado siguen muy claramente en tu contra aún hoy, que ya han pasado tres días.

Nicolás estalló en carcajadas.

—Si Su Majestad supiera a qué se dedican los músicos de la Real Capilla a sus espaldas... ¿Tú te juegas algo?

—¿Cómo crees que...?

—Hazlo. —Y para confirmar que no estaba de broma, metió la mano en la bolsa que siempre llevaba colgando de la cintura y sacó un real de plata—. A mi favor. No te arrepentirás —añadió antes de salir al corredor que daba al patio.

Joos se quedó mirando la moneda que su amigo le había depositado en la mano. Corrió para alcanzarlo.

—No estás de broma cuando dices que va a estudiar tus composiciones.

Nicolás asintió sin dejar de mirar al frente.

—Las va a incluir en las celebraciones —confirmó.

—¿Te lo ha dicho él?

—Se lo he sugerido yo, pero lo hará. No lo dudes.

—A veces, me das miedo. Serías capaz de enterrar a quien fuera con tal de conseguir lo que deseas.

—No olvides que no es más que el fruto de todo lo que he luchado estos años.

—Pues ya puedes tener cuidado y no fiarte de lo que Molina te ha prometido. Tú mismo me explicabas no hace mucho tus reservas. Ahora veo que has cambiado de opinión.

—Sigo pensando que no tiene ninguna cualidad para estar donde está, pero ya he dado el primer paso y no voy a volver atrás. Dos años son mucho tiempo para esperar a que llegue un nuevo maestro, al menos eso es lo que se rumorea que tardará. Además no tengo ninguna seguridad de que, quien sea designado, sea mejor que el que ya tenemos. Al menos a este lo conozco y sé cuáles son sus debilidades. Le pierde la ambición.

«Como a ti a veces», estuvo tentado de decir Joos, pero Nicolás ya no le escuchaba. Caminaba con la vista fija en algún punto del piso inferior. El músico se asomó a la balconada y confirmó lo que suponía.

—¿Y la costurera? —preguntó haciendo un gesto al motivo del interés de su amigo.

El tenor se puso tenso.

¿Qué iba a hacer con ella? En palacio estaban prohibidas las relaciones entre los sirvientes de la Casa del Rey y las criadas de la Casa de la Reina, aún más si se trataba de un componente de la Capilla Musical. Él no era sacerdote como el resto de los integrantes, pero nadie —Molina mucho menos— saldría en su defensa si lo descubrían con Clara.

Al principio, había pensado en ella como en una distracción, un juego con el que divertirse, pero después del primer día en el bosque, después de aquellos días, la costurera comenzaba a metérsele debajo de la piel.

—¿Qué tiene que ver ella con esto?

—Ella será una más de tus víctimas. No, no te rías, que no soy un eremita que ha perdido el juicio a causa de la soledad.

—Me río de que, por lo que veo, tú tampoco pierdes el tiempo. Te he visto con su amiga. Nos estabais esperando junto a la puerta del Cierzo. Ella te ha convencido de que soy poco menos que el diablo en persona.

—Lo que eres... —masculló Joos, ofendido por la sugerencia de su debilidad mental—... es un maldito necio —dijo, se dio media vuelta y desapareció.

Nicolás echó un último vistazo a Clara. Ella también estaba muy ocupada intentando salir indemne de las recriminaciones de su amiga. Se separó de la barandilla y salió corriendo en busca de Joos.

Al fin y al cabo, era el único amigo que tenía.

Clara caminaba despacio, ocultándose entre las sombras. Se acercaba a la venta situada a las afueras del pueblo de Las Rozas. Un pequeño muchacho le había entregado a escondidas una nota de Nicolás aquella tarde, citándola en aquel lugar.

Mantener el anonimato era casi imposible en la población. Hacia cualquier parte a la que se mirara, aparecían personas conocidas. Los propietarios de la veintena de casas que tenía el pueblo se desesperaban por atender las pretensiones del grupo que había llegado hacía unas horas. A pesar de la obligación de dar «derecho de albergue» al séquito real, los villanos no miraban con buenos ojos la desaparición de parte de las viandas que guardaban para hacer frente a la proximidad del invierno.

Como no había suficientes casas para acoger a todos los recién llegados, se había tomado la decisión de que las mujeres se quedaran entre las familias y los hombres pasaran la noche en la posada. En realidad, a aquellas horas ya deberían haber llegado a la capital del reino, pero el aguacero caído el día anterior había convertido la carretera en un auténtico barrizal y había sido del todo imposible avanzar las cuatro leguas previstas.

Los establos de la hospedería estaban abarrotados y parte de las mulas, que transportaban los enseres del palacio de Valsaín, se encontraban en el exterior del patio de la fonda.

Y allí estaba Clara entre rebuznos y resoplidos a punto de llegar a su cita.

Dudó si entrar en el patio de la posada o esperar fuera cuando vio venir hacia ella a varias de las chicas de la cocina. Se volvió para evitar que la reconocieran, pero algo la sujetó de una muñeca y tiró de ella.

Un segundo después estaba en el rincón más oscuro del corral entre los brazos de un hombre. Y estaba feliz.

—Has venido.

—¿Dudabas acaso de que lo hiciera?

—Lo temía —susurró él.

Clara contuvo el aliento. Dos palabras y atravesaba sus barreras. Apoyó la frente en el pecho de Nicolás mientras intentaba reponerse de la flojedad de piernas que le había provocado el comentario.

—¿Sucede algo? —preguntó el músico preocupado.

Clara se recobró y dejó escapar una enorme sonrisa, que él apenas pudo intuir en aquella penumbra.

—Nada, nada, ¿qué iba a ocurrir?

—Pensé que tal vez... allí fuera... las cosas no fueran bien.

—Sí, todo bien —aseguró animosa mientras se recostaba sobre su pecho—. La casa es perfecta, y la familia amable. ¿Y tú?

Nicolás la apretó entre los brazos.

—Yo echo de menos otro tipo de compañía —musitó.

Otra vez, otra vez aquella voz que le gritaba que se abandonara a la pasión. Otra vez aquella música resonando en sus oídos que la animaba a dejar de pensar, que la impelía a olvidarse de todo.

Desde el último día que había estado con Nicolás en el bosque, no sabía por qué, pero cuando pensaba en él era incapaz de escuchar otra cosa que no fueran las palabras de Justa advirtiéndole. «A veces, la cabeza juega con uno como si de un muñeco se tratara», pensó, y según lo pensó, lo olvidó. El abrazo de Nicolás era tan real.

—¿Crees que llegaremos mañana temprano?

—Estaremos cómodamente instalados en nuestras dependencias a las tres de la tarde a más tardar.

—¿Sabes dónde estarán mis habitaciones?

Una ligera risa se escapó entre los labios de Nicolás.

—¿Las de las mujeres jóvenes y apetecibles? Comprobarás

que ese es el secreto mejor guardado del reino. No me extrañaría que te encerraran en un harén, con una pareja de guardias a la puerta con la orden de detener a quien se acerque. Más ahora, con Ana de Austria ejerciendo de regente. Dicen que ha jurado velar por la integridad de todas sus protegidas.

—No creas todo lo que escuches. Es cierto que es una mujer muy piadosa, yo misma la he visto rezar sus oraciones varias veces al día, pero eso no indica que se entere de todo lo que sucede a su alrededor. Te aseguro que entre sus damas hay alguna que entra y sale a su antojo. ¿Y tú, en qué lugar del alcázar resides?

—¿Del alcázar? No, yo no vivo en palacio.

Aquella era la primera vez que le contaba algo de su intimidad. Y no le gustaba lo que escuchaba.

—¿Y eso?

—El maestro de la Real Capilla tiene la obligación de educar a los niños cantores, eso incluye alimentarlos y alojarlos en su casa.

—Pero tú entonces..., hace tiempo que dejaste de ser niño.

—El antiguo maestro, Bonmarché, me nombró Teniente de cantorcicos y, como soy responsable de los niños, me alojo con ellos.

A pesar de la oscuridad, Nicolás notó el desencanto en Clara.

—¿Decepcionada?

—No, no —fingió esta.

Lo estaba. Y ella que se había alegrado el día solo de pensar que se podrían encontrar por los pasillos de la corte al atardecer.

La puerta de la posada se abrió de golpe y un par de borrachos salieron de ella. Se sostenían el uno al otro, y así, tambaleándose, se alejaron en busca de un lugar mejor donde pasar la noche. Nicolás se arrimó aún más contra el rincón para evitar que la claridad que salía del interior de la taberna llegara hasta ellos y los descubrieran. Arrastró a Clara con él.

Esta notó las briznas de paja sobre la que Nicolás la había apoyado atravesar el tejido de su vestido y clavarse en su piel.

Y los labios de Nicolás sobre su boca. Y el pecho del músico contra su cuerpo.

Era tan reconfortante. Se sentía tan protegida y tan vulnerable a la vez. Por su mente pasaban tantos sentimientos encontrados.

Apretó el abrazo y profundizó en el beso. Se perdió en Nicolás. Él recorría su boca, recorría su espalda, su pelo, su nuca, sus brazos como si aquella fuera la última vez. Robaba su entereza y la hacía suya.

Fue el músico el que se alejó de ella cuando Clara pensó que le sería imposible separarse de él.

—Cuando lleguemos —comentó él con voz profunda, dándole la espalda—, no tendré tiempo de nada. Los ensayos, las clases y los niños absorben todas mis horas. Además, tengo unas composiciones que terminar.

Se mesaba el pelo, estaba nervioso. Clara supo que algo no iba bien.

—Sí. Yo también estaré mucho más ocupada —respondió ella automáticamente.

Y como si Nicolás hubiera reaccionado a su voz, se dio la vuelta y regresó a ella. Se tumbaron sobre la paja.

—Bueno, pero eso será a partir de mañana, así que no vamos a pensar en ello —añadió él hundiendo la cara en el cuello de Clara y depositando un suave beso sobre su hombro.

Ella buscó el hueco de su oreja y lo besó a su vez. La piel de Nicolás sufrió un ligero temblor. Aquella fue la señal que Clara esperaba. Recorrió con la lengua el perfil de su mandíbula. Nicolás elevó la cara hasta que encontró lo que buscaba. Los labios de Clara estaban firmes y repletos, preparados para él, para su boca, para calmar el anhelo que nacía en él cada vez que la veía, cada vez que la tocaba. Los apretó, los encajó en los suyos, los aprisionó entre sus dientes hasta que la hizo suspirar. Y siguió, hasta que la hizo gemir. Y continuó, hasta que la hizo jadear. Y lo prolongó más y más, hasta que en su propio cuerpo se desató el fragor del trueno y el fulgor del relámpago, hasta que la tormenta dejó de ser un indicio y se convirtió en una amenaza. Cuando sintió las manos de ella deslizarse por su espalda, alcanzar la parte más baja de la columna y cubrirle las nalgas, la separó de él con brusquedad.

La intensidad de sus miradas fue más elocuente que cualquier cosa que pudieran decirse.

Clara fue la que rompió el hechizo.

—Nicolás —susurró—, quiero que tú... quiero que nosotros.

Los dedos de Nicolás impidieron que las palabras salieran de los labios de Clara. Él apoyó su frente en la suya y cerró los ojos. Ella oía el aire entrar y salir de sus pulmones, era como si estuviera controlando la respiración.

—Yo... yo también —farfulló con la voz ronca—. Pero créeme si te digo que hay cosas que es mejor detenerlas antes de que sucedan. Será mejor que regreses.

Clara tragó con dificultad.

—¿Eso... eso es lo que deseas? —murmuró.

Él la cubrió con sus brazos y la apoyó de nuevo en él.

—No —admitió antes de depositar un beso sobre su pelo—. Es lo que debo hacer.

«Aunque me muero por hacerte mía.»

Clara combatió la pasión que se había despertado en ella al encontrarse con él y deseó que Nicolás fuera el bribón que Justa aseguraba que era. Pero este lo único que hizo fue apretar el abrazo y mantenerla junto a él hasta que el sueño los venció. Era como si supiera que las horas vividas en el bosque de la sierra segoviana tardarían en repetirse.

7

—Por fin llegamos —comentó Justa cuando el alcázar de Madrid apareció en lo alto de la loma.

Pero aún tuvieron que esperar a que parte de la comitiva las adelantara. Más de diez sillas de mano pasaron ante ellas. Las damas de la reina viajaban con toda comodidad. Clara identificó con facilidad la que ocupaba doña Inés cuando el lienzo que ocultaba a la dama de las miradas curiosas se separó del marco de la ventana y esta escudriñó los muros en lo alto de la colina. La fachada que daba al río se componía de cuatro altas torres, unidas entre sí a modo de muralla y coronadas por unos altos y picudos tejados.

Aquella era su nueva casa y esperaba que fuera su nuevo hogar. El suyo y el de Nicolás.

Cuando entraron en el patio, Clara descubrió que la sobriedad que Felipe II, y su padre Carlos I, habían impuesto en la corte española estaba también presente en el edificio. El palacio real no tenía ningún rastro de la elegancia que se suponía a la residencia oficial de los monarcas de un imperio como el español. «Sea como sea, será mi sitio en los próximos años», se dijo con ánimos renovados.

—Vamos allá. Estoy ansiosa por conocer nuestros aposentos —aseguró mientras entrelazaba el brazo de Justa.

Había dejado atrás su antigua vida y no veía el momento de comenzar con la nueva. Y Nicolás no tenía nada que ver. «¿A quién quiero engañar?», se preguntó y miró a su amiga de soslayo no fuera que le leyera el pensamiento.

—¡Vosotras dos!

Justa y Clara se pararon en medio de las escaleras y se volvieron. Una gruesa mujer, toda vestida de negro, las esperaba al pie de la escalinata. Una toca, igual de oscura que su vestimenta, le cubría el pelo.

—¿Es a nosotras? —preguntó Justa, que se recobró antes que Clara.

—¿Acaso pretendéis dejar de ocupar el sitio que os corresponde? ¡No me habéis oído! ¡Bajad inmediatamente!

Clara miró hacia arriba, pero las otras chicas ya habían desaparecido y ahora no sabían hacia dónde dirigirse. No podían hacer otra cosa que hacer caso a la mujer. Empujó con disimulo a su amiga.

—¿Qué querrá semejante cuervo? —masculló esta en voz baja.

—¡Nombre! —gritó la mujer a Justa cuando llegaron a su altura.

—Justa Griñán, natural de Cigales, procedente de Praga, ayudante personal de doña Inés de Medina, dama de confianza de Su Majestad la reina —recitó de corrido.

Lo único que le había faltado era cuadrarse como un soldado de Infantería de Marina delante de su coronel.

La mujer consultó una tablilla que sujetaba en la mano e hizo una señal con un marcador.

—¡Nombre! —gritó de nuevo dirigiéndose a Clara.

—Clara Román, costurera —fue lo único que pudo decir.

—Forma parte también del servicio de mi dama, doña Inés —se apresuró a aclarar Justa.

La mujer recorrió la lista hasta el final, sin embargo, no se detuvo en ningún nombre ni hizo marca alguna. Levantó los ojos hacia ella y torció el gesto. A Clara se le congeló la sonrisa.

—¿Habéis mirado bien? El nombre es Clara, Cla-ra Ro-mán —insistió.

La mujer no dijo nada, volvió a inspeccionarla de arriba abajo y regresó de nuevo a la pizarra. «Que aparezca, que aparezca, que aparezca...», rogaba y, por la cara que ponía, Justa también rezaba. Las plegarias cesaron cuando la mujer se detuvo en una de las líneas.

—Seguidme.

Justa dio un apretón a la mano de Clara.

—Al menos estaremos bien alimentadas —susurró haciendo un gesto en dirección a las orondas posaderas de la mujer, que se alejaba sin esperarlas.

—Pues no ha faltado nada para que no me aceptara.

—Lo que debería hacer esa gorda es instruirse un poco más en la lectura y menos en el arte de mover la mandíbula.

La aludida se dio la vuelta justo cuando pronunciaba las últimas palabras. Su mirada de odio las obligó a trotar detrás de ella, avergonzadas al ser pilladas en falta.

Cruzaron un patio. De las ventanas que se abrían a él, salían las voces de las mujeres cuyas figuras se adivinaban detrás de las celosías. Las damas de la reina tomaban posesión de sus nuevos dominios.

Al fondo del patio, traspasaron una puerta y penetraron en el interior del alcázar. Recorrieron dos largos pasillos antes de detenerse ante una puerta. Su acompañante tocó con los nudillos y abrió cuando se escuchó un «adelante». La mujer entró, pero ellas se quedaron fuera.

—¿Y ahora qué? —preguntó Clara.

—Ahora esperaremos hasta que a alguien le dé la gana atendernos.

—¿Dónde estarán los demás?

Justa soltó una risita.

—¿Lo dices por alguien en concreto? —se burló.

—Lo digo por las otras muchachas.

—Ya les habrán indicado cuál es su lugar. No olvides que fuimos las últimas en entrar.

La conversación se cortó cuando se abrió la puerta.

—¡Pasad!

El gabinete era pequeño y muy sobrio, igual que la mujer que les había llevado hasta allí e igual que la mujer que se sentaba detrás de la mesa. No había ni un solo tapiz en las paredes y el único objeto que adornaba la estancia era un crucifijo posado sobre la mesa en la que se sentaba la mujer que se dirigió a ellas.

—Justa Griñán.

Justa se sujetó la falda con una mano e hizo una reverencia.

—Servidora, señora.

—Clara Román.

—A vuestro servicio —contestó Clara con una ligera inclinación de cabeza.

—La señora Gómez os conducirá a los aposentos que ocuparéis esta noche. Mañana cuando haya terminado de organizar a las acompañantes de Su Majestad, os indicaremos vuestro emplazamiento definitivo.

Aquella fue la despedida. El chirrido de la puerta al abrirse les dejó claro que las quería fuera de su vista.

—¿Quién se supone que era? —preguntó Clara a Justa mientras seguían de nuevo a la guía que les había conducido hasta allí.

—Aldonza de Bazán, marquesa de Fromista, la Camarera Mayor, la encargada de organizar todo y a todos los que se mueven alrededor de la reina y de las infantas reales. Tiene potestad para decidir qué come la reina cada día, a quién recibe, qué vestido ha de ponerse y, por supuesto, cómo y por dónde nos vamos a mover tú y yo.

—Pero si estamos al servicio de doña Inés, será ella la que decida.

—Yo no tengo ninguna esperanza de que mi señora se enfrente a nadie por mi causa. Por si acaso, tú procura ganarte todas las simpatías que puedas.

«Dormir en cama compartida no está tan mal», se dijo Clara cuando abrió los ojos a la mañana siguiente. Excepto cuando te despiertan antes del amanecer con un mandado urgente.

No era para ella, no, el recado era para Justa, pero el resultado fue el mismo. Clara se despertó a la vez que su amiga ponía los pies descalzos sobre el frío suelo.

Arrebujada debajo del cobertor, intentó recuperar el calor

que la ausencia de Justa había dejado sin conseguirlo. Demasiadas cosas en las que pensar. Que las iban a separar, lo sabía. Ya en el palacio de Valsaín había quedado patente cuál era su sitio y cuál el de Justa. Y por muy bien que manejara la aguja y por muy finos que le salieran los bordados, no la asignarían al cuidado de las personas ilustres de la Cámara de la Reina. ¿Cuántas costureras más habría en palacio? No lo había pensado hasta entonces. Con seguridad, unas cuantas. Sería mejor hacerse a la idea de que ella sería «la nueva, la última» y, por consiguiente, «la aprendiza». Pero la coletilla no le duraría mucho tiempo. Trabajaría de firme para conseguir hacerse un hueco entre las otras costureras, a pesar de que hasta entonces solo le habían recibido con inquina. «Con la llegada del nuevo año seré solo Clara Román, la bordadora, y, como mucho, la segoviana.»

—¡¿Qué haces ahí todavía? ¿No has oído la llamada al culto?! Date prisa que la reina no hace distingos en cuanto a la falta de puntualidad —le urgió una de las chicas que habían pasado la noche en el lecho de al lado y que daba los últimos retoques al pañuelo con el que se recogía el peinado.

A pesar de que se estaba acostumbrando a la fuerte —y espantosa— entonación de todas aquellas chicas que la reina había traído consigo desde Praga, a Clara le costó entenderla. Solo gracias a sus gestos se percató de lo que intentaba explicarle. Tan sumida estaba en sus pensamientos que ni se había enterado de la desaparición del resto de las mujeres.

Saltó del lecho a toda prisa, y a toda prisa desdobló la ropa que había colocado sobre la cama la noche anterior. Se encajó la camisa, se la metió dentro de la falda, enterró los pies en los zapatos y se cubrió los hombros con la pañoleta de su madre. La chica abandonaba ya la habitación. Clara la siguió mientras se peinaba con los dedos para ocultar el rastro de la noche. Se limpió la arenilla de los ojos justo cuando llegaban a la puerta de la capilla. Entró. Nadie la miraba. Buena señal.

—Esto es muy grande, ¿verdad? —le comentó otra chica cuando el oficio acabó y salieron al corredor.

¿Dónde estaría Justa? No la había visto en el templo.

—Supongo que lo normal. Esta es la residencia de unos reyes.

—El palacio de Praga era mucho menos… complicado —añadió la muchacha sin apartar los ojos de la cantidad de puertas que se abrían al pasillo en el que se encontraban.

—Y la oscuridad no ayuda nada —farfulló Clara sin dejar de mirar los postigos y las celosías que tapaban las altas ventanas.

—Es invierno.

«Y los cristales no deben de estar en la lista de gastos de la Casa del Rey», se dijo Clara apretándose la mantilla con fuerza.

—¡Vosotras tres! ¡Venid aquí!

Voces conocidas. «La señora Gómez en todo su esplendor.»

—Sí, señora —se apresuró a contestar una mujer alta y delgada que salía en aquel momento del templo.

—¡Y vosotras dos, a este otro lado!

Y así poco a poco, entre gritos, reverencias y cabezas gachas, las treinta y ocho criadas que habían llegado a Madrid el día anterior quedaron repartidas. Las doncellas juntas, juntas las cocineras y juntas las costureras. Todas separadas según su oficio. Todas, menos Clara y una triste muchacha, que no alcanzaría los doce años de edad.

—¿Y nosotras? —preguntó Clara cuando fue patente que aquella mujer no las iba a incluir en ninguno de los siete grupos que había formado.

—Vosotras a la cocina. Ahora mando a alguien a que os acompañe.

Clara vio partir a las mujeres detrás de aquella especie de sargento mayor y obvió la mirada de una de las costureras, la que más animosidad le había demostrado hasta entonces, que se arrimaba a la organizadora y le susurraba al oído sin dejar de observarla.

Todavía tuvieron que estar un buen rato, de pie, en medio del pasillo y en silencio. A la niña no le consiguió sacar más que una docena de palabras mal dichas. Su nombre fue una de ellas, otra, que era extranjera y con las diez restantes le explicó que era hija de la costurera que se había quedado en Burgos, convaleciente de una enfermedad.

—No te preocupes, no tardará en seguirte —la consoló cuando comprendió que la muchacha estaba sola y en un país extraño. Clara no supo si le había entendido puesto que la chiquilla se limitó a encogerse de hombros y a apoyarse en la pared con la mirada clavada en el suelo.

No tardaron en venir a buscarlas. Alguien les hacía gestos con la mano levantada desde el fondo del corredor.

—He venido tan pronto como me han avisado.

La mujer olía a masa ácida.

—No había prisa —la disculpó Clara.

—¡Que no se diga que Alfonsa deja a un par de muchachas sin almuerzo!

La siguieron sin rechistar. La niña no sabía mucho español, pero hay gestos para los que no es necesario saber lengua alguna y le había quedado claro que aquella mujer le iba a dar de comer. A Clara le hizo gracia la rapidez con la que se dirigió a la cocina detrás de su salvadora.

«Y no era para menos.» Un cuenco de leche caliente y un enorme pedazo de torta de nueces bien valían la carrera.

A la hija de la costurera pronto le encontraron sitio. No tuvo ni que salir de la cocina para ponerse a trabajar. No bien terminó el tazón de leche y el dulce, una mujer con muy malas pulgas —estar de mal humor parecía una costumbre en aquel palacio— le señaló la mesa donde otras dos amasaban la ración de pan diario. Las manos de la muchacha en seguida se llenaron de la harina que espolvoreaba para que la masa no se pegara en la mesa mientras dos mujeres la trabajaban sin descanso.

Pasó el tiempo, la actividad a su alrededor fue incrementándose poco a poco hasta convertirse en un frenesí.

Ya casi rayaba el mediodía y Clara seguía en el mismo sitio que horas atrás. Varias veces había preguntado a la mujer que la había acompañado hasta allí hasta cuándo tendría que permanecer sin noticias. «Vendrán a buscarte», era su respuesta cada vez que se dirigía a ella. Y muchas más se había preguntado qué estaría haciendo Justa y otras tantas había pensado en Nicolás. Todavía recordaba sus últimas palabras al despedirse en el patio de la venta de Las Rozas.

—Te localizaré sea cual sea el rincón del palacio en el que te metan.

«Como siga aquí voy a ser bien fácil de encontrar», se dijo después de ver pasar a la persona número cincuenta que entraba en la cocina aquella mañana.

Aquel sitio parecía la puerta de la catedral de Segovia a la salida de la misa principal del día del Corpus Christi. Pensar en la celebración religiosa la hizo volver a Nicolás. ¿Dónde estaría? Le había dicho que, aunque él no vivía en la corte, pasaba allí gran parte de la jornada. ¿Dónde lo podría encontrar? Cerca de la capilla, supuso. En realidad no tenía ni idea de dónde, cómo y cuándo se reunía para los ensayos, ni siquiera si lo hacía todos los días. Hasta donde sabía, él no solo cantaba, también componía, también escribía, también trabajaba, y mucho. ¿Dónde lo haría? Necesitaría una mesa, ¿o no? No sabía nada de él, nada que no fuera el sabor de su aliento, la fuerza de sus músculos, el calor de su piel y la textura de sus finas manos, nada que no fuera el color de su voz, la profundidad de su mirada y la decisión de sus palabras.

Ahora que veía con sus propios ojos el complicado funcionamiento de la vida en palacio, fue consciente de la fragilidad del vínculo que los unía.

La señora Gómez había vuelto.

—Clara Román. Acompañadme.

Ella se levantó con decisión, deseosa de saber al fin dónde la iban a ubicar.

—Sí, señora.

Hicieron el camino contrario al de llegada. Alcanzaron la escalinata y siguieron adelante. Estaba claro que no se dirigían a la cámara de las señoras principales. Atravesaron el Patio de la Reina. Clara miró hacia arriba y le pareció ver la figura de Justa detrás de una de las ventanas del primer piso, pero desapareció antes de darle tiempo a confirmar si era su amiga. La buscaría en cuanto tuviera un rato libre.

Se metieron por una puerta al interior del edificio y, de repente, se encontraron en el extremo de un gran pasillo.

El trasiego en aquel lugar era constante.

Se cruzaron con infinidad de personas. Al principio, todas eran mujeres, pero pronto las figuras femeninas dieron paso a las masculinas. Ellos estaban igualmente ocupados. De vez en cuando, tanto unos como otros desaparecían por las puertas que se abrían a lo largo del corredor, las mujeres hacia la derecha, los hombres hacia la izquierda. El rumor allí dentro era continuo, aunque Clara no pudo dejar de notar que las conversaciones de las mujeres se detenían al paso de la señora Gómez y su sonrisa se transformaba en un gesto seco.

El corredor finalizó y entraron en una grandiosa estancia. La gente se agolpaba en aquel sitio más aún que en la galería. El griterío era incesante. Unos y otros voceaban sus nombres y un hombre los apuntaba en un papel y devolvía un número a voces. Dos guardias cuidaban para que nadie se colara. Todo aquel que quería solicitar una audiencia con algunos de los secretarios del rey tendría que esperar su turno.

La señora Gómez empujó a Clara hacia una de las paredes. Delante de ella había una enorme puerta abierta, franqueada por dos soldados. Al otro lado, la calle.

La mujer se hizo a un lado, le cogió una mano y dejó caer unos cuartillos. Las monedas le sonaron a Clara como la campanilla del ofertorio en el entierro de su madre.

—La cama y la comida debían haber sido pago suficiente a tu trabajo, pero la marquesa de Fromista ha tenido a bien satisfacerte por tu hacer —le dijo la mujer con desprecio.

Los ojos de Clara saltaron de la cara de la mujer a su mano. Apretó los dientes antes de contestar.

—La marquesa de Fromista puede quedarse con su gratificación —contestó con tono herido—. Decidle de mi parte que las añada a la suma a pagar a la siguiente desventurada a la que eche de palacio.

La avaricia brilló en los ojos de la señora Gómez, que no se lo pensó dos veces y se adueñó de las monedas de cobre. Su sonrisa taimada indicaba que le acababan de hacer la mujer más feliz del mundo. Clara no tuvo duda de en el bolsillo de quién acabarían los cuartillos aquella noche. La miró de nuevo con inquina. Había gente que se alimentaba de atemorizar a los que la rodeaban, pero no era miedo precisamente lo que aquel ser provocaba en Clara. Desprecio era la palabra más acertada.

—Si ya has dicho todo lo que querías, no tienes nada más que hacer aquí —La señora Gómez miró a los guardias e hizo un gesto con la cabeza para indicarles que ahora eran ellos los encargados de hacer el resto.

—No, no he acabado —replicó Clara con voz fría—. Quiero el cesto con el que llegué.

—No hay constancia de que trajeras nada más que lo que llevas puesto.

—Pues lo hice, soy costurera y llegué a la corte con mis propios útiles. Entraron en palacio con el resto de los enseres —porfió.

—¡Esperaos! ¡Clara! —La voz de Justa se escuchó antes de que su amiga apareciera—. Acabo de enterarme —confesó entre jadeos. Justa se dirigió a la autoritaria mujer—. ¿Qué significa esto? ¿Por qué la expulsan?

—La corte española no permite comportamientos licenciosos entre sus súbditos. En la morada del rey y de la reina de España no hay cabida para barraganas.

Aquello era una gran injuria. Clara se adelantó furiosa.

—¡Yo no soy...!

Justa echó un vistazo a los soldados de la puerta, que las miraban dispuestos a intervenir, y la detuvo antes de que las cosas se complicaran aún más.

—¡Echadla! —ordenó la repulsiva mujer a los guardias.

Estos dieron un paso adelante.

—La dama Inés de Medina me ha concedido unos minutos —informó antes de que la otra pudiera negarle el deseo de despedirse. Y, sin esperar respuesta, se volvió a Clara—. Te he traído esto.

La cesta de Clara.

Esta la cogió con rapidez y retó a la mujer para que intentara arrebatársela.

—Cinco minutos, ni uno más —graznó.

Pero no se dirigía a ellas sino a los soldados. El más grande, el que tenía más cara de bestia, dio un paso en su dirección.

—No os preocupéis. Acabamos enseguida —contestó Justa al tiempo que arrastraba a Clara de nuevo hasta el rincón.

—¿Cómo lo has sabido?

—No hacía ni dos minutos que me había librado de las exigencias de doña Inés cuando salí a buscarte. ¡Menos mal que el primer sitio que visité fue la cocina! La niña de la costurera, la otra, la que enfermó —explicó Justa, y continuó cuando vio que Clara comprendía—, la chiquilla me explicó que te habías ido con la gorda esa. Una de las mujeres aseguraba que, por la cara que llevaba, no te auguraba nada bueno. Eché a correr y no tuve más que preguntar a las personas con las que me cruzaba para que me explicaran que os veníais a la salida del palacio.

—¿Y esto? —levantó la mano con el canasto—. ¿Cómo te has hecho con él?

—Lo llevaba conmigo. Esta mañana lo habían trasladado a las dependencias de doña Inés creyendo que era mío. Ha sido una suerte. Lo primero en lo que he pensado cuando he tenido la certeza de que te expulsaban ha sido que con tus cosas al menos podrías intentar salir adelante, pero que sin ellas...

—Eres la mejor amiga que he tenido nunca —susurró Clara conmovida.

—Anda, no seas tonta —dijo Justa al tiempo que la abrazaba—. Además, favor con favor se paga. Aquella vez, en Valsaín, fuiste tú la que me salvó de las garras de aquel..., ahora soy yo la que te ayudo. Otra cosa, mi hermana, ¿recuerdas?

Clara no se acordaba de nada, solo podía pensar en dónde estaría un momento más tarde.

—No.

—Sí, mujer, con la que voy a reencontrarme en esta ciudad en cuanto consiga una licencia para ausentarme de aquí.

—Cierto, tenías una hermana en Madrid.

—De nombre María, como nuestra señora la Virgen. Búscala, cuéntale lo que te ha sucedido. Vive en la plaza del mercado. Dile que vas de mi parte. Seguro que al menos te da cobijo hasta que encuentres otra casa en la que servir. —A Clara se le llenaron los ojos de lágrimas—. Porque supongo que esa bruja no te habrá entregado ni una mísera nota de recomendación.

—Aciertas de lleno.

Justa no contestó. Clara le vio mordisquearse el labio inferior y supo que algo le rondaba por la cabeza.

—¿Y Nicolás? —le soltó al fin—. ¿Sabe lo que ha sucedido?

Clara hizo un gesto negativo.

—No lo he vuelto a ver.

—Lo buscaré y le diré dónde estás. Mañana a más tardar lo tendrás a la puerta de la casa de mi hermana —le dijo Justa, confiada en que sucedería así.

—Es hora de despedirme —anunció Clara cuando los guardias la miraron con cara de pocos amigos.

Se fundieron una en brazos de la otra.

—No te preocupes —la animó Justa—, en cuatro días te veo entrando de nuevo por esa puerta como la modista principal, llamada por la propia reina.

La afirmación arrancó a Clara una sonrisa. Se separó de su amiga, se acercó hasta la cesta y la asió con fuerza. Después lanzó un suspiro, miró hacia la explanada exterior y se decidió.

Un solo paso más y estaría fuera. Por mucho que dijera Justa, ella sabía que la aventura había finalizado, y tenía la intuición de que la felicidad también. Lo que tenía por delante era la vida real y lo que tocaba era sumergirse en ella, aprender a nadar y mantenerse a flote fuera como fuese.

Sin embargo, no bien hubo dado dos pasos, una turba de niños la rodeó por todas partes y la arrastraron de nuevo adentro.

—Pero...

—¡Nicolás! —gritó Justa alborozada—. ¡Estás aquí! Menos mal que has llegado a tiempo.

—¿Hay algún problema? ¿Qué hacéis aquí? ¿Acaso me esperabais? —bromeó él.

—Echan a Clara de la corte —se acercó al músico y bajó la voz—, alguien se ha enterado de vuestro idilio. —El rostro de Nicolás mudó de jubiloso a glacial—. Tú, que te conocen los monarcas, que te demandan para cantar en los oratorios privados, seguro que puedes solucionarlo.

Nicolás hizo lo que Clara más temía. Se quedo allí, impávido, como si se hubiera vuelto sordo, ciego y mudo. No la miró a los ojos, no se atrevía, y Clara agradeció al cielo que no lo hiciera. Sabía lo que encontraría en ellos: el vacío más insondable. Y no podía aceptarlo de él.

Un escalofrío le recorrió la espalda y el espejismo que la había envuelto días atrás desapareció como por ensalmo. En silencio, se llamó necia una y mil veces y recordó el momento en el que Justa le había hecho partícipe de sus recelos y cómo ella los había ignorado.

Clara se dijo que no le importaba, que todo había sido un juego, olvidó el júbilo que le inundaba cada vez que lo encontraba. Se dijo que era lo bastante fuerte como para superar aquel golpe y prefirió recogerse en el cariño de Justa antes que enfrentarse a aquella estatua de mármol, a aquel rostro sin alma, a aquel cuerpo sin entrañas, a la mentira más cruel. Antes que exponerse a su propio fracaso.

Se refugió de nuevo en el pecho de su amiga unos instantes. Lo volvió a mirar; la había ignorado por completo y dirigía a los muchachos entre la multitud. Se dio la vuelta, dispuesta a enfrentarse a lo que hubiera al otro lado de los muros. Varios pasos más y estaba fuera. Justa intentó seguirla, pero los dos soldados cruzaron las lanzas impidiéndola salir.

Clara, antes de darse la vuelta y encarar lo que tenía por delante, volvió a mirar la sonrisa consternada que Justa le dirigía desde dentro. No había ni rastro de Nicolás.

Era finales de noviembre y ni siquiera tenía un manto que echarse sobre los hombros, apenas una ligera toquilla para calentarse. Clara parpadeó un par de veces para contener las lágrimas. Un limpio y nítido cielo se recortaba sobre los tejados de Madrid.

Uno de los soldados se dirigió a ella con aspecto amenazador.

—¿Vas a quedarte aquí todo el día? Será mejor que te marches antes de que tengamos que despejar la plaza.

Una explanada la separaba de su próxima etapa. Asentó con decisión el asa de la cesta en el hueco del codo y la apretó contra sí. Comenzó a caminar sin pensárselo dos veces. Al principio, con paso lento, pero pronto su andar se hizo más seguro y más rápido. Y mientras la distancia que la separaba de la villa se reducía, pensaba que la vida se limitaba solo a dos opciones, divididas entre sí como un viejo tronco seccionado por el seco golpe del hacha más afilada: antes y después; delante y detrás; o tú o yo; seguir o retroceder; mejor odiar que amar, pero siempre, siempre, olvidar.

Ni en su peor pesadilla hubiera imaginado que la ciudad que ejercía de capital de España resultaría ser la más ruidosa, la más sucia y la más maloliente. En Segovia, hasta los alrededores de las curtidurías estaban más limpios y el aire era más claro que allí. Mientras recorría las estrechas y tortuosas calles, fue víctima de la atención de los habitantes menos notables. Desde el suelo, los tullidos le tiraban de la falda en busca de su piedad, los mendigos chocaban contra ella y contra el resto de los numerosos transeúntes, los pedigüeños le sobaban los brazos, la cara, y hasta había descubierto a un pequeño rufián con la mano dentro de su cesta.

«La plaza del mercado», le había dicho Justa y allí se había dirigido, a la plaza del Arrabal. Para llevarse otra decepción. Lo único señorial que había en ella era una casa sustentada sobre un soportal. Las columnas, fabricadas en la misma piedra del monte de Valsaín, era el único elemento con cierta distinción. Nada tenían de ilustre, y mucho menos de refinado, el trazado irregular, las casas avejentadas, el barrizal, los puestos desbaratados, las mercancías tiradas por el suelo, los pollinos que las transportaban ni los ciudadanos que se movían por ella.

Por eso le llamó tanto la atención cuando lo notó. El olor más delicioso del mundo la llevó hasta la puerta de la panadería. Dos mujeres, con pañuelo en la cabeza y delantal, salían de ella con un caldero lleno de hogazas. Clara se hizo a un lado para que pasaran. Sin duda, eran criadas de alguna casa noble. La bilis comenzó a dar vueltas en su estómago. Pero esperaría a encontrar a la hermana de Justa antes de echar mano de los ahorros que había traído desde Segovia y que guardaba debajo del forro de la cesta. «Hay que ser muy... —¿cuál era la palabra, estúpida, necia?— ... para rechazar el jornal merecido.»

De repente se dio cuenta de que se había alejado de la plaza. Chocó contra una mujer que salió de uno de los portales.

—Perdón —se disculpó.

—Buen día —contestó la mujer mecánicamente sin prestarle atención y siguiendo su camino.

—¿Vivís aquí? —preguntó alzando la voz.

La vecina se dio la vuelta. No tenía aspecto de hacer amistad con desconocidos.

—¿No lo habéis visto?

—Estoy buscando a una mujer. No sé si podríais ayudarme.

La mujer la miró con desconfianza antes de encogerse de hombros.

—Mientras no sea yo por la que os interesáis.

—Se llama María, María Griñán. ¿La conocéis?

A la mujer le mudó el rostro. Fue como mentar el nombre del demonio en la casa de Dios. Clara hubiera jurado que lo que había aparecido en la mirada de aquella mujer era odio.

—Está claro que venís de lejos, que no sois de aquí, nadie en su sano juicio osaría mencionar en estas calles el nombre de la barragana más famosa del barrio.

Aquello sí que no se lo esperaba. ¿Qué diría Justa cuando se enterara de que su hermana se dedicaba al oficio más antiguo del mundo?

—¿Sabéis dónde encontrarla?

—En el mismo sitio en el que lleva los últimos años después de matar a su marido.

—¿Perdón? —Clara tragó saliva. Las cosas se complicaban—. ¿En prisión?

—¡Eso es lo único que se merece! Pero no, ¡la señora salió de la casa de mi difunto hermano como si fuera una dama, de la mano de... de... de... de ese marqués al que engatusó con sus malas artes! Aún no lo habíamos enterrado y ella ya se paseaba por... por ahí con él como si fuera su mujer.

—¿Y decís que lo mató?

—Sí. Al pobre le dio una apoplejía por culpa de esa... Ella decía que él la pegaba, pero es mentira, yo nunca le vi ninguna señal. Además, ¿qué marido no pega a su mujer? ¿Cómo no lo iba a hacer si ella se negaba a obedecerle cuando él se lo ordenaba? Se alegró de que se muriera. Me lo dijo en mi propia cara, ¡la muy...!

La mujer tuvo intención de volverse para seguir su camino, pero Clara no se lo permitió. Había encontrado a alguien que conocía a la hermana de Justa en medio de más de cuarenta mil personas y no la iba a dejar escapar así como así.

—Vais a decirme dónde encontrarla.

La firmeza de su voz dio el resultado esperado.

—En la casa de los Vargas. ¡Ni ha tenido la decencia de marcharse al otro lado de la ciudad! Decidle de mi parte que rezo todos los días para que le suceda lo mismo que ella le provocó a mi hermano con su depravado comportamiento —siseó antes de soltarse de un tirón.

8

En una cosa tenía razón la desagradable mujer, la hermana de Justa no se había marchado muy lejos. El apellido de la familia a la que se había unido había sido suficiente para encontrarla. Dos preguntas y había dado con la casa.

Se acercó con determinación y golpeó con el puño. La puerta andaba escasa de aldaba.

«Y de gente», pensó varios minutos más tarde. Insistió de nuevo, con más firmeza que antes.

—Ya va, ya va.

La puerta se abrió, sí, se abrió como por arte de magia.

—¿Hay alguien?

—¿Os parece que yo no soy nadie?

Clara miró hacia abajo y se encontró con una anciana, tan encorvada que no le alcanzaba a la cintura.

—Pregunto por la señora María Griñán —explicó, aún avergonzada por su desacierto.

—¿Puede saberse quién la solicita?

—Decidle que traigo un mensaje de parte de su hermana Justa.

La vieja alzó la barbilla y observó a Clara con detenimiento.

—Esperad —dijo y le cerró la puerta en las narices.

«Vaya con la hospitalidad de la capital.»

Se separó del edificio y observó la parte baja de la calle. Viandantes, carretas y bestias circulaban por la calle.

Se sintió vigilada. Un movimiento de la tela encerada de la ventana más próxima le indicó que no se equivocaba. Alguien se interesaba por ella. Pronto estaría dentro. Se quedó quieta, con la cesta colgando por delante de las rodillas.

Los goznes de la puerta chirriaron otra vez. Clara miró hacia abajo y la anciana hacia arriba. Esta aún esperó un rato antes de dar un paso atrás.

La casa en la que Clara entró no era ni mucho menos lo pequeña que sugería la fachada. Ante ella tenía un pasillo suficientemente ancho para que se cruzaran un par de sillas de mano. Las telas colgadas de las paredes proclamaban la acomodada situación de la familia. No pudo observar mucho más porque la guía desapareció en una estancia a su derecha. Clara la siguió.

Era una habitación amplia; oscura, pero espaciosa. Sobre el estrado, alzado un escalón sobre el piso y separado del resto de la habitación por una balaustrada, había tres mujeres. Cada una ocupada en su propia labor.

No tuvo dudas de a quién dirigirse. La mujer que la observaba era la viva imagen de Justa.

—Decís... —comenzó la propietaria de la casa mientras depositaba el paño que bordaba sobre el regazo—... decís que traéis un mensaje de alguien que conozco.

El tono de su voz era claro y sereno, sin embargo, las manos la delataban. Se las frotaba sin cesar en un gesto inconsciente. «Mejor», se dijo Clara. Aprovecharía su intranquilidad.

—De vuestra hermana pequeña, de aquella que partió con vuestra madre y la emperatriz, María de Austria, a tierras lejanas.

El brillo de sus ojos le indicó a Clara que había superado el primero de los contratiempos; la creía.

—Podéis retiraros —les dijo a sus doncellas. Estas se apresuraron a salir en silencio—. Vicenta, prepara algo de alimento para nuestra invitada.

Cuando todo el mundo se marchó, María Griñán se levantó y le ofreció asiento. Clara subió al estrado y se acomodó en la silla de cuero que le indicaba.

—Como os decía... —comenzó.

—¿La habéis conocido allí? —le cortó la señora de la casa—. ¿Cómo está? ¿Y mi madre? ¿Cómo...?

—Vuestra hermana se encuentra en Madrid.

—¿En... Madrid? —Le temblaba la voz.

Clara asintió.

—Ha llegado junto al séquito de la nueva reina. Está en el palacio real. Me manda a deciros que en cuanto pueda se acercará a ponerse a vuestro servicio.

—¿Y nuestra madre? ¿También ha venido ella? —La emoción le atenazaba la garganta.

Clara inspiró y negó con la cabeza antes de responder.

—Al parecer, vuestra madre hace ya varios años que acudió a la llamada del Altísimo.

Las manos de la hermana de Justa se detuvieron y los huesos de su cara se contrajeron.

—Perdonadme un instante —se disculpó con un susurro apenas audible.

Bajó del estrado, rodeó el brasero circular, que mantenía la habitación razonablemente caldeada, y se aproximó a una de las paredes. Encima de un bargueño había un crucifijo. María Griñán se santiguó, unió los dedos y se recogió. Clara la imitó. Era lo menos que podía hacer por ella, al fin y al cabo acababa de decirle que su madre había muerto.

—Señora, ¿dais vuestro permiso?

La anciana se asomó de nuevo por la puerta.

La hermana de Justa se recompuso, volvió a santiguarse, dobló la rodilla y se dispuso a atender sus obligaciones.

—Adelante, Vicenta. Puedes dejarlo sobre el bufete.

Clara vio aparecer delante de sus ojos un plato a rebosar de potaje de carnero y una jarra de vino.

Comió primero. Dejaría a la mujer que se acostumbrara a las nuevas que le había llevado. Ya tendría tiempo de plantear su solicitud. Aquella volvió al piadoso rincón y continuó con los rezos. Clara levantaba la vista del plato de vez en cuando y siempre la encontraba en la misma posición. Vestida de negro, aquella mujer no tenía nada que ver con la idea que Clara se había hecho de ella. La descripción de su antigua cuñada no podía ser más desacertada. «Está claro que las inquinas personales siempre pesan más que la verdad.»

—Las nuevas de vuestra familia no son la única razón que me ha traído aquí —confesó Clara en cuanto hubo finalizado con los manjares.

La hermana de Justa se volvió con rapidez y clavó la mirada en ella.

—Entiendo —dijo y calló para que su invitada se explicara.

—Vuestra hermana me indicó que viniera a veros cuando... —¿Cómo contar que la acababan de echar de palacio sin parecer una mujer licenciosa?—. La camarera de la reina consideró que en palacio ya había suficientes costureras —mintió—. Justa mencionó que igual vos podríais conocer un lugar donde cobijarme por el momento.

¿Era una sensación suya o sus palabras le resultaban incómodas a aquella mujer?

La vio coger aliento antes de hablar.

—Es cierto que no a mucho contraje nupcias con Iván de Vargas, como todo el mundo en esta ciudad conoce. Pero mi marido no es más que el primogénito de don Pedro de Vargas, mi suegro, dueño de esta propiedad y de la fortuna sobre la que se asienta. El nuestro fue un compromiso muy complicado. Yo era viuda y no era bien vista en esta casa. El padre de mi señor se oponía a nuestras conversaciones hasta que su hijo le amenazó con cometer el mayor pecado del mundo, aquel por el que se le negaría el derecho a ser enterrado en tierra sagrada. Fue la única manera de ablandar las entrañas de mi suegro. El año pasado, mi esposo perdió al último de sus hermanos. —Suspiró antes de continuar—. A pesar de que logré esposarme con la persona que había elegido, mi situación en esta vivienda no goza de la firmeza que debiera si las circunstancias hubieran sido otras. Excepto a la vieja Vicenta, nada traje conmigo; mis vestidos, mis enseres, mis recuerdos, todo lo dejé atrás. Desde el momento en el que puse el pie en esta casa, me propuse no decir ni hacer nada que mi suegro pudiera considerar causa de enojo. Todos los criados le son fieles puesto que él los manda y los protege. Nada se mueve en estas estancias que él no descubra. Todo lo gobierna.

Hasta los temas de la cocina y de la despensa, son tratados por él. Siento no poder ofreceros otra cosa que el plato del que ya habéis dado cuenta.

Clara escuchó su confesión en silencio. Sabía que era sincera. Lo decía el tono de su voz. Se apiadó de ella. A veces, el amor de un hombre no era suficiente para compensar los sacrificios de algunas mujeres. A veces, era mejor no tenerlo nunca. Y a veces, bastaba con descubrirlo a tiempo. Como ella había hecho.

Se levantó despacio y cogió la cesta con suavidad.

—Gracias —susurró cuando pasó a su lado—. Hay cosas en la vida por las que merece la pena disputar. Creedme si os digo que vuestra hermana es una de ellas.

Nadie la acompañó en su partida. Ya había atravesado la mitad del corredor cuando le pareció escuchar un sollozo ahogado que procedía de la alcoba que había abandonado. Casi había alcanzado la salida cuando la hermana de Justa apareció detrás de ella y le abrió la puerta. A la luz de la tarde, Clara confirmó que tenía los ojos enrojecidos.

—En la plazuela de Santo Domingo hay un convento de franciscanas. Preguntad por la abadesa y decid que vais de parte de la señora de Vargas.

La sensación de que el día podía terminar mejor de como había empezado le duró poco, solo hasta que descubrió que la tela del fondo de la cesta había sido rajada y el saquito de las monedas había desaparecido. ¿Se lo habrían robado aquel día? Estaba segura de que no. ¿Cómo había sido tan estúpida para dejarla allí en vez de llevarla encima? Porque nunca hubiera imaginado que en la residencia del rey y de la reina se escondían amigos de lo ajeno. La mención de la señora de Vargas a la puerta del convento de las franciscanas era su única esperanza.

El convento de Santa María de los Ángeles quedaría completamente escondido a los ojos del mundo si no fuera por la cruz que coronaba las rejas de las ventanas. Era un edificio poco notable y de reducidas dimensiones. Muy próximo al monasterio de Santo Domingo el Real, nadie que pasaba por allí reparaba en él. A pesar de estar avisada, a Clara le costó descubrir que aquella casa, que parecía una vivienda cualquiera, era la morada de Dios.

—Me envían de la casa Vargas —dijo con cautela, sin especificar el nombre de la persona que la había mandado allí. Le entraba la duda de si las religiosas se inclinarían más a favor del suegro o de la nuera.

El ventanuco por el que había hablado se cerró de golpe. Y no se volvió a abrir por más que llamó repetidas veces. Cuando se convenció de que la piedad de aquella casa no era para ella, se apoyó en el muro de piedra y se dejó resbalar. Hincó la cabeza en las rodillas y, por primera vez, se dejó caer en el desánimo. ¿Cómo había llegado a aquello? Las lágrimas se le agolparon en la línea de las pestañas. Levantó la cabeza al frío de la calle para contenerlas. Un par de rapaces, mal vestidos y con la cara y las manos completamente negras, que pasaban por el centro de la plaza se rieron. Al parecer, ver a una mujer sola y sin un lugar donde refugiarse les provocaba gran diversión. Sujetó el cesto y lo metió debajo de las piernas. Cualquiera que conociera el valor de lo que llevaba en él, se echaría a reír al ver cómo lo protegía. Aun así, lo que era poco para algunos podía ser demasiada tentación para otros.

Vio echarse las nubes, cerrarse el cielo y oscurecer el día. Escuchó las campanas de la ciudad llamando a Vísperas y, un rato después, otras tañendo a muerto. Alguien había pasado a mejor vida. ¿Cómo acabaría ella? No desde luego como todos aquellos hombres y mujeres que acudían calle arriba a los oficios en la iglesia de los dominicos. Estuvo tentada de levantarse y buscar refugio en el templo. Al menos, estaría bajo techo. ¿Qué probabilidades tendría de esconderse detrás de alguna columna o en un rincón del pórtico sin que la descubrieran? No se decidió. No era la compasión divina lo que necesitaba en aquel momento; se negaba a que la situación en la que se encontraba fuera voluntad de Dios. Nadie más que ella la sacaría de aquella situación. «Llorar no sirve de nada», se reprendió con rabia al tiempo que se enjuagaba las lágrimas con la manga de la camisa. Y así estuvo, lamentándose e increpándose a turnos, hasta que terminó la misa y los fieles comenzaron a salir.

—Pobre desgraciada —oyó que cuchicheaba una mujer a la dueña que la acompañaba—. Pena me dan todas estas muchachas que tienen que mendigar para llevarse un trozo de pan a la boca. Solo Dios sabe dónde acabarán.

—En el arroyo o rebuscando entre la porquería del basurero de Lavapiés.

La sangre se le heló en las venas. Clara tragó saliva y se obligó a mirar a aquellas mujeres que tenían la grosería de apiadarse de la desgracia ajena antes de que ocurriera. «Y todo para que esta noche se vayan a dormir con el corazón henchido de falsa piedad.»

Ellas no se atrevieron a devolverle la mirada, bajaron la cabeza y se alejaron a toda prisa hacia la seguridad de su hogar.

Esperó a que el desfile de fieles finalizara. Lo último que soportaría era pasar al lado de aquellos desconocidos y escuchar su conmiseración o su desprecio para con ella. En cuanto la calle estuviera despejada se acercaría al pórtico de la iglesia para pasar la noche. En algún sitio tenía que meterse.

—¿Seguís ahí?

Clara se levantó de un salto. La voz llegaba del otro lado de la madera que separaba la vida monacal del mundo real.

—Aquí me tenéis todavía.

La puerta se abrió apenas una rendija.

—Pasad. Siento no haber podido atenderos antes, pero sonaba la llamada al rezo.

Clara no esperó a que la invitación se repitiera. Cogió la cesta y se escurrió en el interior. Una monja, vestida de color gris, la esperaba al otro lado con un farol en la mano. Era joven, quince o dieciséis años a lo sumo. Tenía unos ojos enormes y una sonrisa encantadora.

—Vengo de parte de la señora de Vargas.

—La conozco. Comparte con nosotras la tarde de los sábados.

—Acabo de llegar a la ciudad y no tengo dónde pasar la noche. Ella ha pensado que podía encontrar cobijo aquí.

A la chica le cambió el rictus.

—La madre principal ya se ha recogido y no le gusta que la molesten —dijo la monja apurada.

—No os preocupéis. No me quedo en peor situación de la que estaba hace diez minutos —la tranquilizó Clara y se dio la vuelta para salir por el mismo sitio por el que había entrado.

—¡Esperaos! Creo que aprobará que os quedéis esta noche.

Clara le dirigió una sonrisa agradecida. Dejó escapar un suspiro de alivio en cuanto la monja se dio la vuelta. El encuentro con la cara más dura de la villa se aplazaba hasta el siguiente atardecer.

Las franciscanas de la plaza de Santo Domingo le dieron albergue y cena. Una sopa fría con unos grumos, de algo que la monja identificó como gallina, y un pedazo de pan negro. Clara lo aceptó con la misma alegría que lo había hecho con el guiso de carnero aquel mediodía, tanta hambre tenía.

La religiosa la hizo entrar en un pequeño cuarto, al lado de la puerta. El único mobiliario era un banco en un rincón. Y sobre él, unas disciplinas, con el mismo amenazador aspecto que las que utilizaba su tía cuando le entraba el ansia por alcanzar el ascetismo cuanto antes. Nunca entendería el gozo que obtenían algunas mujeres por castigarse a sí mismas. Bastantes golpes había que soportar en la vida como para buscarlos por decisión propia.

—¿Dormís vos aquí? —preguntó Clara cuando vio que su acompañante se tumbaba en el suelo y compartía manta con ella.

—Alguien se tiene que quedar guardando la puerta.

«Y siempre os toca a vos.»

Clara se compadeció de la muchacha. A pesar de que todavía sentía dentro de ella el desgarro que le había causado Nicolás aquella mañana, no cambiaba los días vividos con él por la tranquilidad de aquel lugar. Con toda probabilidad, aquella chica se moriría allí dentro sin volver a ver una montaña, sin oír otros cánticos más que los suyos, sin escuchar frases de amor al oído, sin sentir otros labios sobre los suyos y sin fundirse en otros brazos, en otra piel, en otro cuerpo. Como ella había hecho.

Su mente regresó a Nicolás, regresó a su mirada, regresó a su desdén, a su rechazo y reconoció que siempre lo había sabido. Aunque se lo hubiera negado a Justa. Lo sabía. Que él lo cambiaría todo por su trabajo, por conseguir lo que quería; que apartaría de un empujón a aquel que interrumpiera su avance, sin pensárselo dos veces; que se desembarazaría de lo que fuera, de quien fuera. Que la echaría de su lado si fuera necesario.

Y aquel momento había llegado. Lo sabía, pero saberlo no lo hacía menos desolador.

—Me planté delante de la mesa y apoyé las manos a los lados de la partitura en la que Nicolás trabajaba. Le tapaba la luz que entraba por la ventana y no le quedó más remedio que atenderme. ¿Cómo has podido hacerlo?, le espeté.

—¿Y él qué hizo? —preguntó Justa mientras se metía junto Joos debajo de una de las escaleras del palacio, que comunicaba la cocina con el piso superior.

—Al principio se portó como un mezquino e hizo como que no sabía de qué hablaba. Después, intentó defenderse. Alegó que él no había hecho nada y se quedó mirándome como si esperase que le comprendiera.

—Un miserable es lo que es. Todavía lo estoy viendo esta mañana, observando a Clara como si fuera la primera vez que la veía.

—Le aseguré que aquello era lo peor que le había visto hacer nunca, que ver cómo arrojan a la calle a la mujer que se ama sin mover un solo dedo era de cobardes y de malnacidos.

—¿Cómo reaccionó?

—Se defendió diciendo que era una decisión en la que él no podía intervenir de ninguna de las maneras.

—¿Cómo? ¡Cuando él es el único culpable de todo esto! Sabía a ciencia cierta que verse con una de las criadas de la Casa de la Reina tendría esas consecuencias. —Justa dio un empujón a Joos—. ¡Y tú también! Y no me habías dicho nada.

—¿Crees que si Clara lo hubiera conocido se hubiera comportado de otro modo?

Justa recordó la respuesta de su amiga cuando le había advertido sobre Nicolás. No, probablemente no, Clara habría hecho oídos sordos a sus advertencias.

—Da igual. Eso no justifica que nos ocultarais los riesgos.

Pero Joos estaba demasiado cansado como para comenzar una disputa por causa de su amigo.

—¿Quieres que siga contando qué sucedió después? —Justa lo sopesó un instante y asintió. Él continuó—. Así que no me quedó más remedio que echarle en cara que no hablara con ella ni la aconsejara ni la ayudara con unas monedas ni le sugiriera algún sitio donde pasar la noche ni usara ninguna de sus influencias ni la abrazara ni la consolara ni...

Justa cortó el alegato de Joos. Cada día le sorprendía más su firmeza. Al principio, había pensado que no era más que el acólito del cantor. Pero hacía ya tiempo que había notado que el vínculo que los unía era mucho más sólido que las maromas que amarraban los barcos al puerto.

Y hacía ya mucho tiempo que ella había descubierto que aquel hombre la atraía sin medida. Y él estaba empezando a enterarse.

—Cualquier otro no osaría amonestar a Nicolás Probost en semejantes términos —comentó con voz amable mientras se apoyaba en su brazo.

Joos hizo un alto en la narración cuando sintió el peso de Justa. Después, con la naturalidad de quien sabe lo que quiere y toma lo que se le ofrece, la hizo volverse, la acomodó delante de él, la abrazó por detrás y apoyó la barbilla en su hombro. Esta prefirió no pensar en las veces que habría tenido el mismo comportamiento con otras mujeres y se amoldó a los músculos masculinos.

—Le conté que Clara había salido de palacio sin dinero. No lo sabía.

—¿Cómo iba a hacerlo? Si ni le dejó explicarse.

—Pareció abrumado. No me creyó, aseguraba que la marquesa de Fromista no es una mujer amable pero sí justa y que estaba convencido de que le había entregado el salario convenido, por poco que fuera.

—En eso tenía razón.

—Sí, pero yo le conté, con el detalle con el que me lo habías narrado tú, que Clara lo había rechazado, y en el bolsillo de quién había terminado la soldada.

—¿Y qué más le dijiste? —murmuró Justa cuando sintió que

Joos hacía a un lado su pelo y el calor de su respiración se colaba entre su trenza.

—¿Tenemos que seguir hablando de esto? —ronroneó Joos junto a su oído.

Justa lo pensó un instante. Lo cierto era que sí, pero la tentación era demasiado grande.

—No creas que te vas a librar de seguir tratando este asunto.

—Lo sé, lo sé —asintió, mientras la atraía hacia él.

«Menos mal que en casa de mi hermana le darán cobijo», se consoló Justa mientras se relajaba en sus brazos.

Y mientras el amigo de Nicolás y la amiga de Clara buscaban su propio disfrute, Nicolás seguía dando vueltas a aquello de lo que Joos le había acusado.

Habían sido las palabras más duras que le había dirigido nunca.

—Yo no lo quería reconocer, no quería pensar que aquel niño tímido, que, con apenas seis años, compartió conmigo viaje y temores, se ha convertido en esto. Durante todos estos años hemos crecido juntos, y siempre, siempre, te he apoyado en todo. A pesar de no estar de acuerdo en algunos de tus planteamientos. Sabes que nunca he comprendido ese afán de triunfo que te posee, esas ganas de renombre que te agarrotan las entrañas. A veces, he creído que yo era un fracasado por conformarme con ser lo que soy, por asumir que nunca seré el gran músico que soñaba sino un simple ministril que interpreta como buenamente sabe la grandeza que otros crean. Pero ahora me doy cuenta de que prefiero estar en paz con Dios que en guerra con el diablo, como tú —le había dicho.

Y él se había carcajeado a su costa.

—Creo que exageras, José —le había contestado y le había cogido el brazo con confianza.

El músico había dado un tirón y se había soltado, como si se hubiera quemado con su contacto.

—¡Mi nombre es Joos! ¡Lo sabes perfectamente! —le había gritado—. Si tú has decidido rechazar a la familia que dejaste en Flandes, abandonar a la mujer que amas y labrar tu propia infelicidad no soy yo quien te va a apoyar en esto.

Hacía tiempo que Joos había abandonado la sala y Nicolás todavía miraba hacia la puerta. No había escuchado las toses de fondo, las miradas guasonas, las risas divertidas y los comentarios jocosos del resto de los músicos.

«La mujer que amas», había dicho Joos. ¿Eso era Clara para él? ¿Su amada? Era cierto, sí, que le cautivaba; era cierto, sí, que le gustaba su arrojo, su osadía, su audacia, su decisión, su alegría, su entusiasmo, su dedicación, su vivacidad, su delicadeza, su risa, sus manos, su tez, sus ojos, su pelo, su nobleza, su franqueza, su cuerpo.

Nicolás se dejó caer sobre el asiento. Era cierto, sí, que la echaba de menos. Y también que la deseaba. Cada vez que pensaba en ella, igual o más que la noche en el pueblo de Las Rozas. ¿Qué le había hecho detenerse aquel día a pesar de su deseo por ella? Porque había sido él, el que la había contenido. Había sido él, el que la había rechazado. Podía haber tomado lo que Clara estaba dispuesta a ofrecerle, y nadie se hubiera enterado. Podía haber aprovechado la ocasión y no lo había hecho. ¿Por qué? Porque de repente había pensado que no estaba bien. Y porque le había dado miedo, miedo de sentir lo que sentía cada vez que la tocaba, cada vez que la miraba, cada vez que la veía. Joos le acusaba de quedarse paralizado por la mañana, cuando había llegado con los cantorcicos y se había encontrado con que ella se marchaba. ¿Y qué tenía que haber hecho? ¿Tirar toda su carrera profesional al vertedero ahora que estaba tan cerca de conseguir el triunfo? Llevaba casi veinte años soñando con aquello, respirando solo para conseguirlo, desviviéndose por que llegara el momento de verse encumbrado en lo más alto del pedestal. Cuando vio que la echaban de palacio y se había enterado de la causa, lo único que había notado era pánico por si aquello lo perjudicaba a él de algún modo. Y aquella sensación se había impuesto sobre sus sentimientos. Y no había reaccionado como debiera.

Tenía que haberse preocupado por ella, era cierto, y haberse asegurado de que había un lugar adonde ir, que podía seguir adelante. Pero no lo había hecho, y ahora el arrepentimiento le golpeaba en el centro del pecho.

Consuelo, que así se llamaba aquella monjita recién llegada de Ávila, se había portado con ella como si fuera su propia hermana y le había prometido hablar con la superiora. Seguro que esta conocía alguna casa en la que necesitaran sus servicios. Clara le había enseñado las labores que guardaba en la cesta y Consuelo se había quedado con ellas para apoyar sus palabras con más eficacia.

—Volved antes de que toquen a Nonas y tendréis la contestación. Estaré pendiente de vuestra llamada.

—¿Estáis segura de que no tendréis problemas cuando la superiora sepa que me habéis dado cobijo esta noche?

—No os preocupéis —sonrió la joven religiosa—. No creo que me echen de aquí. No a mucho que doña Leonor de Mascareñas, que está muy bien relacionada en el palacio real, ha fundado este convento y la madre superiora evita tomar decisiones que después tenga que explicarle.

Clara rio ante la picardía de la monjilla.

—Estaré a la puerta, esperando vuestras nuevas.

—Pediré al Señor durante todo el día para que ablande algunos corazones.

«Demasiado tarde para algunos», pensó Clara mientras se le agarrotaba el suyo.

El día se le hizo mucho más largo de lo que imaginaba cuando abandonó el convento. El sol aún no se veía por el hueco que los aleros de las casas dejaban libre y ya había contado ciento cincuenta y dos manzanas, había bebido agua en cuatro fuentes distintas, había visitado tres plazas con mercaderías, había olido varias cazuelas de *malcocinado*, había sorteado setenta y ocho inmundicias, se había topado con siete cojos, cuatro mancos y dos ciegos, y ni recordaba el número de pillastres que había visto. Las calles estaban llenas de desarrapados, mendigos y pobres que se abalanzaban hacia los personajes con la bolsa y espíritu mucho más elevado. Sus ropajes los delataban. La influencia que ejercía la corte en aquella ciudad se respiraba en cada uno de los tejidos de las vestimentas de algunos, no tanto, en la de otros, y nada, en la del resto.

Clara los evitó intencionadamente. A ellos y a las calles aledañas al alcázar. No era previsible que ninguna de aquellas personas con las que se cruzaba la hubiera visto en palacio, pero prefería no exponerse. Si había algo que realmente detestaría, sería que llegara a oídos de Nicolás que era una vagabunda.

Aunque las cosas a veces no están de la mano de nadie; el cielo la obligó a hacer lo que ella se había negado durante toda la mañana. Detenerse en un punto.

Serían más o menos las once cuando se cerraron las nubes y comenzó a llover. Al principio, fueron unas simples gotas que solo asustaron a las señoras y a sus dueñas, pero pronto el agua arreció.

Echó a correr hacia la rúa más ancha que encontró. Con un poco de suerte podría cobijarse debajo de alguno de los dinteles de las casas señoriales que había visto al pasar.

«A tiempo», se dijo cuando las nubes decidieron vaciarse por completo. Clara se arrimó a una puerta todo lo que pudo. Se sacudió el pelo y la ropa con la mano que le quedaba libre y esperó. Y esperó, esperó y esperó. Hasta que por fin, amainó.

—No tardarán en volver —le dijo un muchacho, que pasaba completamente empapado por delante del refugio de Clara.

—¿Quiénes?

—Los dueños. Acababan de marcharse a misa cuando llegaste. Por eso no había nadie ahí debajo. Te echarán en cuanto te vean, como a los otros.

—No estoy haciendo nada malo.

—Eso a ellos no les importa. Dicen que no les gustan los vagos. Te echarán —le advirtió de nuevo.

—Yo no soy una mendiga —y para confirmar su afirmación, sacó de la cesta el acerico con varias agujas clavadas—. ¿Lo ves? Tengo un trabajo. Me quedaré hasta que lleguen.

—Tú sabrás —dijo el chico encogiéndose de hombros y siguiendo su camino.

Aparecieron de improviso a pesar de estar avisada.

Clara estaba absorta en los arroyos de agua que corrían por las calles.

—¡Ramón, por Dios, haz que esta... lo que sea, salga de aquí! —gritó la mujer con la misma cara que si hubiera visto una rata.

El hombre dio dos pasos hacia ella. Su expresión lo decía todo. El chico tenía razón.

Clara se marchó de allí deseando que aquello no fuera la muestra de lo que le quedaba por padecer.

Al convento llegó y del convento marchó. Llegó sin casa y sin trabajo y marchó sin casa, sin trabajo y completamente desanimada. Consuelo tenía lágrimas en los ojos cuando le informaba de que la superiora había sido tajante; «bajo ningún concepto iba a recomendar a una desconocida para entrar al servicio de una familia de bien». La pobre monjita se había pasado el resto del día preguntando en el interior del convento si alguien conocía a una persona de confianza que arrendara una habitación. Había conseguido enterarse de que una viuda, que acudía a la celebración de la mañana y que vivía cerca de la Puerta Cerrada, lo hacía. Era una buena mujer, que, a veces, hasta consentía cobijar a las chicas enviadas por las religiosas, a cambio de la promesa de que saldarían la deuda con los primeros maravedíes que consiguieran. Se llamaba doña Francisca, aunque no había conseguido la dirección exacta. Tan angustiada estaba la monja que Clara se quedó para consolarla.

Se despidió de ella con un fraternal abrazo y la promesa de que antes de hacer «algo de lo que pudiera arrepentirse» acudiría de nuevo a ella. La monja no la dejó marcharse sin llevarse consigo la manta con la que se habían cubierto aquella noche.

Y un rato después, volvía a vagar por las calles de Madrid en busca de un lugar donde alojarse. En su deambular en busca de la casa que le había sugerido la franciscana, se encontró con algo que la hizo detenerse.

La puerta de Guadalajara estaba en una de las calles principales de la villa, separada de la armería real por apenas unos cientos de pasos. Y la armería estaba demasiado cerca del alcázar. Y en el alcázar estaba él. Por eso no había querido acercarse antes por allí, por el riesgo a encontrárselo por la calle mientras llevaba a los cantorcicos de vuelta a la casa del maestro.

Maldijo el momento en el que había permitido que la presencia de aquel hombre la acobardara. Se había ido de la casa de su tía, había abandonado su ciudad, había decidido «complicarse» la vida con un desconocido, no tenía un lugar donde dormir y todo su afán era no cruzárselo de nuevo. La furia por ser una cobarde pudo más que el miedo a toparse con él y decidió que haría lo que le viniera en gana. Y lo que quería era quedarse en aquel lugar. Porque allí era donde estaban los comercios de tejidos. Porque ella no tenía que esconderse.

Descubrió el Madrid de los mercaderes, el de los artesanos, el de los tejedores. Clara descubrió «su» Madrid. Entró y salió de las casas de los comerciantes, ni se molestó en fijarse en la cara de desconcierto de estos al ver a una mujer moverse por sus negocios como una igual. Encontró de todo: brocado de terciopelo para los vestidos más elegantes, delicadas batistas para las camisas, el satén más suave, hilos de oro y de plata, de lino y de seda. Miró, tocó, examinó y preguntó. Observó con detenimiento los refinados tejidos que ofrecían, acarició una y otra vez la suave textura de la seda, examinó con ojos expertos las distintas tramas de las telas, preguntó los precios, aparentó sobresaltarse y discutió una rebaja de forma acalorada. Se divirtió como pocas veces antes había hecho. Y se olvidó de todo.

Hasta que visitó la última de las tiendas y salió al exterior.

La puerta había perdido su utilidad inicial y ya no era más que un monumento más de la ciudad. En medio de una de las calles principales de la villa, se había quedado sin muralla que cerrar. A los lados, dos torres de pedernal enmarcaban tres vanos. Sobre el principal, una pequeña hornacina acogía la imagen de la Virgen con el niño en brazos. La noche se había echado, pero aún había bastantes personas que pasaban por debajo de los arcos.

Clara no lo hizo. Volvió la cabeza hacia donde sabía que se encontraba el alcázar de los reyes e inspiró profundamente. «La diversión se ha terminado.» Dio la espalda a todo lo que acababa de vivir, cruzó la calle y se metió por la primera costanilla que encontró.

Nada más abandonar la rúa principal notó que la parte más

ilustre de la ciudad había quedado atrás. Los talleres de artesanos aparecían salpicados por la calle; sastres, zapateros, sombrereros y plateros, rezaba en los carteles que colgaban encima del acceso a los negocios.

Pasaba delante de las tiendas y curioseaba sin acercarse demasiado. Los propietarios apuraban las últimas horas del día en dar los últimos toques a sus creaciones.

Pero... había perdido demasiado tiempo, lo primordial en ese momento era llegar a la Puerta Cerrada y localizar a la tal doña Francisca.

Se encaminó hacia donde Consuelo le había sugerido.

Al menos, esa era su intención. Hasta que los vio. En la esquina, en un recodo de la vía, en una pequeña plazuela que quedaba un par de pies por debajo del nivel de la calle y en la que alguien había plantado un par de árboles. Dentro de la plaza había dos comercios. SASTRERÍA, así, sin más, rezaba el cartel de uno de ellos; LÓPEZ JOYERO, decía el otro.

No era un gran cartel, de hecho ni siquiera era un cartel, no eran más que unas simples letras pintadas sobre la fachada. Eso sí, a la luz de los faroles que los propietarios habían colgado para atraer a los últimos clientes, se notaba que habían sido hechas con bastante esmero.

Un hombre se movía de un lado a otro en la sastrería, pero no era ese el sitio que le llamaba la atención. Era la otra casa, el otro taller, la joyería, la que la atraía como el frío al hielo. La puerta estaba entornada, sin duda el hombre aún tenía la esperanza de poder hacer la última venta del día. Dentro, una familia se preparaba para cenar. La mujer daba vueltas a un caldero colgado sobre el fuego del hogar, los hijos estaban ya sentados a la mesa. Eran jóvenes. Ninguno de los dos chicos alcanzaría los quince años. Reían. Uno de ellos había dicho algo y el resto se burlaba de él. Hasta el padre, un hombre moreno y con barba canosa, se carcajeaba a su costa. La madre dejó el oficio unos momentos y contestó algo con voz risueña. Las risas aumentaron y penetraron en la mente de Clara.

Dolía. La alegría de aquella familia se hundió en ella como el cuchillo del matarife en la garganta del cochino el día de la matanza. Clara se sentía como si se le escapara la sangre por cada uno de los poros de la piel, como si le hubieran metido dentro uno de aquellos fuegos de artificio que había visto en Segovia desde la torre del alcázar y lo hubieran prendido dentro de ella.

La realidad de que nunca había tenido una familia le cayó encima. A pesar de las apariencias, a pesar de que se enfrentaba a la vida con seguridad, la verdad era otra. Su padre, su madre, Nicolás. Todos a los que amaba la abandonaban. Estaba sola en el mundo.

Se quebró por dentro.

Estuvo inmóvil durante mucho tiempo, sin notar siquiera que la puerta que miraba se había cerrado. Permaneció con la vista pegada a los maderos hasta que la luz del candil se consumió. Entonces, solo entonces, bajó los escalones y se acercó al tosco banco que había entre los dos árboles. Se dejó caer en él. La cesta se le resbaló de entre los dedos y se golpeó contra el suelo haciendo el mismo ruido hueco que la colmena que ella había hecho caer de la rama de un viejo olmo un verano de hacía demasiados años. Solo que aquella vez no había río donde zambullirse. Solo que aquella vez tenía que sufrir la picadura de las avispas en su propia carne.

9

Nicolás esperaba fuera del oratorio. No hacía ni medio día que Molina le había anunciado que aquella tarde cantaría ante la reina y las infantas. De malos modos, le explicó que las damas de la corte habían suplicado a Su Majestad que les permitiera una distracción puesto que todavía quedaban muchos días antes de la llegada de las fiestas por la Natividad del Señor.

Así que Molina había pensado en él...

—Cantarás alguna de tus composiciones, esas de las que tanto alardeas —le había dicho.

Nicolás se había pasado el resto del día seleccionando la más adecuada. Descartó las canciones que tenía escritas para la misa. Eran demasiado solemnes, más teniendo en cuenta que algunas de las damas no eran más que unas niñas. El Kyrie, el Gloria y el Sanctus tendrían que esperar junto al Alleluia y al Offertorium a que llegara el momento apropiado.

Sacó del fondo del cajón de su alcoba, donde los guardaba bajo llave, ocho pliegos con el villancico que había escrito en Valsaín, más por complacerse a sí mismo —y para disfrute de Clara— que para deleite de otros. Necesitaba un arpista y un vihuelista que lo estudiaran en unas pocas horas y le hicieran el acompañamiento, pero aparte de eso, no tendría mayor dificultad.

Sin embargo, las cosas se torcieron desde el principio. Descubrió que el vihuelista no era la persona más diligente que Nicolás conocía. Llevaban ensayando más de tres horas cuando el hombre le dijo que le habían convocado a una reunión junto a los músicos de la Cámara Real justo a la hora en la que Nicolás tenía que presentarse ante la reina. Después, cuando ya había hecho los arreglos oportunos y había dejado a un lado la parte de la vihuela, el arpista se había cortado un dedo con una de las cuerdas. Y había tenido que volver a empezar con un arpista nuevo.

Pero al final todo se había solucionado, y él estaba allí, quieto y concentrado, a la espera de que se abrieran aquellas puertas.

Lo hicieron al acorde de su último pensamiento. Respiró profundamente. Molina salió a su encuentro y le hizo un gesto para que pasara.

La reina resplandecía, estaba aún más rubia y más blanca que a su llegada a Segovia. Sentada en un amplio sillón, con las manos apoyadas en los reposabrazos, vestía un traje claro cuajado de rayas naranjas. A su lado, y siempre por debajo de ella, las damas se sentaban por orden de preferencia; más cerca cuanto más importantes. Las hijas del rey estaban también rodeadas por toda una cohorte de damas, acompañantes, camareras y criadas.

Se acercó a la reina y se inclinó ante ella. Esta le agradeció el gesto con un brevísimo movimiento de cabeza y él se situó al lado del ministril.

Molina lo siguió y se colocó ante ellos. El maestro levantó una mano para darle la entrada. ¿Qué estaba haciendo aquel botarate? ¡Pretendía dirigirle! ¡A él, a su propio trabajo!

Nicolás lo miró enfurecido, Molina ni se inmutó. El movimiento del bastón fue suficiente y el arpa comenzó a sonar. Nicolás no tuvo más remedio que empezar. Por nada del mundo haría el ridículo delante de la regente.

Comenzó desacompasado. Las notas del arpa resonaban en la habitación adelantadas a su voz. Ninguno de los presentes se daba cuenta, pero él lo sabía y le incomodaba.

Poco a poco, reguló el ritmo hasta casar perfectamente el sonido que emanaba de él con las livianas notas que salían del arpa. La cadencia era perfecta y su voz alta y clara.

Llenaba el espacio y llenaba las almas. Y era consciente de

ello. Sonrió sin darse cuenta y se produjo un leve descenso del timbre que se apresuró a corregir.

Las mujeres tenían toda la atención puesta en él. Contuvo otra sonrisa. Ya no tenía ninguna duda. Aquel era el día de su estreno. Cerró los ojos y se dispuso a disfrutar de sí mismo.

Lo hizo. Con todas sus fuerzas. El silencio que se elevó en la sala cuando pronunció los últimos acordes fue la recompensa. Los mesurados aplausos no le confundieron. Las damas nunca podían mostrarse demasiado efusivas en sus aprecios. Lo entendía y lo aceptaba.

Nicolás sabía que aquella tarde, en aquella sala, había triunfado. Y aquello no había hecho más que empezar. No había más que ver los rostros de las féminas. La mitad de la corte se había encandilado con él y pronto haría lo mismo la otra mitad. La misa que estaba preparando avanzaba a buen ritmo. Molina iba a delirar cuando le entregara los pliegos de papel llenos de notas y pidiera, además de los músicos, tres coros de tres personas cada uno. Tendría que hacer uso de los dos órganos de la capilla de palacio y necesitaría un arpa, dos oboes, dos violines, dos clarines y un violón. Y aún había descartado meter un cuarto coro de voces.

La reina levantó un par de dedos y Molina se acercó hasta ella.

—Muchas gracias, Su Majestad —le oyó decir Nicolás—. Vuestros halagos son de gran beneficio. Esto que habéis escuchado no es más que una muestra de lo que Sus Reales Majestades tendrán ocasión de disfrutar dentro de poco tiempo.

Nicolás no se enteró del comentario de la reina así como tampoco de la respuesta del hombre. Cuando la conversación finalizó, el maestro lo miró y, con un gesto, le indicó que saliera.

Cruzaron las puertas, pero ni lo esperó ni se detuvo a darle ninguna explicación, así que el cantor tuvo que acelerar el paso detrás de él. Cuando lo alcanzó, lo agarró por el brazo y le obligó a darse la vuelta.

—¿Lo habéis hecho?

—¿Hecho el qué?

—¿Habéis informado a Su Majestad de que yo soy el autor de la música? —le espetó airado, sin molestarse en disimular su enojo delante de la criada que pasaba por el pasillo a su lado en ese momento.

Observó cómo la chica los miraba asustada, aunque en seguida bajó la cabeza y siguió adelante sin detenerse. El oratorio se abrió y les llegó la dulce armonía del arpa que continuaba sonando dentro.

Molina lo condujo hasta una esquina, moderó el temple, relajó el rostro y ajustó el tono de voz. Dio un leve toque paternal sobre la manga del cantor antes de hablar.

—Te aseguro que no tengo ninguna intención de apoderarme de tu esfuerzo.

Y así, sin añadir más, se separó de él y se alejó renqueando. Otra figura apareció por la esquina del corredor. Era Tomás Sánchez «sin sus inseparables amigos». Ambos hombres conversaron un momento. Nicolás aguardó, con la esperanza de que se alejaran juntos. Al fin se movieron. El hombre mayor se fue, el otro, no. Por el contrario, avanzaba hacia él. Nicolás echó a andar. Mejor cruzárselo durante un segundo que encontrárselo con más tiempo. Un gesto de reconocimiento serviría para saludarlo.

No hubo suerte. Tomás Sánchez se paró justo delante de él.

—¿Solazándote de tu éxito con las damas? —Nicolás apretó los dientes—. La reina es a veces una mujer demasiado bondadosa. Aunque, podría asegurar que no es precisamente una experta en algunas de las artes y se deja influir por un rostro bonito más que por la propia valía.

Aquello era demasiado y no se pudo contener.

—¡No eres más que...! —soltó, pero no tuvo más que ver la cara de falsa inocencia de aquel indeseable para saber que sus imprecaciones no le afectarían.

El otro ni se inmutó y continuó sonriendo con gesto burlón.

—El mejor músico —terminó por él.

—No me cabe la menor duda de que si comparas el villancico que acabo de interpretar con cualquiera de lo que tú escribes, tus páginas no servirían más que para que el aprendiz del copista aprendiera a rasparlas y a reutilizarlas —siseó Nicolás con furia contenida.

—Me gustaría verte intentando contentar a públicos más exigentes.

—¿De qué públicos hablas? ¿De ti mismo, del rey?

—¿Es que no sabes que ahí fuera hay miles de botarates dispuestos a ensalzar o vilipendiar lo que escribimos? Dicen que estrenar una tonada en un teatro es la mejor forma de probar el valor de una composición. Si la música no gusta, la obra no llega al siguiente fin de semana —informó—. ¿Pones mala cara? ¿Es que piensas que tus notas son mejores que las de otros o es que eres un cobarde que no se atreve a probarla fuera de los feudos en los que te sientes seguro? —Nicolás decidió ignorarlo y avanzó sin poder evitar una mueca de desprecio. Sintió una fuerte palmada en la espalda—. Y estoy seguro de que la tuya no llegaría ni al día siguiente.

El cantor se dio la vuelta, furioso y dispuesto a aceptar el desafío de aquel canalla. Pero Tomás Sánchez ni siquiera le dejó esa satisfacción. El músico había desaparecido dentro del oratorio de la reina, sin embargo, su risa maliciosa le acompañó durante muchas horas después.

Al final de la tarde había tomado una decisión; Nicolás Probost no era el cobarde que aquel miserable pensaba. Le haría tragar sus palabras una a una. Ya lo vería.

Cuando Clara despertó, la noche había pasado y los habitantes de la plaza habían vuelto a la vida.

La mujer del joyero abrió la puerta y la vio tumbada sobre el banco. Nada dijo, simplemente se acercó a uno de los árboles de la placita y lo regó con las aguas de la familia recogidas durante la noche.

Clara se irguió con rapidez, avergonzada de que la hubiera encontrado como a una vagabunda cualquiera. Le dolía todo el cuerpo. Y estaba congelada. Le parecía imposible haber conseguido cerrar los ojos y quedarse dormida en medio de la calle. Se envolvió en la frazada que la hermana Consuelo le había entregado en el último momento. La monjita había tenido más intuición que ella misma.

Tenía que haberse ido, pero no lo hizo. ¿Qué era lo que la obligaba a quedarse allí, espiando los quehaceres diarios de aquella gente? No tardarían en echarla. En breve, alguien saldría con intención de despejar de mendigos la entrada de los negocios y tendría que irse.

En efecto. No había hecho más que pensar en ello cuando la puerta volvió a abrirse. Hora de marcharse. Clara se puso en pie. Dobló la manta y la metió en la cesta.

—Madre dice que será mejor que metáis algo en el cuerpo antes de que os desmayéis —dijo el chico y le tendió un tazón de barro y un pedazo de pan negro.

¿Desde cuándo hacía que no comía? Clara no se lo pensó dos veces y cogió los manjares que le ofrecía el hijo del joyero. Se volvió a sentar. El muchacho desapareció en el interior del taller. Un hombre bajó las escaleras mientras ella daba cuenta del desayuno. La miró con aversión, pero tan pronto como el sastre se asomó a su puerta, el recién llegado dejó de interesarse por ella.

—¡Señor Ventilla! No os esperaba tan pronto —oyó exclamar al dueño de la sastrería.

—Hoy es día veintinueve de noviembre, miércoles. Espero que lo tengáis terminado, tal y como prometisteis —gruñó el recién llegado.

—Pasad y os lo enseñaré —añadió el sastre con poca convicción.

Parecía alarmado.

Antes de cerrar la puerta, el comerciante volvió la mirada hacia Clara. Su semblante no ocultaba la preocupación. Fuera lo que fuese lo que venía a buscar el cliente, no saldría de la tienda de mejor humor del que entraba.

Clara alargó las viandas todo lo que pudo. Volver a vagar por las calles de la ciudad, por muy capital del imperio español que fuese, no era algo que quería hacer. Pero cuando ya no le quedó ni una gota de leche que beber ni una miga de pan que comer tuvo que rendirse a la evidencia. No podía quedarse allí toda la vida. Con poca gana, cogió la cesta, se levantó y dejó el tazón en el asiento sobre el que había pasado la noche. Pero lo volvió a coger de inmediato. Toda la vida había escuchado que era de buen cristiano agradecer la magnanimidad del prójimo para con uno. Aquella era una de las pocas enseñanzas en las que Clara estaba de acuerdo con su tía. Así que se dirigió a la joyería y llamó a la puerta.

—Muchas gracias por vuestra generosidad —le dijo a la mujer cuando apareció ante ella.

La mujer le echó una sonrisa sincera. Clara pudo ver los huecos que la edad le había causado en la dentadura. Con la cabeza cubierta con un pañuelo y aquel triste vestido parecía mayor de lo que era en realidad. Su piel, sin embargo, aún mantenía la lozanía de una persona joven.

—No ha sido nada, señorita. La madrugada ha sido fría —insinuó, dándole a entender que sabía cómo había pasado la noche.

Clara no pudo reafirmar el agradecimiento por su amabilidad porque unos gritos se lo impidieron.

—¡Un estafador, eso es lo único que sois! —chillaba el cliente al sastre.

—Ya os he comentado que el chico...

—Prometisteis tener las prendas hoy sin falta y ahora, ¡cuando ya no tengo tiempo de encargárselo a otro!, descubro que os falta nada menos que la cuera.

La mujer miró a Clara incómoda ante la reprimenda que estaba recibiendo el vecino.

—Parece que el señor Luis no ha empezado el día con buen pie. Ya se temía ayer que le pudiera pasar algo así. El ventero no es conocido por su amable condición, sino más bien por lo contrario.

El cliente salió de la tienda a grandes zancadas seguido del sastre. La prenda objeto de la discusión colgaba de su mano.

—Comprended que no he podido hacer otra cosa —se disculpaba el sastre detrás del comprador, que no aflojaba el paso—. Ayer la madre del aprendiz me mandó recado de que el muchacho estaba en cama. He trabajado toda la noche para poder tenérselo hoy sin falta. Si esperáis al final del día, yo podría...

Aquellas fueron las últimas palabras que se escucharon; los hombres se alejaron calle abajo. La mujer y Clara aún tardaron unos segundos en apartar la vista de la rúa y regresar a su conversación.

—Gracias por la leche —repitió esta al tiempo que le tendía la taza.

—No hay de qué. Mirad —susurró la mujer después de cogerla—. Mirad. El señor Luis regresa y, por el semblante que trae, barrunto que ha logrado convencer al tabernero. ¿Qué, ha habido suerte?

Clara no estaba tan segura. Lo observó con más detenimiento que antes. El hombre, que tenía la barba rala, nariz corta y ojos oscuros, bajaba los escalones con notable desgana.

—Hasta el atardecer tengo de plazo —informó.

—Así tendréis ocasión de acabarlo —dijo la mujer con la mirada puesta en la prenda que el sastre llevaba en la mano.

—Esto sí —añadió él—, pero no la capa. Solo que él no lo sabe. Ni tiempo me ha dado a decírselo. Ya lo habéis visto, se ha puesto peor que el hijo de la señora Juana cuando cae al suelo poseído por el demonio.

—No miente a ese muchacho —musitó la mujer, persignándose a toda velocidad—. No os preocupéis antes de tiempo, quizás el aprendiz mejore y aparezca esta tarde.

—Dios os oiga —contestó el hombre, apesadumbrado, que ya dirigía sus pasos al taller—. Siento dejaros, señora Engracia, pero tengo mucho trabajo.

Clara ya se había despedido de la mujer, así que se dio la vuelta.

—Perdonad, señorita.

Se volvió.

—¿Acaso es usted...? —comentó al tiempo que señalaba la cesta de la que sobresalía un retal de tela. A Clara se le despejó la cabeza. ¿Dónde la había tenido para no darse cuenta?

Agitó la cabeza afirmativamente con frenesí.

—¡Señor Luis! ¡Señor Luis! —gritó mientras corría detrás del sastre.

La ley prohibía que las mujeres fueran sastres, prohibía que fueran juboneros, zapateros, pellejeros, curtidores, pasamaneros, sederos, tintoreros... En definitiva, prohibía que cosieran ropa para los hombres. Aquella joven se había vuelto completamente loca. Eso era lo que pensaba el sastre cuando Clara irrumpió en el taller.

—Pensároslo bien —insistía ella—. Será vuestra solución hasta que el muchacho mejore.

—No sé si...

—¿No acabáis de contar que necesitáis el vestuario del ventero finalizado esta misma tarde? Ella sabe coser, ¿no es verdad? —le ayudó la vecina.

Clara afirmó con vehemencia.

—Puede ser arriesgado, mirad que a veces los alguaciles pueden ser muy quisquillosos.

—La joyería es el mejor sitio para enterarse de lo que sucede en el barrio. Tiene una visión inmejorable de la calle. Avisaré a los muchachos para que estén atentos. Nadie os descubrirá. Igual hasta puede quedarse hasta que el chico se reponga.

El sastre volvió a dudar. Clara volvió a afirmar con la cabeza.

—No solo tendrá que coser.

—¿Qué pretendéis que haga? —se adelantó.

—Muchacha, ¿es que no lo imagináis? Tendréis que limpiar la casa, apañar la comida y ayudar al maestro con la costura —se adelantó la señora Engracia.

—Solo por unos días —se apresuró a aclarar el sastre—. Hasta que el chico se haya repuesto y vuelva a su trabajo. Os pagaré un jornal; veinte maravedíes y la comida.

—Acepto si además puedo descansar en el taller.

Los vecinos se miraron fijamente. Era normal que muchos mozos, ayudantes y criados durmieran en el suelo de los talleres o a los pies del hogar, pero de ahí a que una mujer pasara la noche en la casa de un hombre solo...

—Por cinco maravedíes, os doy cobijo en mi casa —se apresuró a decir la señora Engracia.

El alivio apareció en la cara del cortador de trajes. Y en la de Clara; había encontrado trabajo y cama. Aunque fuera por unos pocos días.

—Perfecto —añadió la mujer, animada—. Os dejo entonces para que comencéis con el trabajo.

Pero no había llegado a la puerta, y se dio la vuelta.

—En cualquier caso, tendréis que andar con cuidado para que no la descubra algún cliente.

—Me aseguraré de que nadie la vea con una aguja cerca de la tela.

—Eso será suficiente. No os preocupéis por el resto. No a mucho tardar la calle sabrá que vuestra sobrina, recién llegada de... Guadalajara, está viviendo conmigo —y desapareció más alegre que cuando había llegado.

—La señora Engracia puede ser muy convincente cuando quiere —aclaró el sastre.

—Ya lo he notado —contestó Clara con sinceridad.

—Podéis dejar vuestras cosas ahí encima —sugirió el hombre y señaló a un tablero sostenido sobre cuatro gruesos troncos que ocupaba un lado de la estancia.

Sobre él se acumulaban multitud de hebras de hilos y numerosos retales del mismo color que la prenda que el sastre sostenía. Colocó la cesta en la esquina más libre.

—Ahí está la cocina —le indicó en dirección a un hueco que se abría a la izquierda.

Parecía que aquella sería la única explicación que estaba dispuesto a darle, así que Clara forzó la situación.

—¿Y esa otra puerta? —preguntó, señalando a otro hueco a la derecha del taller.

—¿Eso? Es la alcoba donde guardo los enseres del negocio.

¿Aquello era todo? No se veía ninguna habitación más y la casa no parecía tener otra planta. Desde la calle, el edificio no aparentaba tener más altura que aquellos metros en los que se encontraban.

—¿Vos dormís en ella?

Clara se sintió ridícula. La pregunta era obvia. Tendría que ser así, a menos que el hombre prefiriera dormir en el duro suelo de la cocina.

—Las escaleras para subir están dentro de esa alcoba. Detrás de una puerta —le costó decirlo.

Así que había un piso más. «¡Pues está bien escondido!» Que el acceso al resto de la casa estuviera oculto, era, cuando menos, curioso. Se calló la boca antes de hacer algún comentario poco afortunado. Sería más seguro regresar a lo único que era de su incumbencia.

En el suelo, las muestras de que aquella era la zona de trabajo eran patentes. Y de que nadie había pasado una escoba desde hacía tiempo, también. Miró a su alrededor hasta localizar lo que buscaba en una esquina. El manojo de ramas de tamujo estaba fuertemente unido al palo. Comenzó a barrer.

El hombre la observó durante un rato, pensativo. Tanto que Clara se preguntó si no se estaría arrepintiendo de la decisión y la echaría de nuevo a la calle. Pero después de un rato, sacó una pequeña silla de detrás de la mesa, que Clara no había visto hasta entonces, y la llevó a la zona recién barrida. Luego, se hizo con una almohadilla, en la que alguien había clavado alfileres y agujas en tal número que ella pensó que se podría sostener el vestido de boda de la reina Ana sin dar una sola puntada, y se sentó a trabajar.

Cuando Clara terminó allí, pasó a la cocina y, media hora más tarde, estaba dispuesta para ocuparse de su tarea.

—Si me decís con qué tengo que ponerme...

El hombre se levantó con tanta prisa que tiró el asiento en el que se sentaba. Abrió la tapa de un arca que descansaba debajo de un ventanuco.

—Anoche me dio tiempo a cortarlas, pero me fue imposible unirlas.

Colocó el tejido sobre el tablero y esperó a que ella se aproximara. Extendió tres piezas y comenzó a marcar unas finas líneas con un trozo de jabón, con el extremo bien afilado.

—Si os acercáis os muestro las líneas por las que debéis unirlas.

El pulso del hombre era extraordinariamente firme y realizó los trazos con seguridad. No había duda de que había hecho aquella labor innumerables veces.

Los fragmentos de la capa pasaron a manos de Clara. La tela era de suave paño, realizado con lana de la más fina factura. No se resistió y se la pasó por la mejilla.

—Es deliciosa —murmuró.

—El ventero no es un hombre modesto —le indicó él—. Las

cosas le han ido bien en los últimos tiempos y está decidido a que todo el mundo lo sepa. ¿Os habéis fijado en la largura?

—No.

Clara no había caído en ello. Por indicación del sastre, sujetó una de las piezas por el extremo superior, la puso a la altura de sus hombros y la dejó colgar. La tela no le cubría ni la mitad de las piernas. Estaba claro que el que había encargado aquella prenda estaba convencido de ser un gentilhombre. Solo los hombres de más categoría se atrevían a llevar las vestiduras por encima de las rodillas.

—En breve abandonará su casa y se hará con otra mucho más elegante, construida más arriba del monasterio de Santo Domingo el Real. Y si no, al tiempo.

Clara decidió que ya era el momento de comenzar a ganarse el jornal. Ya habría tiempo de enterarse de las habladurías de la villa.

—Para la caída del sol lo necesita, ¿no? —cortó la conversación.

El sastre se quedó un poco desconcertado por la respuesta. La chica no quería conversación, pero él no se iba a quedar sin conocer a la persona que metía en su casa y en su negocio.

Le tendió la mano.

—Bienvenida, señorita...

—Clara, Clara Ro... Griñán —mintió al recordar de repente a su amiga Justa.

Prefería mantener su apellido en secreto. Al fin y al cabo, estaba prohibido que las mujeres cosieran las vestiduras de un hombre y el sastre no era el único que tenía algo que perder.

—¿Y en realidad procedéis de...?

Clara dudó.

—De una ciudad cercana —decidió al fin.

—Confío en que no estéis huyendo de alguien o de algo. Los problemas no son bien recibidos en un negocio como este. Los clientes huyen en cuanto los conocen.

—Os lo aseguro. Nada malo he hecho y nadie me busca. —Su tía no desde luego, no tenía duda de ello.

—¿Y vuestra familia?

A punto estuvo de no contestar. Pero ¿qué ganaba con portarse de manera poco amable?

—Nadie queda —respondió escueta. Desde luego que no le daría explicaciones de la existencia de la única pariente que tenía.

—¿Nadie?

—Mi madre murió hace años y no tengo hermanos.

—¿Y vuestro padre?

España estaba llena de huérfanos y de viudas, bien reales —el imperio español era muy grande, los conflictos continuos y los ejércitos se nutrían de miles de almas que partían a luchar y que no regresaban—, o bien ficticias —él lo sabía mejor que nadie—. El sastre no supo por qué había preguntado aquello. Sin embargo, necesitaba saberlo.

—Nunca le conocí.

—¿Murió? —insistió él.

Ella tardó en responder.

—No. Se marchó.

Una punzada de dolor se instaló en el estómago del sastre y una oleada de ternura le subió hasta la garganta.

Y de repente le dio miedo continuar averiguando de dónde procedía aquella joven y quién era en realidad.

Clara notó su titubeo y se apresuró a finalizar la conversación.

El hombre aún estuvo durante un rato observándola mientras ella examinaba los tejidos que iba a coser. Algo le decía que había hecho bien quedándose con la chica.

A pesar de la temprana hora, ya había una multitud de gente en la entrada a palacio.

Nicolás esperó a que los ocho niños que conducía se agruparan y comenzó a hacerse paso entre el gentío. La decisión y la seguridad con la que se movía le facilitaron el trabajo y, en breve, estaba en el corredor que separaba la parte pública de la corte de la privada.

—No os entretengáis —les advirtió cuando miró hacia atrás y vio que el grupo se había convertido en una fila.

—Del entretenimiento de la reina a niñera de mocosos. En verdad te buscas los oficios más sencillos.

—Y el tuyo se limita a perseguir a los que ejercen su trabajo. El tuyo y el de tu comitiva —ratificó con gesto de desprecio al ver aparecer a los acólitos de Tomás Sánchez por detrás de él—. Apenas doy dos pasos y me encuentro contigo. ¿Acaso estás espiándome?

Tomás Sánchez levantó una mano y, como siempre sucedía, una carcajada común se elevó en el aire. El músico dio un paso hacia delante y se pegó a Nicolás.

—Te piensas que posees un valor que no tienes —farfulló el líder del grupo de ministriles—. Te escondes entre esas notas que escribes y no eres capaz de salir de la música sacra y enfrentarte a la realidad de ahí fuera. No eres más que un cobarde. Si te hubiera golpeado con un guante, lo habrías dejado caer al suelo y no lo habrías recogido.

Nicolás salvó la escasa distancia que los separaba y empujó a su contrincante. Mantenía la mandíbula apretada, casi en contra de su propia convicción. Le gustaría darle una buena tunda, pero ya tendría tiempo de medir cuentas con él. Aquel no era ni el momento ni el lugar para hacer notar su particular disputa, con todos aquellos testigos a su alrededor.

Aun así no se contuvo.

—Vas a tener que tragarte tus palabras. Una por una. Vas a enterarte de a qué se llama entretener al vulgo —masculló a menos de un palmo de la cara del gañán de Tomás Sánchez.

Y unas horas después era allí adonde se dirigía. A ver a Cristóbal de la Puente, el empresario teatral más influyente de Madrid.

Le hubiera gustado comentar con Joos su decisión. No es que necesitara la aprobación de su amigo, pero nunca venían mal unas palabras de apoyo.

Atravesó la plaza exterior del alcázar sin pararse a mirar al grupo de saltimbanquis que ensayaba sobre una cuerda a varios metros sobre el suelo. La celebración de la Natividad del Señor ya estaba cerca y, en aquel tiempo, el personal de palacio aumentaba notablemente. El marqués de Liche y del Carpio era el encargado de proveer a la corte y a la villa de todo el entretenimiento posible. Y para las fiestas navideñas y para el Auto Sacramental del Corpus Christi, celebrado en el mes de junio, se esmeraba para localizar las mejores compañías. En esas fechas, no solo eran artistas, como los que dejaba atrás, los que tomaban parte en los festejos, sino que las compañías de teatro se vaciaban de actores y de músicos para atender únicamente a aquellas celebraciones.

—Sois un tipo con suerte —explicó a Nicolás el hombre que tenía delante—. Si hubierais llamado a la puerta del teatro hace una semana, os habríais vuelto por el mismo sitio por el que habéis venido, pero la solicitud de la Casa Real ha llegado esta misma mañana y no he podido renunciar. El músico principal de la compañía va a encargarse de componer todas las piezas breves para los actos de entretenimiento del Corpus y no va a poder atender a la representación que estamos preparando.

—Entonces ha debido de ser el designio real el que me ha hecho acercarme hoy hasta aquí.

—¿Por qué no nos sentamos?

El empresario era un hombre bastante orondo y, a pesar de que el día había amanecido helado, bajo la camisa, lucía su barriga en todo su esplendor. No hacía ni dos minutos que se había deshecho del jubón y lo había arrojado sobre uno de los bancos que se alzaban sobre el tabladillo, que recorría las paredes del corral del teatro.

Se acomodaron en la parte más cercana al escenario.

—Si me permitís mostraros... —comenzó Nicolás.

—No. Me vais a permitir vos a mí. Antes de nada, quiero que me expliquéis cuál es la razón por la que tengo que contrataros a vos y no a cualquier otro músico de los que zumban a mi alrededor.

—Si me permitís... —repitió Nicolás al tiempo que metía una mano dentro del manto—, con esto creo que sobran las explicaciones.

Le tendió un papel en forma de tubo. El hombre le sostuvo la mirada mientras desenrollaba la partitura. Todo Madrid sabía que Cristóbal de la Puente era uno de los empresarios teatrales más importantes del momento, pero muchos ignoraban que hacía años había abandonado su vocación por un trabajo más lucrativo. Nicolás no era uno de ellos. El nombre de Cristóbal de la Puente resonaba a veces por los pasillos de palacio, cuando las conversaciones abandonaban la música religiosa y derivaban hacia composiciones más ligeras. Lo conocía y sabía que era el mejor de su profesión. Por eso su nombre había sido el primero en aparecer en su mente.

—¿Y bien? —preguntó impaciente.

—Dos días tenéis para confirmar que esto que me presentáis no es fruto del azar ni del esfuerzo de años. Si lo que me entreguéis tiene la misma calidad, seréis el músico principal de la compañía.

Nicolás recogió su trabajo, con cuidado para no dañar las hojas.

—Os aseguro que no os arrepentiréis.

El empresario lo miró con firmeza.

—Vos traed el jueves lo que me habéis prometido. Si es tan bueno como decís, el trabajo será vuestro.

—El jueves escucharéis la mejor entrada que hayáis oído nunca en un primer acto.

—En cualquier caso, recordad que ser el músico principal de una compañía de teatro no se limita solo a componer.

—Lo habéis dejado claro hace un rato.

—Tendréis que enseñar al resto de los músicos y estar presente en todas las representaciones para dar los tonos.

—Lo he entendido.

—¿Estáis seguro de que os dará tiempo a escribir todas las partes de la obra? Mirad que si no es así...

—Tendré tiempo de sobra. ¿No habéis dicho vos mismo que no se estrenará antes de seis meses? Trabajaré día y noche para vos. Quince días pasadas las celebraciones de la Natividad os traeré la primera de las composiciones —prometió.

Aún no sabía cómo, pero lo haría. Terminaría la misa en un par de meses. Durante ese tiempo, presentaría en el teatro una docena de canciones, las más ligeras. Y, a partir de entonces, se dedicaría en cuerpo y alma a aquel proyecto. Ya se encargaría de poder compatibilizar ambos trabajos. Aunque tuviera que pedir ayuda a Joos.

—¿Qué es lo que habéis pensado?

—Cuando pueda ver el texto completo de la obra, os lo confirmaré. Pero creo que me decantaré por que, al menos, la mitad del repertorio se base en canciones tradicionales. El éxito de muchas tonadas es que la gente pueda corearlas con solo escucharlas un par de veces. Eso sí, tendrán los cambios suficientes para que, aun manteniendo el perfil melódico original, sean una versión completamente nueva.

El empresario comenzó a animarse.

—Enlazar varios estribillos siempre da buen resultado.

—No os preocupéis, comerán de mi mano antes de que se den cuenta.

Pero el comentario, en vez de tranquilizarlo, puso nervioso al dueño del teatro.

—No penséis que el público al que os enfrentaréis es menos exigente que al que lo hacéis en la actualidad —insinuó.

La frase sembró la duda en Nicolás. Él no había mencionado que trabajaba en la corte, pero la mirada perspicaz de aquel hombre le indicó que lo sabía.

—No creo que el público que acude a estas representaciones sea muy entendido.

La boca del empresario se torció en un rictus amargo.

—Que no os engañen sus ropas desgastadas y su rudo aspecto. No tienen más que patear el suelo que ahora pisáis para que vuestra dignidad quede en entredicho en toda la villa en apenas unas horas.

—No creo que la música, por mala que sea, provoque los efectos que teméis.

El empresario se puso rígido.

—¿Pretendéis decirme con eso que no os esmeraréis con la partitura que acabáis de prometerme?

Nicolás se apresuró a corregir el error que había cometido.

—Nada más lejos de mi intención —le aseguró—. Esperaos unas horas y yo mismo os traeré la respuesta a esa pregunta.

Estaba dispuesto a hacer el camino desde el palacio al corral de comedias las veces necesarias. Aquel hombre tendría su trabajo en el plazo acordado. Y si tenía suerte, y la fortuna le sonreía, hasta encontraba a Clara por el camino.

El hombre lo miró con firmeza, después se levantó con el entusiasmo de haber tomado la decisión definitiva y le tendió una mano. Nicolás la estrechó con fuerza.

—Que nuestra asociación sea bendecida —dijo su nuevo mecenas.

Nicolás también lo esperaba; por su bien. El pago dependía del triunfo obtenido en el estreno y no recibiría ni un solo maravedí hasta entonces.

10

Clara tuvo suerte. Cuando la puerta se abrió de un empujón y se estrelló contra la pared, acababa de soltar la camisa en la que llevaba trabajando toda la mañana.

Un muchacho, de no más de doce o trece años, la observaba con cara de odio.

—¡Así que es cierto que el maestro me ha sustituido por una mujer!

Supo entonces que aquel sería su último día. Cinco días le había durado el cobijo y el trabajo.

—Soy la sobrina de don Luis. He llegado de Guadalajara hace unos días —repitió la mentira que la señora Engracia había urdido el primer día y que había extendido por toda la vecindad.

Al chico no le pasó inadvertida la ropa que Clara había dejado sobre la mesa.

—¿Y eso? —preguntó más calmado.

El sastre apareció en el momento apropiado.

—¡Miguel! No te esperaba hasta mañana. Tu madre me dijo que aún estabas débil.

—Este es el lugar donde tengo que estar —exclamó mientras echaba una mirada de reojo a Clara.

—Es mi sobrina —se apresuró a explicar el hombre.

El chico mostró el resquemor que traía contra el maestro.

—No me lo habíais dicho.

—Él no lo sabía —apuntilló Clara—. Aparecí de repente y a mi tío no le quedó más remedio que acogerme.

—La señora Engracia ha tenido la amabilidad de alojarla. Pero no te quedes ahí, pasa y ocupa tu lugar —le sugirió el señor Luis mientras le acercaba su propio asiento y le ponía en las manos la camisa que Clara había soltado—. Tendrás que ponerte con el cuello. No ha quedado bien y hay que rehacerlo. Estaba esperando a que volvieras para finalizarlo. No hay nadie que dé las puntadas tan pequeñas como tú.

El halago relajó el adusto gesto del mozalbete y suavizó su mirada. Un dedal en su mano izquierda y una aguja enhebrada en la derecha hizo el resto.

El sastre le apretó el hombro con firmeza. Se había ganado de nuevo la confianza del chico. Clara lanzó un suspiro y dejó caer los brazos a lo largo del cuerpo. Después, cuando decidió que aquel pequeño y delgado zagal le había ganado la batalla, cogió su cesta y se encaminó al exterior.

De nuevo en la calle, de nuevo sola.

—¡Sobrina! Decidle a la señora Engracia que, en cuanto acabéis con el encargo que ella os ha dado, os mande de vuelta. Os necesito en el taller.

Nunca antes un mandado le había sonado a Clara tan alegre. Giró la cabeza y clavó su mirada en el hombre que salía del taller y que le ofrecía su amparo por segunda vez en pocos días.

—¿Estáis seguro? —preguntó Clara.

—Sí, si os conformáis con el alimento, el lecho y la mitad de las monedas que os prometí cuando llegasteis.

Y ella supo que, por primera vez en su vida, había encontrado un hogar. Igual no para siempre, igual no era perfecto, pero las cuatro paredes y la calidez de aquel rostro que la observaba desde el otro lado de la puerta eran suficientes para ella.

Clara conoció a la viuda de Brañas la tarde siguiente.

La mujer empujó la puerta de la sastrería y entró sin decir palabra. La cara de disgusto que traía aumentó cuando su mirada se tropezó con la de Clara. Esta estaba sentada al lado de

Miguel y bordaba un pañuelo, con un recorte de tela que había sacado del almacén. Pero si la mujer tenía interés por saber qué hacía aquella joven en la sastrería, este desapareció cuando recordó el negocio que la había llevado hasta allí.

—Os traigo todo lo que me pedisteis ayer —anunció al sastre, que se había apartado de su trabajo en cuanto la vio entrar—. Habéis remodelado el taller —añadió como si le disgustara el cambio.

Miguel levantó la cabeza y echó a su maestro una mirada de precaución. La mudanza había sido idea de Clara, de la «nueva» ayudante. Esta había sacado de la alcoba un precioso bargueño, que solo se utilizaba para guardar los carretes de los hilos de oro y plata, y lo había colocado en la pared, frente a la puerta. También había cambiado la ubicación de la mesa de trabajo. Ahora estaba situada en medio de la sala, la mitad servía de trabajar sobre ella y la otra mitad de mostrador para atender a los clientes. Había dividido ambas zonas al colocar en el centro una estrecha caja de madera, en la que se alternaban las tijeras, alfileres y los muestrarios de cintas y botones.

—Pensé que ya era hora de reformarlo —comentó el sastre, con la esperanza de que la mujer no se preguntara cuál sería la causa de aquella mudanza después de tantos años.

—Será bueno para el negocio —aseguró la viuda. Aunque no parecía alegrarse de ello.

—Entonces, ¿traéis el encargo? —preguntó el señor Luis para desviar la conversación.

La viuda se dirigió a una muchacha que había entrado tras ella.

—La mercancía.

La chica atendió la llamada de su ama y situó una gran cesta sobre la mesa. La mujer comenzó a revolver dentro de ella.

—Aquí los tenéis.

Vicente Brañas había sido el propietario de la tienda de hilaturas más grande de Madrid y el lugar donde el sastre compraba parte de los materiales que necesitaba. Hasta hacía poco tiempo era él, junto con dos de sus hermanos, el que manejaba el negocio, pero desde la muerte de este, la viuda luchaba contra sus parientes para quedarse con la parte del negocio que le correspondía. Trabajaba de sol a sol, atendía personalmente a sus clientes más fieles, y se levantaba antes del alba y recorría todos los establecimientos a los que servía para poder repartir la mercancía y, aun así, llegar la primera para abrir la puerta del negocio.

—Habréis traído la minuta —comentó el sastre sin molestarse en comprobar la mercadería.

No hacía falta. La viuda de Brañas era conocida por ser una mujer poco amable, pero la más cristiana y la más honesta de los comerciantes de la villa.

—Las hebillas, los botones de nácar, las cintas de raso, las plumas de colores, los cordones para el cuello, los... —recitaba ella según los iba depositando sobre el mostrador, en fila, uno al lado del otro.

—Sabéis que esto no es necesario.

—... los corchetes y las presillas. —Cuando terminó el recuento, la mujer sacó un papel de la cesta y se lo tendió—. Aquí tenéis lo que se debe.

El sastre miró los números.

—Un momento —dijo y se dirigió a la habitación contigua en busca de cuatro reales.

Entonces fue cuando la mujer retomó la curiosidad por Clara. Se acercó a ella y observó el movimiento de sus manos. Clara hizo como que no se daba cuenta del escrutinio al que la estaba sometiendo y continuó con la flor que bordaba. Pero la viuda hizo algo que Clara nunca hubiera sospechado en una mujer de educación; se inclinó hacia ella, sujetó el borde de la tela y tiró de él.

El pañuelo pasó de las manos de Clara a las de la viuda.

El sastre regresó en ese mismo instante con las monedas.

—¿Y esto? —le preguntó mientras le mostraba la tela.

—Mi sobrina —dijo él mientras salía de detrás del mostrador y se acercaba a Clara—. Os presento a la artífice de la labor: la hija de mi hermana. Hace unos días que llegó a Madrid.

La viuda volvió a examinarla con sus ojos de águila.

—Hacía mucho tiempo que no veía nada como esto.

Clara miró al sastre desconcertada, era difícil averiguar si aquella frase era un halago o un insulto a su trabajo.

—No es más que una muestra —fue su respuesta y se quedó esperando la reacción de la mujer.

A la mujer se le relajó el gesto y se volvió hacia el sastre.

—Si le hago a vuestra sobrina una propuesta, ¿la aceptaréis?

Pero antes de que al sastre le diera tiempo a responder, Clara contestó por él.

—Mi «tío» sabe que suelo tomar mis propias decisiones —aclaró con rudeza.

La viuda se volvió hacia ella y la examinó durante un rato. Clara ya empezaba a ponerse nerviosa cuando la mujer mostró algo que parecía un amago de sonrisa.

—Me gusta vuestra sobrina —comentó. Se dirigía al señor Luis, pero no apartaba los ojos de Clara—. Si para la semana que viene tenéis cinco como estos, prometo que os los compraré y los pondré a la venta en mi tienda.

—No aceptaré menos de tres reales por cada uno.

—Dos.

—Tres.

—Dos.

—Tres, ni uno menos. Si tan buenos son, los podréis vender por seis.

—Hecho. Tres y me regaláis este para que pueda exponerlo.

Clara se lo arrebató de la mano igual que había hecho la mujer un rato antes de las de ella.

—Hecho. Pero vos me permitís terminarlo.

La viuda levantó una mano y se la tendió. Clara la estrechó con firmeza. Y mientras la agitaba se dio cuenta de cuánto había echado de menos sentirse ella misma.

Se había entretenido demasiado. Poner un pie en la mercería de la señora de Brañas había sido como entrar en la bodega de uno de los navíos que transportaban las riquezas desde Nueva España, al otro lado del océano, hasta Sevilla. La mujer la había recibido con los brazos abiertos y Clara había aprovechado la oportunidad. Sospechaba que si no hubiera sido por el deseo de fastidiar a sus dos cuñados, no habría sido tan atenta ni habría estado tan deseosa de enseñarle todos y cada uno de los enseres que vendía en la tienda. Y Clara había mirado, había preguntado y había tocado. Hasta que no había podido eludir la mirada de aversión de los dos hombres y había decidido retirarse. Tal y como habían quedado la semana anterior, había entregado a la mujer los pañuelos bordados y se había marchado; no sin antes asegurarse de que en el caso de que no se vendieran, se los devolvería igual de inmaculados a como ella se los dejaba.

Salió de la tienda. Desde el día en el que conoció al señor Luis y a la señora Engracia apenas había pisado la calle más que para comprar los alimentos diarios y aquella era la primera vez que se alejaba tanto de la sastrería.

Le hubiera gustado detenerse a cada trozo de recorrido. La Puerta del Sol y la calle Ancha eran algo digno de contemplar. Pero el señor Luis la esperaba en la sastrería para terminar los ojales de la prenda en la que trabajaba. Su curiosidad tendría que esperar a mejor momento. Tomó de nuevo la calle por la que había llegado y comenzó a bajarla.

La puerta del corral de comedias se abrió cuando ella pasaba por delante. Un arca se le echó encima.

—¡Mirad por dónde camináis! —increpó al hombre que la transportaba y cuyos ojos asomaron por encima de la tapa.

—¡Tened vos más cuidado! ¿No veis que estamos cambiando la escena? —le gritó él de malos modos.

Clara lo vio alejarse. El peso del mueble lo hacía tambalearse. Por una de las esquinas sobresalía un manto encarnado.

—¡Si será...! —farfulló para sí misma—. ¡Como no tengáis más cuidado, perderéis todo el vestuario! —le gritó antes de que el porteador diera la vuelta al edificio.

—No os preocupéis por eso, pasará mucho tiempo antes de que nadie se ponga de nuevo esos ropajes —dijo una voz a su espalda.

Clara se volvió y se dio de bruces con otro hombre, moreno, alto y bien plantado. Su pose artificiosa le indicó que podría tratarse de uno de los actores.

—¿Se terminó la función?

—Dicen que hay que retirarse cuando uno está en el mejor

momento sin esperar a que las pedradas lo echen del escenario —añadió con tono alegre.

Pero ni sus ojos ni su rostro reflejaban entusiasmo.

—Así que dejáis el teatro.

El hombre suspiró.

—Yo diría más bien que el teatro me deja a mí. —Clara no tuvo que preguntar la razón. El intérprete tenía ganas de desahogarse—. Es difícil mantenerse cuando una mujer puede hacer los papeles femeninos y los masculinos. En cuanto aparece la representanta adecuada, lo demás es lo de menos. No importa que haya que despedir a los actores, que haya que cambiar el texto para adecuarlo a sus características, que haya que componer nueva música o que haya que confeccionar nuevos vestidos. Todo con tal de conseguir que ella se suba al escenario.

Clara echó un vistazo al actor por última vez y salió corriendo hacia la sastrería. Con una mano, se remangaba la falda para que no arrastrara por el suelo, y con la otra, sujetaba el pañuelo que se había echado sobre los hombros para que no saliera volando. Si hubiera tenido tiempo, le habría dado las gracias al hombre por la información. La idea había aparecido en su mente de forma vívida. Podía ver la imagen con claridad; una mujer cantando y bailando, y lo mejor, vestida de hombre.

—¡Señor Luis! —gritaba mientras bajaba las escaleras de la placita—. ¡Acabo de encontrar a su próximo cliente!

—No creo que...

Clara se estaba poniendo nerviosa, aquella era la cuarta vez que el sastre hacía el mismo comentario cuando ella le explicaba el negocio que le había venido a la cabeza mientras conversaba con el actor a la puerta del teatro.

—¿No os dais cuenta de que no tendrán más remedio que aceptar? Nada del vestuario del teatro le servirá, todo le vendrá grande. Vos mejor que nadie sabéis que no es fácil adaptar el vestido de una persona a otra. ¿Os imagináis adecuar el jubón de un hombre a las curvas de una mujer? Tendrían que deshacerlo por completo.

—¿Y qué os hace pensar que aceptarán la idea que propongamos?

—Nosotros somos la pareja perfecta; una mujer para tomar medidas y coser las prendas más íntimas y un hombre para fabricar los ropajes de varón.

—¿Y si ya han hecho el encargo a otro? Mirad que el de la sastrería de los Medina siempre es el primero que se entera de esas cosas.

—¿Él tiene una mujer en su taller?

El sastre la miró desconcertado.

—Claro que no, nadie tiene una mujer en su taller.

—Vos sí.

—Pero nadie lo sabe.

—Tal vez empieza a ser hora de que Madrid se entere de que vuestra sobrina ha llegado de Guadalajara y es una estupenda costurera.

Dos horas más tarde Clara y el señor Luis llegaban al corral de comedias vestidos con sus más ricos ropajes. El sastre con sus propias ropas y Clara con un precioso vestido negro con vivos morados que el hombre que llevaba del brazo había cosido para Pepa, la hermana del joyero, con unos retales que le habían sobrado al realizar una mortaja y que los sucesores del finado nunca reclamaron.

—No os preocupéis. Todo va a salir bien. Solo hay que tener confianza en que lo podemos hacer. La obra no se estrenará hasta el Corpus. Tendremos tiempo de sobra. No olvidéis que contáis con seis manos.

El sastre posó su mano en la de Clara, que estaba a punto de empujar la puerta del teatro.

—¿No os arriesgáis demasiado? Podrían descubrir que las puntadas de los jubones de la sastrería las da una mujer. Y eso sería peligroso para vos.

—¿Y para vos no? —comentó Clara uniendo sus manos con las del sastre y apretándolas con afecto—. No hace mucho aprendí que es mejor aventurarse que amilanarse. Todo por lo que uno se arriesga merece la pena. Aunque al final lo único que gane es que le crucen el corazón con un par de cuchilladas.

El sastre apenas oyó sus últimas palabras, pero notó a la perfección el tono de la voz. Y no era de alegría precisamente. Y hasta hubiera jurado que, cuando abrió la puerta con decisión y dio el primer paso, dos lágrimas resbalaban por las mejillas de su acompañante.

Estaba preciosa. Más de lo que recordaba. Volver a verla fue una experiencia inolvidable. Como comerse un refrescante y jugoso melocotón en pleno julio. ¿Cómo había dejado que se apartara de su vida?

Estaba preciosa, se dijo de nuevo, allí, de pie, delante del teatro al que él se dirigía. Porque era ella. De lejos, no la había reconocido, pero, según se acercaba con el nuevo trabajo dentro del zurrón supo que era ella. No le había hecho falta más que observarla mientras se ponía los guantes, se atusaba el cabello para ordenarlo debajo del pequeño casquete y se enderezaba el manto sobre el elegante vestido para reconocerla.

Lo primero que pensó fue en ir hacia ella, tomarla entre los brazos y susurrarle al oído cuánto la echaba de menos. ¿Por qué había hecho caso a la segunda idea que había pasado por su mente y se había escondido? Si esconderse era ocultarse en el portal de la casa vecina. ¿Por qué no había atendido al primer impulso? Probablemente porque sabía que, aunque él se alegraba de encontrarla más de lo que hubiera imaginado, ella lo odiaría con la misma fuerza. Y el mismo ardor con el que a él le gustaría abrazarla, ella lo usaría para separarlo de ella lo más que pudiera. Y eso era lo único que le faltaba para ser el hazmerreír del palacio. No quería imaginar la cara de satisfacción de Joos cuando se enterara de que había probado el mismo brebaje que había usado él con ella unas semanas antes. Ni que decir si aquello llegara a oídos de Tomás Sánchez y de toda la manada que arrastraba detrás de él.

Ella esperaba, ¿a qué? ¿a quién? A alguien que se encontraba dentro del corral de comedias. Estaba claro, puesto que no hacía más que mirar hacia el interior. ¿Qué haría allí? «Era costurera, ¿no?», se respondió, pues trabajando. Como él. En el mismo sitio, el mismo lugar al que él había acudido para conseguir trabajo. ¿Y si así fuera? Tenía gracia; por más que los hombres se empeñaban en separarlos, la vida los volvía a reunir. Y si así sucedía, ¿iba a ser él el que lo arruinara?

Dio un paso fuera de la casa en la que se había refugiado y salió al centro de la calle, blandiendo una amplia sonrisa en el rostro. Lo suyo, desde luego, era designio divino.

Esto era lo que pensaba Nicolás en el segundo uno. En el dos, maldecía el instante en el que había aceptado el reto de Tomás Sánchez y había salido de la seguridad de la corte. Y en el tres, intuía que el demonio se había cruzado en su camino y que tenía la forma de un hombre de mediana edad y mediana altura al que aún le aguantaba el gesto y el porte. Vestía con igual —o mayor— elegancia que Clara. Blasfemó al ver la alegría en los ojos de ella cuando el hombre apareció por la puerta, lo detestó cuando él se acercó a ella con el mismo entusiasmo, pero cuando realmente lo odió, fue cuando ambos se fundieron en un abrazo público.

Ya no le cupo duda de lo que Clara hacía allí. No es que fuera a buscar trabajo, es que lo había encontrado días antes. En la casa de aquel hombre. En la cama de aquel hombre.

Las sienes le comenzaron a palpitar y la comida se le agrió en el estómago.

Vio cómo el abrazo entre ambos se deshacía, pero la sensación de que la tierra se había desvanecido bajo sus pies se mantuvo. Imposible alejar aquella impresión después de ver la mirada de satisfacción de Clara y la de victoria del hombre al encontrarse.

Los vio acercarse y, de un salto, se ocultó de nuevo en el portal. Pero cuando pasaron ante él, charlando alegre y relajadamente, la furia apareció del lugar en el que había estado oculta hasta entonces y le obligó a seguirlos. A seguirlos, a alcanzarlos y a detenerlos.

—¿Os disponíais a marcharos sin buscarme?

Nicolás ni se había enterado de que Cristóbal de la Puente había salido del teatro.

Echó una última mirada al final de la calle, por donde la pareja desaparecía, e inspiró hondo. Atendería primero su vida profesional, ahora que sabía que Clara seguía en la ciudad ya tendría tiempo para... para lo que fuera que decidiera hacer. Compuso su mejor sonrisa y se volvió hacia el hombre que lo entretenía.

—Me pareció ver a alguien conocido —indicó, señalando hacia la esquina de la rúa.

—¿Un hombre de mediana edad y una mujer joven? —Nicolás asintió—. Él es sastre, acabo de encargarle parte del vestuario de la nueva obra. —Esperó a que el empresario continuara—. A él y a su sobrina, al parecer ella es una estupenda costurera.

—Su sobrina.

—¿Los conocéis? —preguntó el hombre.

—No —respondió el músico con rotundidad—, a ninguno de los dos.

Seguir a Clara y a su recién encontrado «tío» había sido del todo imposible. Cuando terminó de parlamentar con el empresario, se había hecho tarde y había tenido que regresar a toda prisa a palacio. Los muchachos estaban a punto de terminar las lecciones de latín y él tenía que estar para llevarlos de vuelta a casa del maestro. No es que a Molina le importara lo más mínimo lo que les sucediera a los miembros más jóvenes de la Capilla Musical, pero Nicolás estaba seguro de que no le haría falta conocer más que un fallo para ponerle en entredicho delante de las figuras más influyentes de la corte. Así pues, se despidió de Cristóbal de la Puente, dejó para el día siguiente el asunto de Clara y echó a correr. No sin antes utilizar toda su astucia para conseguir sacarle al empresario el lugar donde su recién adquirido sastre ejercía el oficio.

Y allí se había dirigido al día siguiente, después de dejar a los niños en manos de alguien de confianza para que los acercara hasta los mentores y de conseguir librarse de sus propios ensayos, alegando una repentina indisposición estomacal.

Todo estaba tranquilo cuando llegó. De un paso, salvó los escalones y bajó hasta la placita. El joyero, que estaba inclinado sobre una tosca mesa, le saludó desde dentro del taller y se quedó a la espera por si era un nuevo cliente. Sin embargo, como

Nicolás no hizo intención de aproximarse, la curiosidad del hombre pronto se esfumó y regresó a su labor. Por el contrario, la sastrería no parecía haber despertado al nuevo día, a pesar de que hacía ya un par de horas que había amanecido.

Se acercó al banco y se sentó con los brazos cruzados y las piernas extendidas. No tenía ninguna prisa, le quedaban todas las horas del día, hasta que llegara la oscuridad. Con el trozo de chorizo y el pedazo de pan, que una de las mozas de la cocina había tenido a bien regalarle, tendría suficiente para no pasar hambre.

La puerta se abrió un rato después y Clara salió al exterior con la intención de despejar las hojas que ensuciaban la entrada del negocio. Pero se lo encontró a él. Relajado, mirándola, acusándola de quién sabía qué crueldades. Era la última persona del mundo a la que esperaba encontrar a la puerta de su morada. El corazón... ¿Todavía lo tenía en el pecho? Se le debía de haber perdido en algún lugar porque no lo sentía. La última vez, cuando la echaron del alcázar, no la había mirado, ni una sola vez, pero en ese momento no le quitaba la vista de encima. Clara quería que se marchara, que la dejara en paz, que la olvidara, como ella había hecho con él. «Como ella había intentado hacer con él.» No quería volver a verlo, no quería sufrir más.

—Me habían dicho que parabas en una vivienda más lujosa.

—Pues os han informado mal.

Nicolás fue consciente del tratamiento que ella le daba, de vos, como si fuera un desconocido.

—¿Qué haces aquí?

—Eso mismo es lo que yo os pregunto. Por si no lo sabéis, os informo que fui expulsada del alcázar.

—Lo sé. Yo mismo estaba allí cuando saliste.

—¿Sí? No os vi por ningún sitio, solo me topé con una estatua de piedra, incapaz de pronunciar palabra.

«*Touché.*»

—No estuve muy acertado.

—Si pretendéis disculparos, podéis volver por el mismo camino por el que habéis llegado.

—No he venido a disculparme.

Aquello fue demasiado para Clara. Soltó la escoba que tenía entre las manos y se plantó en jarras ante él.

—Lo eres, ¿verdad? Eres incapaz de dejar de pensar en ti por un instante y meterte bajo la piel de otra persona.

—No entiendo lo que pretendes decir con esas palabras.

—¿No? Al final resulta que Nicolás Probost no tiene la cabeza tan despejada como todo el mundo piensa. ¿Es que tengo que explicarte de quién es la culpa de que me echaran de palacio?

Nicolás dio un paso atrás ante la agresividad de Clara.

—Nada podía yo hacer para detener la decisión de la marquesa de Fromista.

—Ni lo intentaste siquiera. No te importó —le espetó ella.

El corazón de Nicolás comenzó a hacerse añicos con esas palabras. Y le entraron ganas de abrazarla, de consolarla, de apretarla contra su pecho y acunarla con su voz. Debió de moverse hacia ella porque ahora fue Clara la que retrocedía. Él se detuvo cuando ella extendió las manos y estableció una barrera entre ambos.

—Pues claro que lo hizo, claro que me afectó —intentó explicar.

—Salí del alcázar sin un lugar adonde ir. A nadie conocía en la villa, pero a ti te dio igual.

—Yo tenía, tengo, las manos atadas. —¿Pero es que nadie podía entender lo que se jugaba él en aquello?— Llevo toda la vida luchando por lo que estoy a punto de conseguir, y no podía permitir que por un error...

—¿Eso es lo que soy? ¿Eso es lo que he significado para ti? ¿Un fallo en tu conducta? Ya entiendo. Pensaste que sería divertido retozar con una mujer mientras estábamos en el bosque, pero una vez que llegamos a la corte, las cosas cambiaron y yo pasé a ser una molestia.

—No fui yo quien decidió que salieras de palacio —repitió Nicolás.

A Clara se le escapó una sonrisa irónica. Mejor eso que dejar salir las lágrimas. Estiró la espalda. Lo que fuera con tal de que él no viera lo que su comportamiento le afectaba aún.

—No, claro que no. Tú nada habrías dicho, si todo se hubiera llevado en secreto. Pero no fue así; «alguien» decidió que yo molestaba y me acusó de ser una mujer de «ligero comportamiento». Pero no es eso de lo que se te acusa.

—¿De qué entonces?

—¿Necesitas oírlo de nuevo? Me abandonaste, me dejaste a mi suerte, traicionaste mi confianza. De tu boca no salió una palabra de consuelo, en tu rostro no se reflejó un indicio de preocupación, no hiciste un gesto de ayuda. Te desentendiste de mí como si yo no hubiera existido. —«Como si no hubiéramos compartido palabras, cantos, horas, besos y caricias.»— Te desentendiste de mí como lo hace un labrador de un perro rabioso.

Nicolás se revolvió inquieto. Había pensado a menudo qué habría sucedido si se hubiera comportado de otra manera, si se hubiera enfrentado a la señora Gómez, si hubiera movido algunas fichas, si... Pero ninguno de sus pensamientos le había resultado tan agrio como ahora, que era Clara la que le recriminaba.

Aún así, intentó justificarse de nuevo.

—Tengo que tener cuidado, hay gente en palacio que no me profesa la mejor de las amistades. Si se hubieran enterado de nuestra relación, me habrían arrojado a los leones.

Aquellas dos frases fueron las definitivas. Nada de lo que le había dicho había hecho mella en él. Nada tenían que decirse entonces.

—Márchate —exigió Clara señalando hacia la rúa.

Él, en vez de atender su petición, dio un paso adelante y la sujetó por el brazo.

—Creo que deberíamos hablar de...

—¡Suéltame! No quiero seguir tratando de este tema que nada bueno me traerá. Alguien más misericordioso que tú se apiadó de mí y me ofreció trabajo, comida y cama. Así que vete, no quiero volver a verte.

Las palabras «ofreció» y «cama» martillearon las sienes de Nicolás y lo dejaron sin aliento. Fue en ese momento cuando fue consciente de la desesperada situación en la que había dejado a Clara. Él la había abandonado, pero otro había sido aún más ruin y se había aprovechado de ella, de sus circunstancias.

—¿¡No habéis escuchado a la dama!? —El tenor la soltó al

oír el bramido del señor Luis—. Creo que ha dejado muy claro que no desea que la toquéis —añadió el sastre, blandiendo unas enormes tijeras.

Nicolás contuvo las ganas de acercarse a aquel hombre, sujetarle por el jubón y estamparlo contra el muro de la sastrería. Se habría contenido, se habría comportado como una persona sensata, como un cantor prudente y como un músico juicioso si Clara no hubiera hecho el siguiente movimiento, si Clara no se hubiera acercado al sastre y le hubiera dicho unas palabras amistosas, si Clara no le hubiera cogido del brazo para tranquilizarlo. Se habría marchado si Clara no hubiera preferido a aquel hombre en vez de a él.

—¡Maldito viejo! —bramó abalanzándose contra él como un toro contra los maderos de la plaza.

Nicolás no oyó el choque de la espalda del hombre contra la pared ni los gritos de Clara ni el crujir de sus propios nudillos ni los quejidos del sastre ni las otras voces. Solo escuchaba el retumbar de tambores en sus sienes. Quería causarle el mayor daño posible, quería matarlo. Ni se enteró de nada más hasta que varios brazos lo separaron, lo alejaron de su presa y lo sujetaron para que no pudiera causarle más daño.

Pero la herida ya estaba abierta. Lo supo nada más ver los ojos de Clara. Tenía las pupilas desencajadas y las mejillas encendidas. Y lo odiaba.

—¡Nicolás Probost ha muerto para mí!

Y así se sentía él, muerto. Saber que vivía con otro hombre lo había anulado por dentro.

Si Nicolás no se hubiera marchado antes de que ella terminara de atender al sastre, lo habría matado con sus propias manos. Y si apareciera de nuevo en aquel momento, también. Para tanto le daba la rabia acumulada.

En el taller no se oía ni un solo ruido. El sastre estaba demasiado enfadado para mantener una conversación, ella, demasiado avergonzada, y Miguel, demasiado asustado por lo que intuía que pasaba, pero que nadie contaba.

A pesar de que la señora Engracia había asegurado que los vecinos no se habían enterado del incidente, Clara no estaba tan convencida de ello; ni uno solo de los clientes había aparecido en todo el día, ni siquiera los que sabían que sus prendas estarían terminadas.

No se concentraba. Estaba cansada de coser puntadas irregulares, de soltar lo que cosía y de pincharse con la aguja. Pero no tenía la posibilidad de marcharse a la calle. El día había amanecido gris ceniza, del mismo color que su humor, y el aguacero, que había comenzado como una fina lluvia a mediodía, no se había interrumpido en toda la tarde.

Volvió a escuchar por encima de la cortina de agua. De todas maneras, si alguien no decía algo en el próximo rato se levantaría con cualquier excusa y empezaría una conversación. La que fuera, menos hablar del hombre que la había localizado el día anterior, menos hablar del agresor del sastre. Menos hablar de él.

Sin embargo, fue el señor Luis el que rompió el silencio. Se acercó hasta ella y le dijo en voz baja:

—Ya va siendo hora de pensar en la vestimenta de la actriz. Si queremos tener algo hecho para la semana que viene habrá que entregar unos bocetos mañana mismo.

Clara lo vio acercarse a la mesa y coger uno de los jabones de marcar. La joven soltó un suspiro de alivio. Aquello significaba que la conversación sobre Nicolás quedaría aplazada.

Echó una mirada furtiva hacia Miguel, que el hombre interpretó con acierto.

—Muchacho, tu faena ha terminado por hoy. Puedes marcharte a casa.

A Miguel le costó comprender lo que le estaba diciendo. A pesar de que las nubes ocultaban la luz, aún no había anochecido. Era la primera vez que el maestro le dejaba abandonar la sastrería antes de que el sol hubiera desaparecido por completo, más allá del horizonte.

—Solo me falta acabar este dobladillo.

—Mañana tendrás tiempo de finalizarlo. Tu madre estará esperándote.

Miguel no sabía a qué atenerse, sin embargo, obedeció ante un silencioso gesto de su mentor. Descolgó un lienzo encerado que colgaba de un gancho situado al lado de la chimenea y se lo echó a la espalda.

—Hasta mañana —habló, aún sin moverse ante la desconfianza de tener que volver a sentarse.

—Con Dios —fue la contestación del señor Luis.

Solo entonces, el chico abrió la puerta, se cubrió la cabeza y el cuerpo y salió. Y únicamente cuando la madera se hubo cerrado detrás de él, el sastre dio el siguiente paso. Cerraron los postigos, fijaron la entrada, recogieron la costura, y encendieron un farol y lo colocaron sobre la mesa.

—¿Habéis pensado ya en algo? —le preguntó Clara, muy interesada en la contestación del sastre.

—Esa labor os la reservo para vos.

Lo que aquella declaración significaba la dejó boquiabierta. Era la primera vez que se le permitía hacer el bosquejo de una prenda. No sabía de ninguna mujer a la que le dejaran tomar medidas, marcar, dibujar los patrones o cortarlos. Conocía la ley cuando el sastre la tomó como ayudante. Y la había aceptado con la esperanza de, algún día, poder establecer sus propias normas, de ser dueña y señora de su trabajo. Pero nunca imaginó que aquel momento llegara tan pronto.

—¿Por qué? —fue lo primero que consiguió decir.

¿Por qué se arriesgaba de esa manera? ¿Por qué se exponía a que le cerraran el negocio e incluso lo arrestaran si alguien la descubría? ¿Por qué?

—Porque este trabajo es tuyo.

Clara tardó un instante en coger el trozo de jabón de marcar que le ofrecía. Sus labios dibujaron una ligera sonrisa de agradecimiento, que él correspondió en silencio y se puso manos a la obra.

Despejó el mostrador de telas, hilos, botones y alfileres, que terminaron sobre el arcón. La vara de madera, que utilizaban para medir las telas, acabó en la habitación anexa y el cesto con los bordados de Clara, apartado en el suelo.

Un cuchillo fue suficiente para crear una punta al jabón. Y

con eso, y con lo que tenía en la cabeza, Clara comenzó la batalla más difícil de su vida: adecuar un vestido de hombre en un cuerpo de mujer, sin que este perdiera las formas masculinas, pero sacando toda la feminidad posible de la actriz.

—Mantendremos su ropa interior, adaptándola a las circunstancias, para que se sienta bella a pesar de ir cubierta —explicó. El sastre era todo oídos—. Haremos una camisa, de las de escote bajo, con la pieza de lino que guardáis en la alcoba. Irá labrada con... un deshilado o una vainica, ya lo pensaremos más adelante. Las calzas serán atacadas, unidas al jubón con unas cintas.

—¿Qué le pondremos en los extremos para que sean fáciles de atar? La gente del teatro tiene que cambiarse de ropa varias veces durante una función.

—Pediremos a la viuda de Brañas que nos aconseje los herretes más apropiados. Podrían ser de concha o de madera. ¡Ya veremos! ¿Os atreveréis con el corte de las calzas? —continuó—. Lo haría yo misma, pero vos tenéis más experiencia. Os traeré las medidas exactas. Haceros de cuenta que tendrá que ser un trabajo cuidadoso, las piernas de las mujeres son más estrechas que las de los hombres. —Y como viera que el sastre asentía, siguió adelante—. De acuerdo entonces. Yo me haré cargo del jubón. —El señor Luis se lo agradeció. Tener que lidiar con las medidas de la prenda en forma de columna, engrosada por la parte superior, era una cosa y hacerlo con las curvas del pecho femenino, otra muy distinta.

—Os lo cortaré yo —se ofreció en cualquier caso—. Debe ir cortado al hilo según manda la Disposición General de hace cuatro años. El resto es cosa vuestra. Pero cuando toméis las medidas, no olvidéis que las dos piezas traseras llegarán hasta la cintura, pero que las delanteras tendrán que cubrir el bajo vientre por completo, con el pico bien apuntado hacia abajo.

Clara asintió. Sabía, porque lo había visto a los soldados que acompañaban a la reina desde Praga, que en Europa llevaban esta prenda más corta, pero la moda en España era otra cosa.

—Lo haremos de esta manera —dijo Clara y comenzó a garabatear sobre la mesa—. Abierto de cuello. Será más sugerente si dejamos enseñar la parte superior de la camisa. Con las mangas acuchilladas —indicó marcando unas líneas verticales en el dibujo.

El sastre seguía con atención el diseño de Clara.

—¿Y la tela?

—La misma que para las calzas. Usaremos la holandilla azul —y como viera que el sastre la miraba con extrañeza, explicó—: Si utilizamos paño del corriente, muchos de los espectadores se sentirán más representados en la comedia y eso gustará más. ¿No era esa la intención del señor De la Puente? Dejaremos los detalles lujosos para los adornos. No os preocupéis, todo el que pase por el corral de comedias se preguntará quién ha sido el sastre que ha creado ropajes de poderoso con tela de criados. Y desearán conoceros.

—Conocernos —ratificó el sastre con los ojos clavados en los suyos.

Aquella sola palabra fue suficiente para que Clara supiera que la senda que había tomado hacía unos días, y que había ratificado el día anterior, era el camino correcto.

Aunque el moratón que el señor Luis llevaba marcado en la mejilla le gritara lo contrario.

—¿Quién era el hombre de ayer? —le preguntó el sastre de repente.

Ella se quedó paralizada. Llevaba todo el día temiendo aquella pregunta.

—¿Qué hombre? —balbuceó.

Sabía a quién se refería, sin embargo, necesitaba ganar tiempo.

—El que me golpeó.

Clara tomó aliento varias veces antes de contestar.

—Lo conocí en mi antiguo trabajo.

—¿Fue él la causa de que vinierais a la villa?

—No, pero llegué con él.

Esperaba que con esa frase quedara claro a qué se refería. Y deseaba que aquella fuera la última pregunta sobre el tema.

—Él pensaba que yo... que tú y yo...

Clara no lo dejó continuar. No solo por la vergüenza que le provocaba el comportamiento de Nicolás con el señor Luis, sino porque no estaba dispuesta a hablar de su relación con el tenor.

Volver a verlo había sido doloroso y humillante. Porque había sido dolor lo que había sentido cuando lo había mirado; como si una bala de cañón la hubiera atravesado de parte a parte dejándole a su paso un profundo agujero en medio del pecho. Y había vuelto a humillarla al desconfiar de ella.

—No os preocupéis. Todo ha quedado aclarado entre nosotros.

—No es la sensación que me dio —aseguró el sastre, tocándose la mejilla—. Yo... quería decir que de ninguna manera abrigo intención alguna. Te considero como a mi hija —soltó de repente.

—Lo sé. Yo también os veo como mi... como a alguien de mi familia.

Y en verdad agradecía la aclaración del sastre. Las cosas siempre iban mejor cuando se explicaban cara a cara.

Ella lo sabía muy bien. Aunque no lo practicara.

Deseó que el sastre cambiara de conversación; la situación se estaba volviendo de una confianza incómoda.

Eso pensaba Clara y eso debió de pensar el sastre cuando preguntó:

—¿Y qué tenéis previsto para el manto?

11

No había pasado demasiado tiempo, sin embargo, así se lo había parecido a Clara y al sastre por la intensidad con la que trabajaron. A pesar de que la noche estaba al caer, el atardecer aún era visible cuando abrieron los postigos de las ventanas.

—¡Clara! —gritó una voz desde el exterior en cuanto la cabeza de esta desapareció dentro de la estancia.

Aquella voz... Se abalanzó a la puerta y la desatrancó lo más deprisa que pudo. Su amiga se le echó encima.

—¡Justa! ¿Cómo has dado conmigo?

Esta le dio un fuerte abrazo antes de separarse.

—A pesar de ser la capital del mayor imperio del mundo, la ciudad no es tan grande. ¿No habrás pensado que ibas a poder esconderte de mí? —rio Justa.

Pero la risa le duró un instante, que fue lo que tardó el señor Luis en asomar la cabeza por la puerta.

Clara vio en seguida la incredulidad en los ojos de su amiga.

—El señor Luis es sastre. Necesitaba a alguien que le ayudara con la aguja —aclaró de inmediato.

—Voy un rato a casa del joyero. Tengo unos asuntos que tratar con él —anunció el hombre.

Clara sabía que aquello no era más que una excusa para dejarlas solas y que charlaran tranquilamente. Aquel hombre era la mejor persona que había conocido nunca.

Le agradeció la deferencia con una sonrisa sincera.

—El señor Luis tiene razón. Vamos dentro, estaremos más calientes.

Justa seguía igual que cuando se despidieron en la puerta de palacio, igual de curiosa. Y Clara esperaba que igual de locuela.

—La casa no está mal —dijo después de bajar del piso superior.

—¡Eres incorregible! Solo te ha quedado descubrir la frazada de la cama del sastre.

—¿Y la tuya? ¿Dónde duermes tú? ¿En la alcoba restante, delante de las llamas o en ese cuartucho entre los hilos?

—No duermo con él, si es lo que quieres preguntarme —el gesto de Justa le dijo que eso era precisamente lo que había ido a descubrir—. Me alojo en casa de la vecina desde el primer día. El sastre me descuenta cinco maravedíes del jornal y se los entrega a ella para pagar la cama —aseguró muy seria.

¿Había soltado Justa un suspiro de alivio? Le pareció que sí.

—Me habían contado otro cuento.

—Que vivía con el dueño de la sastrería —precisó Clara.

—Algo así. Pero con más... sustancia.

—Que el hombre no dormía solo.

—Sí.

—Ha sido Nicolás el que te lo ha dicho.

—No, Joos.

—Para el caso es lo mismo, es la versión de Nicolás. Estuvo aquí ayer.

—Lo sé.

—¿Has visto el golpe en la cara de este buen hombre? Si no llega a ser por los vecinos que lo sujetaron, el muy... animal le destroza la cara.

—Joos asegura que estaba muy afectado cuando llegó a palacio después del incidente, pero yo no me lo creo.

—Sí, como una mula después de cocear a su amo —farfulló Clara—. ¿De qué te ríes? —increpó a Justa cuando a esta se le escapó una risa traviesa.

—Es la primera vez que oigo a una mujer llamar mula al primer tenor de la corte.

—Pues no se puede decir otra cosa de él. Ni siquiera dejó

que le explicara esto que he tardado tan poco en decirte a ti. ¡No se molestó en escucharme!

—Si te sirve de consuelo, le sangraba el labio cuando llegó.

—Imposible, el señor Luis no tuvo ninguna oportunidad de defenderse. No pudo rozarle siquiera.

—Eso mismo le dije yo a Joos, que si era un viejo como aseguraba... No, no ocurrió así. Al parecer, se había mordido él mismo camino del alcázar de la rabia que tenía al pensar que vives con ese hombre.

Clara le dirigió una mirada de incredulidad.

—¿Es eso cierto? Me alegro. Si hubiera sido por mí, además habría llegado con los cinco dedos de mi mano señalados en medio del rostro.

—Es lo menos que se merece. Pensándolo bien la venganza no está mal —rio Justa—. El burlador, burlado. Un buen nombre para una obra de teatro. Nunca lo habría imaginado. Yo avisándote de que tuvieras cautela con él y resulta que era a él al que había que haber advertido del pantano en el que se metía.

—No es para tanto.

—No te quites mérito. Parece que has conseguido que la tierra se le remueva debajo de los zapatos.

—Pura pantomima. Tú misma viste que no movió ni un músculo cuando salí de palacio.

—¿Te digo lo que pienso? Ahora, después de conocerlo mejor y de ver cómo dice Joos que ha reaccionado, creo que todo sucedió demasiado pronto. Aún no había podido aclararse con lo que sentía por ti cuando te echaron y saliste de su vida. Le pilló desprevenido y no supo reaccionar. No, no le defiendo. Simplemente creo que le dominó su egoísmo y el miedo a lo que pudiera suceder con su carrera. Y ahora empieza a darse cuenta de lo que ha perdido. Créeme si te digo que no recorre los pasillos con la gallardía con la que lo hacía días atrás.

—¿Y has llegado a esa conclusión tú sola o es que has pasado bastantes horas con él desde que yo me he marchado, tantas que has llegado a conocerle? —preguntó Clara cáustica.

—¿Celosa? —Nuevas carcajadas—. Lo que tienes con él es

mucho más interesante de lo que imaginaba. No, no he hablado con él. ¿No te he dicho que me lo ha contado Joos?

—Muchas veces mentas tú al tal Joos. Si hasta le has cambiado el nombre. Hace cuatro días se llamaba José.

—Sabes perfectamente que ambos son de Flandes y que los trajeron aquí de niños. Nicolás se llama Niek en realidad. ¿Sabes lo que significa? —No esperó a que Clara contestara—. Niek, el vencedor. ¿Puedes creerlo? Parece que sus progenitores tenían muy claro que su hijo llegaría lejos.

—Y él ha hecho suya la idea a la perfección —farfulló Clara—. ¿Vas a explicarme cómo te has escapado de palacio? —preguntó mientras acercaba una de las sillas al brasero alrededor del cual se situaban para coser.

Justa sabía lo que Clara pretendía.

—¿Cambiando de tema? —comentó mientras se sentaba, acercaba las manos al calor y las frotaba una contra otra.

Pues no le iba a dar ese gusto. Había ido allí, primero, a comprobar que su amiga efectivamente estaba bien; segundo, a asegurarse de que no había hecho ninguna tontería de la que pudiera arrepentirse —y amancebarse con un viejo era la principal— y, tercero, a confirmar que lo que Nicolás y Joos consideraban una traición no era ni más ni menos que la indignación propia de una mujer despechada. Y ahora, que se había asegurado de que había acertado de lleno en las tres cuestiones, iba a hablar con su amiga ni más ni menos que de lo que se le antojara.

—¿Tú todavía sientes algo por él?

—¡Justa!

—Deja de gruñirme y contesta a la pregunta.

—¿Te parece que desear no volver a verle es quererle?

—Depende.

—¿Te parece que desear que desaparezca del mundo es quererle?

—Depende.

—¿Depende de qué?

—He visto mujeres que se desesperaban cuando su hombre se separaba de ellas, a pesar de que todas las mañanas amanecían con la cara marcada.

—¿Te parezco una de ellas?

Justa lanzó un suspiro de alivio y una risa de complacencia.

—No, desde luego.

—Lo aborrezco. Por lo que me hizo a mí el otro día y por lo que le hizo al señor Luis ayer.

—Espero que entonces hayas olvidado lo de Valsaín. «Eso» que te contaba por los pasillos y se te quedaba cara de boba, «eso» que te componía y que tú tarareabas a todas horas, «eso» que te hacía en el bosque y por lo que tu rostro resplandecía a vuestro regreso —recordó divertida.

—¡Justa!

—¿Te vas a ruborizar ahora? Si tú misma me lo dijiste. Recuerdo bien tus palabras: «Hace que me sienta viva.»

—«Eso» no existió nunca. Fue solo un sueño, una quimera, una ilusión que se esfumó entre la más negra de las nieblas. —Clara se levantó de golpe y la silla se tambaleó por el impulso. Comenzó a pasear por la estancia. Iba, sorteaba el mostrador y volvía. Justa la miraba desde el asiento. La dejó hablar—. Ahora tengo que pensar en mí misma. No te haces idea de todo lo que he logrado en estas pocas semanas. Estoy en el buen camino. He conseguido que el señor Luis confíe en mí. Cuando has llegado, acababa de decirme que quiere que yo me encargue de cortar parte del vestuario que nos han encargado para una representación del corral de Cristóbal de la Puente.

La cara de Justa se alteró visiblemente.

—Pero si...

—Está prohibido, lo sé. Pero nadie va a enterarse. Todo el mundo piensa que soy su sobrina y que le echo una mano de vez en cuando adornando las prendas. Ni el chico que le ayuda se ha dado cuenta de que parte del trabajo del sastre lo termino yo. ¿Ves esto? —señaló a su alrededor—. Lo he adecentado yo. Desde que estoy aquí el negocio va mejor. Viene más gente y se marchan más contentos. Y el señor Luis lo sabe. Por eso quiere que me quede, por eso quiere que le ayude. Y por eso yo quiero quedarme.

—¿Crees que será lo mejor para ti?

—Esto es lo que me hace feliz. —Se giró en redondo—. Esto

es lo que yo quiero, lo que siempre he deseado; tener mi propio negocio. Ya sé, ya sé que no es mío, pero al menos puedo tomar decisiones y disponer muchas de las cosas. Y siento que aún puedo llegar más lejos. Justa, estoy en el camino. Voy a centrarme en el trabajo y olvidar que algún día conocí a Nicolás Probost. Ayer lo vi como es en realidad y representa todo lo que siempre he detestado. Y no lo digo por la pelea, sino por su desmedida ambición. Tú misma me lo advertiste y tenías toda la razón. Es de los que solo miran por ellos mismos, de los que ni se molestan en auxiliar a aquellos que resbalan a su lado si él corre el peligro de verse arrastrado. Mi padre era como él, no dudó ni un instante en abandonar a una mujer embarazada y marcharse. ¿La excusa? Buscar un futuro mejor para los tres. Nunca regresó. ¿Y tú me dices que le tenga lástima porque le obligaron a venir a España siendo niño? Al menos lo traían a un futuro cierto. ¿Y a mí? ¿Quién se acordó de mí? ¿Quién se acordó de Piedad Pérez Valbuena, la señora de Román el sastre? ¿Quién?

—No creo que sea lo mismo.

Pero Clara no la escuchaba.

—¿Quién consoló a mi madre cuando no podía más? Yo. ¿Quién se acostaba junto a ella de madrugada para calentarle las manos y los pies helados? Yo. ¿Quién la escuchaba llorar en silencio mientras contemplaba el deslucido retrato del hombre que la había abandonado? Yo. No, Justa, no, no voy a cometer el mismo error que mi madre. No voy a pasarme el resto de mi vida penando por las esquinas y dejando la vida pasar mientras espero a un hombre que nunca va a ser mío. Nicolás ya tiene dueño.

—¿Hablas de la música?

—No, de algo más peligroso. Lo domina su propia ambición. —Clara estaba exhausta, racionalizar lo que sentía por Nicolás y lo que pensaba de él había sido demasiado—. Justa, no quiero hablar más de esto.

«Mensaje recibido.»

—A propósito, ¿a que no sabes cómo he conseguido salir del alcázar?

Clara puso cara de curiosidad. Lo que fuera con tal de que aquella conversación finalizara.

—¿Cómo?

—El esposo de mi hermana pidió un salvoconducto especial para que me dejaran visitarla y, por medio de ella, de la superiora del convento de Santa María de los Ángeles y de doña Leonor de Mascareñas tengo permiso para ausentarme un domingo de cada dos. ¿Sabes lo que eso significa? Que podré verte de vez en cuando. ¿No es maravilloso?

Lo era. Era una noticia estupenda. Clara no sabía si le alegraba más saber que tendría con quién hablar de sus problemas o que Justa se hubiera olvidado del tenor. Para su alivio.

El sonido de las voces de las muchachas seguía saliendo por la ventana de la sastrería, pero el señor Luis ya no escuchaba nada de lo que decían. Había oído suficiente, demasiado.

El corazón le latía desenfrenado y la cabeza le latía al mismo ritmo. Comenzó a sentirse mal. Apenas podía respirar. Los pulmones luchaban por que el aire llegara hasta ellos, pero, por más que lo intentaba, no conseguía aspirar más que una leve bocanada de aliento. Jadeaba. A cada rápida respiración, un sonido agónico se escapaba de su garganta y las piernas dejaban de sostenerlo. Con alarma, descubrió que su cuerpo se inclinaba y que estaba a punto de vencerse hacia el lado derecho. Se dejó resbalar por la fachada de la tienda hasta que acabó sentado en el suelo.

Una vez allí, notó la frialdad de la tierra colándose entre los ropajes. El frío le despejó la mente y fue consciente de la situación. Tenía que serenarse, tenía que sobreponerse si quería ver de nuevo el amanecer.

No podía perderla ahora que la había encontrado. Después de tantos años.

Con violencia, se soltó la parte superior del coleto y del jubón que llevaba debajo de aquel, se arrancó el cuello y los lazos que comprimían la pechera de la camisa. Luchó por aplacar su ahogo una y otra vez sin conseguirlo, hasta que por fin, la voz de Clara riéndose junto a la de su amiga obró el milagro y poco a poco la respiración se le fue sosegando.

¿Cómo le había sucedido aquello? ¡Tantos días, tantas noches pensando en ella! Al fin, el Altísimo había escuchado sus antiguas plegarias y le había permitido verla cuando ya había dejado de codiciarlo.

¡Qué cobarde había sido! ¡Qué equivocado había estado! Diez años le había costado darse cuenta. Hasta que aquella joven había aparecido en su puerta, con su entusiasmo, su iniciativa y su aire de suficiencia. Hasta entonces no había vuelto a plantearse qué habría sido de su hija. La imaginaba casada y rodeada de críos. La soñaba feliz. Pero la presencia de Clara, una mujer joven, sola y sin lugar donde guarecerse, le había hecho olvidar aquella falsa ilusión.

¿Y si su tía no la había protegido? ¿Y si el hombre con el que compartía la vida era un perverso? ¿Y si...? ¿Y si el Señor la había llamado junto a él?

Desde que Clara apareciera, pasaba el día dando gracias al cielo por haberle mandado aquella joya y las noches rezando a todos los santos para que a su hija no le hubiera sucedido nada malo.

Tantas dudas, tanta zozobra, tanta congoja para nada porque durante todo aquel tiempo la había tenido a su lado. Notaba un cosquilleo en la mano derecha y la cabeza le volvía a dar vueltas. No era de extrañar. «De júbilo —se dijo—. De tenerla conmigo.»

Pero la alegría le duró poco. Un segundo. Menos aún que un suspiro.

¿Cómo se iba a enfrentar a ella? Un temblor lo sacudió de arriba abajo. Él mismo había oído sus palabras. Detestaba a su padre, lo aborrecía. Lo odiaba.

Se llevó la mano izquierda a la cara y se restregó los ojos.

—¡Señor Luis! ¿Ha sucedido algo? ¿Os encontráis bien?

—No os preocupéis, solo estaba descansando.

La señora Engracia estaba atónita.

—¿En el suelo? ¿No tenéis una silla en la que sentaros?

—Estaba dejando a las amigas un rato más. Parece que se lo están pasando bien.

La vecina torció el gesto cuando miró hacia el interior de la sastrería.

—¡Unas desconsideradas! Eso es lo que son. Anda, alzaos y entrad en la casa.

Ponerse en pie le costó más de lo previsto. Su pierna derecha resbalaba. El sastre tuvo que intentarlo cuatro veces hasta que lo consiguió con ayuda de la señora Engracia.

—Os habéis levantado tarde —comentó Clara a la mañana siguiente cuando el señor Luis apareció por el taller—. ¿No te parece, Miguel?

El chico lanzó un gruñido como única respuesta. Clara contuvo un suspiro. El muchacho no acababa de tenerle confianza. Pasados los primeros días, había pensado que las cosas podían ir bien entre los dos. El chiquillo le seguía la conversación y a veces hasta se reía con ella. Pero desde que habían obtenido el encargo del teatro, las cosas habían vuelto a ser como al principio. Apenas se dirigía a ella, y lo había descubierto varias veces mirándola de soslayo, como si fuera una advenediza. Sabía cuál era el problema; estaba celoso. Celoso y preocupado por que le apartaran del trabajo, al fin y al cabo, él llevaba más tiempo con el señor Luis que Clara y, suponía ella, se creía con más derecho de que el sastre le nombrara su ayudante principal.

No es que lo que opinara Miguel le importara demasiado. Desde luego, Clara no tenía ninguna intención de renunciar a la posición alcanzada en favor de un mozalbete, pero siempre era más cómodo pasar las horas en una compañía más educada.

—Estoy bien. Solo un poco cansado.

—¿Seguís mareado? Mirad que ayer me disteis un susto de muerte cuando aparecisteis tambaleante y apoyado en la señora Engracia. Apenas si os teníais en pie.

—No era para tanto.

Clara acercó a la mesa la silla que ella ocupaba.

—Sentaos, en un momento os traigo un tazón de leche y mojáis este pan.

—Si vas a tratarme como a un inválido...

Clara suavizó la voz.

—Dejadme que os cuide durante un rato, pensad que podríais ser el padre que nunca tuve.

Aquellas palabras le pesaron al sastre como si le hubieran colgado dos fanegas de tierra al cuello. Se sujetó al respaldo del asiento para no desplomarse.

—Asignada te queda la labor —concedió en un murmullo, con el corazón a punto de estallar de alborozo.

—Tomad asiento, entonces.

El sastre la siguió por el taller sin perder uno solo de sus movimientos, dispuesto a recuperar todos los años desperdiciados.

Clara era idéntica a Piedad. ¿Cómo no había apreciado la semejanza hasta entonces? Caminaba con la misma suavidad, hablaba con la misma cadencia. Había heredado de su madre las manos; capaces de dar las más delicadas puntadas, pero enérgicas cuando se trataba de hacer los trabajos más duros.

Eso sí, suyas eran la decisión y las ilusiones de Clara. Su madre nunca había sido una mujer de carácter. «Demasiado influida por su hermana Socorro», se dio cuenta ahora que tenía cerca a su hija para compararlas. En algún momento de su vida hasta se había preguntado cómo Piedad había accedido a casarse con él en contra de la decisión de su hermana. «Porque el señor Mateo, que Dios tenga en su gloria, siempre estuvo de mi parte.» Si no llega a ser por la intervención de su suegro, estaba seguro de que su mujer habría sucumbido a las presiones de su hermana.

Clara regresaba de la cocina con una taza humeante y se inclinó para dejarla sobre la mesa.

«Y en ese caso, yo no hubiera tenido esta maravillosa hija», pensó el sastre al tiempo que rozaba sus manos.

—Gracias —fue lo único que consiguió decir antes de que la emoción se le trabara en la garganta.

—No las deis —le reprobó Clara, agachándose delante de él—, soy yo la que os tiene que agradecer todo lo que hacéis por mí.

Al señor Luis se le llenaron los ojos de lágrimas. Alzó la cabeza para ocultarlas. No le hubiera importado dejarlas correr por el rostro si supiera que ella se quedaría allí, con él, unos minutos más, unas horas más. ¿Cómo iba a soportar perderla ahora que la había encontrado?

Las manos le empezaron a temblar y el líquido blanco se balanceó. Fue Clara la que lo salvó de nuevo. Le cubrió las manos con las suyas y las obligó a detenerse.

—No es nada —se disculpó él.

—¿Veis como no estáis bien? Será mejor que hoy os lo toméis libre y regreséis a la cama de nuevo. Y no me llevéis la contraria que descansar nunca ha causado mal a nadie.

Miguel lanzó un gruñido que indicaba lo que le desagradaba aquella situación tan afectuosa entre su maestro y aquella mujer.

—Hay que pensar en la ropa para la obra de teatro —respondió el sastre para indicar que no le quedaba más remedio que ponerse a trabajar.

—No habrá mucha diferencia si «vos» comenzáis a cortarla mañana en vez de hoy —dijo Clara con tiento para que el ayudante no se enterara de que ella también trabajaría en el pedido del señor De la Puente.

—En ese caso habrá que dejarlo preparado «esta noche» para que mañana pueda empezar a primera hora.

«Esa noche», cuando hubiera mandado a Miguel a su casa.

El sastre no se acostó, tal y como Clara le pidió tantas veces a lo largo del día, sin embargo, tampoco trabajó. Se limitó a quedarse sentado, toda la mañana y toda la tarde, observándola sin que ella se diera cuenta, estudiando sus movimientos, deleitándose con el color de su pelo, con la viveza de sus ojos y la claridad de su piel, y sonriendo a escondidas cuando creía que nadie lo miraba. Se entregó al gozo de contemplar a su hija.

—Marcho.

Miguel plegó la camisa en la que trabajaba, a la que aún le faltaba añadirle las mangas, y la dejó dentro del arcón del taller.

—Adiós —le despidió Clara.

—¡Rapaz! —le llamó el sastre—. Mañana no hay prisa por llegar. Dile a tu madre que yo te he dado permiso para que el alba llegue a tu casa una hora más tarde que hoy.

La imperiosa necesidad de estar a solas con su hija hablaba por él.

—Gracias, Maestro —tartamudeó el chico, todavía conmocionado por la gracia del señor Luis.

La salida de Miguel del taller dejó a sus ocupantes envueltos en su propio mutismo durante un rato.

—Quiero... —comenzó Clara—... quiero deciros lo mucho que os aprecio y quiero agradeceros la confianza que estáis depositando en mí —dijo de un tirón. Pero como aquellas palabras no reflejaban lo que en realidad quería expresar, añadió—: A estas alturas, vos sois lo más parecido a un padre que he tenido.

Al señor Luis, nada que hubiera escuchado le habría hecho más feliz. No consiguió reprimir el impulso de abrazarla y se levantó.

Fue en el mismo instante en que intentó dar el primer paso cuando supo que algo no andaba bien. Su equilibrio había desaparecido y cayó al suelo.

A partir de ese momento, todo fueron gritos, más gritos, voces, lamentos, ruegos, otras voces, calor, mucho calor, y muchos brazos. Todo menos dolor.

Escuchaba, sí. «¡Señor Luis, ¿me oye usted?!» ¿Entendía? A Dios gracias, también. «Hablar, no puede hablar.» «¡Señor, Luis, diga algo, lo que sea!» «Virgen de la Asunción, ruega por este hombre.» «Clara, ¿por qué no traes un poco de caldo? Se lo daremos poco a poco.» «Incorpóralo un poco más. ¿No ves que apenas puede abrir la boca?» «Así, mucho mejor así.» «¿Está usted cómodo?»

No, no lo sabía, él no lo sabía.

La señora Engracia hablaba, Clara obedecía y él miraba. Solo miraba.

No podía hacer otra cosa. No podía hablar, no podía moverse. Ese era el problema.

—Con Dios.

Clara tuvo que contenerse para no cerrar la puerta de un portazo. Aquel individuo la había puesto de mal humor. «Galeno», se hacía llamar. Después de escuchar sus sandeces, dudaba entre si el hombre que había traído Miguel para examinar al sastre era un matasanos o un fraile.

Lo había enviado la madre del chico, asustada sin duda por que la enfermedad del maestro perjudicara el sustento de su familia.

«No tiene remedio, es designio divino», era lo único que había dicho aquel cretino. Como si el Señor deseara el castigo de sus siervos.

El muchacho la miraba con desconfianza desde el rincón donde se había escondido.

—Miguel, regresa a tus quehaceres —le ordenó.

El chico la observó con temor. Ella hizo un gesto brusco con la cabeza y salió despedido hacia el arcón, donde dos días antes había quedado la camisa que remataba.

Clara se apoyó contra la puerta, cerró los ojos y dejó escapar un suspiro.

El estruendo de la tapa del arca al caer la obligó a retomar sus obligaciones. Cogió aire de nuevo antes de moverse.

Habían acomodado al sastre en el piso de abajo, en el cuarto de los enseres.

Cuando vio que ni con la ayuda de la señora Engracia ni con la del joyero conseguirían subir al sastre por la escalera, Clara sugirió dejarlo en la planta inferior. Hasta el señor Luis había asentido, de acuerdo con la idea. Aquella había sido la primera muestra de que entendía lo que le decían.

«Pobre hombre.» Al menos no había perdido el habla como al parecer les sucedía a muchas víctimas de apoplejías. Sí, en cambio, la capacidad de pensar con normalidad, sí la manera de hablar con fluidez. Le costaba, pero aún podía comunicarse.

Lo malo era lo de su pierna derecha. Y el brazo. ¡Si al menos hubiera sido el lado izquierdo!

Clara se acercó a la alcoba y entró en ella. El hombre seguía en la cama, recostado sobre una almohada, en la misma posición en la que lo había dejado una hora antes. Ni moverse podía. Encerrado en un cuerpo maltrecho el resto de su vida.

El señor Luis abrió los ojos cuando la sintió entrar en el cuarto. El hombro derecho le caía por debajo del otro y daba la sensación de que, en cualquier momento, el cuerpo se le vencería hacia ese lado.

Clara se acercó a él con más alegría de la que sentía.

—¿Estáis cómodo? ¿Necesitáis algo? —le preguntó mientras ahuecaba el cojín y esperaba el tiempo necesario para que él meditara la pregunta y pensara la respuesta.

—No —dijo al fin el hombre con voz cavernosa—. Nada más —consiguió articular con mucho esfuerzo.

—He puesto a trabajar a Miguel —siguió parloteando Clara—. Terminará la camisa mañana a más tardar. Podréis entregarla en la fecha acordada.

—Tú. Yo no.

—¿Yo? —Clara se llevó una mano a la garganta. Comprendió lo que quería decir con aquello—. No os preocupéis. Yo la llevaré. Diré que estáis demasiado ocupado. A nadie le extrañará que vuestra sobrina atienda a los clientes en vuestra ausencia.

—¿El teatro?

Clara cogió la banqueta que había usado aquellos dos días para procurarle el poco alimento que había tomado. El sastre estaba inquieto. Y ella creía que preocupado por lo que iba a suceder con el negocio con él en ese estado.

—En unos días estaréis mucho mejor —le animó—. Ya habéis oído a la señora Engracia, si el suegro de su hermano pudo reponerse, vos, que sois mucho más joven, también. Mañana mismo os levantaréis. Sus muchachos vendrán para ayudaros.

—¿El teatro? —insistió él.

—Tendréis que mostrarme cómo se hace. Con vuestra ayuda, podré marcar los patrones. Los repetiremos tantas veces como sea necesario. Una vez que estén dibujados, cortarlos será lo más sencillo.

Clara se apuntó en la mente que aquella misma tarde tenía que proveerse de velas. No le quedaba más remedio que trabajar por la noche para que Miguel no la viera realizando trabajos de sastre. Convencerle de que era el señor Luis el que lo hacía era un problema más que añadir a la lista.

—El chico... no.

—No os inquietéis —lo tranquilizó Clara, rozándole la mejilla con cariño—. Lo haremos en su ausencia.

El sastre elevó la mano útil y la posó sobre la de ella, que había regresado a su regazo.

—Gracias.

Clara vio cómo una lágrima surcaba el rostro de aquel hombre. Y supo que no lo iba a dejar solo.

Y allí se quedaron un buen rato, en silencio, con las manos unidas, el sastre pensando que no había sido tan feliz en su vida y Clara meditando en lo que iba a hacer a partir de entonces. ¿No quería su propio negocio? Pues ya lo tenía, cargado a la espalda.

Unos fuertes golpes en la puerta los sacaron del mutismo.

—¡Será el médico! —gritó Miguel desde el taller.

—¿Habrá sido capaz de volver semejante incapaz después de que le he echado con cajas destempladas? ¡Estos chupasangres son capaces de cualquier cosa con tal de conseguir dos monedas más que echarse a la bolsa! —farfulló furiosa mientras se dirigía a la entrada—. ¡Qué queréis ahora! —gritó al tiempo que tiraba de la puerta hacia sí.

CARGA DE APOSENTO, rezaba la nota que tenía delante.

12

—¿El dueño de la casa? —preguntó una voz desde detrás del papel.

El hombre vestía unos relucientes zapatos negros, calzas del mismo color, greguescos acuchillados, cuera ajustada, jubón entallado, capa atada a un lado, y como colofón, una gorra bien plantada con las vueltas dobladas hacia arriba. Todo muy bien cortado, todo muy bien cosido, todo muy bien planchado. Clara supo que estaba ante un hombre presumido cuando vio asomar, por debajo de la cuera, el jubón, rematado con un pespunte del mismo color que el resto de la indumentaria. Y supo que el hombre que tenía delante era de los que llevaban la faltriquera llena.

Abrió la puerta del todo y se hizo a un lado. El hombre aceptó la invitación de buen grado. Ella se colocó detrás del mostrador con rapidez.

—Mi tío ha sufrido un contratiempo y no podrá atenderos el día de hoy. Pero si sois tan amable de contarme lo que se os ofrece, intentaré complaceros.

Una sonrisa burlona apareció en la cara del desconocido.

—Nada podría solicitaros que me satisficiera tanto como que me atendáis vos, sea lo que sea lo que estéis dispuesta a ofrecerme.

Ella no estaba de humor para reírse con las lisonjas de un forastero, y menos si este se pronunciaba con palabras poco claras.

Sin embargo, se esforzó por parecer agradecida. Las cosas no estaban para quedarse sin un cliente.

—¿Qué es lo que necesitáis? —preguntó, disimulando no haber oído el halago—. ¿Un manto nuevo, calzas, un coleto? —pero como viera que él continuara sonriéndole, mirándola a la cara, aunque sin hacer ningún gesto, continuó—: ¿una camisa? Puedo enseñaros unos modelos. —Se agachó para sacar de debajo del mostrador un par de ellas que esperaban a la última prueba.

—Un aposento con un lecho será suficiente.

Clara se quedó de piedra. ¿Qué pretendía aquel hombre? Se incorporó poco a poco.

Y se encontró con un par de ojos, oscuros como una noche veraniega, que brillaban divertidos.

Una risa sofocada llegó desde el rincón donde Miguel trabajaba. Clara respiró más tranquila. Había olvidado al chico. Por un momento se había creído sola con aquel extraño del que no sabía qué pensar. No cabía duda de que el chiquillo se regocijaba a su costa. Igual que el forastero.

—Si no me debiera a los asuntos de mi tío, saldríais de su casa al instante —dijo ofendida.

—Por suerte para mí, os debéis a ellos.

—Olvidaré mis obligaciones si no os comportáis como un hombre de bien. Os lo preguntaré de nuevo, ¿qué deseáis de esta casa?

La voz de Clara no dejaba lugar a dudas; llevaría a cabo la amenaza. Pero el hombre no iba a marcharse de allí ahora que sabía qué se ocultaba dentro de la sastrería, no. Le gustaba demasiado lo que veía.

—Si me lo permitís, creo que debería presentarme. Soy Fernando de LaGavia, secretario de don Gonzalo Gálvez, jurista de la Junta de Población, Agricultura y Comercio. Me han asignado esta casa para que resida en ella.

—Pero, ¿por qué?

—¿No estáis al tanto de los reglamentos que rigen la ciudad?

—Es nueva en la villa —intervino Miguel—, no a mucho que llegó —añadió con gesto de desprecio.

Clara odiaba que alguien hablara de ella como si no estuviera.

—¿Cuál se supone que es mi delito? —inquirió enfadada.

El joven —ahora se daba cuenta de que no era tan mayor como aparentaba— le tendió la misiva que había mostrado antes. Clara la cogió y la leyó con detenimiento. Tan concentrada estaba en enterarse de lo que ponía que no notó el gesto de aprobación del hombre cuando le vio descifrar el escrito. No era frecuente encontrarse con una mujer tan atractiva como aquella que supiera de letras. Definitivamente, había tenido suerte; aquel lugar era perfecto para él.

—Todas las casas de Madrid están sujetas a pagar la carga de aposento. Somos muchos los funcionarios reales y muy pocas las viviendas disponibles. A la Junta ha llegado la noticia de que esta casa no es tan pequeña como vuestro tío pretendió hacer creer. Al parecer, cuenta con más de una alcoba.

De nuevo fue Miguel el que habló.

—Viene para quedarse —fue la sentencia.

Clara se había quedado petrificada. ¿Qué más le podía suceder? Ahora que el sastre estaba enfermo y era ella la que llevaba el peso del negocio, ahora que necesitaba pasar a solas cuantas más horas mejor para poder sacar el trabajo adelante, ahora que tenía que encargarse durante el día de un hombre enfermo y de un niño, ¿también lo tendría que hacer de un extraño? ¿Tenía que ser justamente ahora que había explicado a la señora Engracia que dormiría junto al sastre para poder atenderle durante la noche? Contuvo una risa histérica cuando pensó qué sucedería si Nicolás se presentaba en la casa y la encontraba viviendo no con uno sino con dos hombres.

—Me temo que no podéis hacer nada para evitarlo —dijo el hombre, que al parecer le había leído el pensamiento—. Ya no podéis esconder por más tiempo las dos alcobas del piso superior, que no se ven desde la calle y que en su momento jurasteis que no existían. Esta casa ha dejado de formar parte de las llamadas «casas de malicia».*

---

* Para evitar cumplir con la regalía de aposento, los habitantes de Madrid recurrieron a todo tipo de trampas; ocultar a la vista desde la calle las habitaciones más altas fue solo una de ellas.

—Porque vos os encargaréis de impedirlo, ¿no? Para eso sois letrado.

—No os confundáis, yo no dicto las leyes.

—Pero hacéis que se cumplan.

—Solo de que la gente las conozca y las acate —comentó muy serio. Después relajó la voz y volvió a lucir la misma sonrisa que traía cuando apareció—. No os preocupéis, no seré ningún estorbo.

—Podéis sentaros. En un momento os enseñaré vuestros aposentos. Miguel, estate pendiente del maestro.

A Clara no le quedaba más remedio que cederle el piso superior, donde ella había pensado instalarse mientras el señor Luis se reponía.

Tendría que quedarse abajo y explicar el problema a la señora Engracia para que lo propagara por el barrio antes de estar en boca de toda la vecindad.

—Ni os enteraréis de que ando por la casa —volvió a reiterar Fernando de LaGavia.

Ella se volvió un instante y lo miró con fijeza.

«Me extraña.»

Él le sostuvo la mirada, pero ella se dio la vuelta y entró en la alcoba. Hipnotizado, no fue capaz de apartar los ojos de su figura hasta que desapareció de su vista.

Nadie reparó en Miguel que, divertido, contemplaba la escena desde un rincón.

Clara observaba con placer la emoción de la mujer.

—¡Cristóbal, ven! —No apareció nadie, pero la mujer que iba a representar la comedia sobre el escenario al otro lado de la cortina siguió hablando como si no le importara—. Nunca nadie antes había interpretado mis deseos con tanto acierto.

Clara estaba exultante por el resultado. Se había dejado los ojos y los dedos en aquella prueba. Había cosido de noche, sobre todo de noche, con el señor Luis como única compañía, cuando Miguel se marchaba y el señor De LaGavia se retiraba a descansar.

—Deberíais probároslo. Tengo que comprobar cómo os sienta.

—¡De maravilla! ¿Cómo me va a quedar esta preciosura?

Clara sonrió de nuevo ante el entusiasmo de la mujer. Todo el mundo en la villa, incluso los que nunca la habían visto, aseguraba que Elena Carrillo era la mejor representante, cantante, arpista y bailarina del imperio español. Clara no había tenido ocasión de comprobarlo, aunque podía asegurar que tenía un ímpetu difícil de igualar.

Se acercó a la mesa sobre la que había depositado la vestimenta de hombre que había confeccionado. Las calzas eran de holandilla azul, ribeteadas de hilo gris, que imitaba a la plata. La camisa la había hecho tal y como la había imaginado en el primer momento. Le habían bastado dos varas de lino. Por suerte, Elena Carrillo no era una mujer voluminosa, ni alta siquiera, y el bordado celeste que había realizado en el cuello y en las mangas le había costado menos de la cuenta, apenas tres cabos de vela y dos noches sin dormir.

—Levantad el brazo —sugirió Clara cuando la intérprete se hubo puesto las prendas. Sacó de la cesta un acerico lleno de alfileres y sujetó varios entre los labios—. Aún os queda un poco ancho. Habrá que meter de aquí —comentó para sí misma, pinzando un trozo de tela con un par de prendedores—, y de aquí. Poneos más derecha para que pueda ver bien la caída de la espalda. Por detrás, está todo correcto. La camisa os sienta perfectamente, mejor de lo que yo pensaba.

—Está maravillosa.

Cristóbal de la Puente había llegado para atender a su principal artista.

—¿No te parece perfecto? —preguntó ella girándose, coqueta, para que el empresario la pudiera observar por completo.

—Es increíble lo que habéis hecho con una tela como esta. Cualquier otro no hubiera dudado en utilizar una veintena de varas del mejor brocado encarnado y me hubiera pasado después el importe.

—Ya os informó mi tío de que quedaríais complacido con la sociedad que establecisteis con él.

—Por cierto, ¿no ha venido? Necesito tratar un par de asuntos.

Clara se puso en guardia. Había llegado el momento decisivo.

—No ha podido acudir a su cita con vos como hubiera querido. Últimamente no se encuentra muy bien.

—Una pena porque hay unos asuntos monetarios que...

—Si me decís a mí lo que pretendíais contarle, yo se lo transmitiré con las mismas palabras —comentó con rapidez.

El empresario la miró con cierta desconfianza, pero se animó al notar la decisión de Clara.

—Acabad con mi primera figura y después hablaremos. Y mientras termináis con la dama, yo atenderé al compositor de la obra. Estaba con él cuando me reclamasteis —comentó mientras besaba con suavidad la mano y la mirada de la actriz.

Si alguien preguntaba a Clara por la relación que había entre aquella pareja, tenía muy claro qué contestar. «Amantes.»

Sintió un pinchazo en el estómago, sin embargo, se negó a reconocer que ese pensamiento encerrara algo parecido a la envidia. De todas maneras, el rostro de Nicolás apareció nítido en su memoria y una sensación de asfixia la hizo tomar aire un par de veces antes de recomponerse.

—¿Seguimos?

Si alguien preguntaba al empresario por la reacción de Clara, tenía muy claro qué contestar. «Envidia.»

Y tendría razón.

A veces, se decía Clara cada vez que la imagen de Nicolás irrumpía en su mente, se puede vivir sin amor. A veces, se decía Clara cada vez que notaba las manos de Nicolás recorriendo su espalda, se puede vivir sin pasión. A veces, se decía Clara cada vez que escuchaba una tonadilla cantada por lo bajo, se puede vivir sin ilusión. A veces. Otras, no.

«A veces, solo hay que seguir caminando.»

Y eso es lo que hacía ella, olvidar el pasado y centrarse en el futuro. Aunque a veces, los ratos, las horas y los días pasados junto a él se empeñaban en aparecer. Más durante las últimas dos semanas. Las noches en solitario podían ser realmente duras, e interminables. Y la mente, traicionera. En las horas de trabajo había llegado a pensar que se le había escapado el único momento feliz de su vida. El primer día, la primera noche, cuando había cortado las calzas de la artista y las había montado según las indicaciones que el señor Luis le había dado a pesar de las pocas palabras que pronunciaba, había ocultado el recuerdo de Nicolás en el fondo de su mente, pero en cuanto terminó aquel trabajo y todos los quehaceres se redujeron a dar una puntada tras otra durante horas, sus recuerdos volvieron a jugarle una mala pasada. A menudo las imágenes se sucedían sin cesar. Su rostro, sus ojos, su boca, su sonrisa. Su voz. Aquella voz que le susurraba al oído y que le erizaba la piel solo de pensarlo. Y recordaba hasta el infinito la sensación de vacío que se le instalaba en el estómago a primera hora de la mañana en Valsaín y no desaparecía hasta que se encontraba con él.

Mil veces recordó la última y fría imagen que tenía de Nicolás y mil veces consiguió olvidarla, puesto que siempre, siempre, había otra que la sustituía, cualquiera, pero otra. Una en la que le hablaba, en la que la tocaba, en la que la besaba. Una en la que él la estrechaba entre sus brazos y ella lo deseaba.

Y es que Clara, en aquellas noches de trabajo interminable y de cavilación infinita, había decidido que iba a ser feliz, aunque para ello no hiciera más que rememorar los recuerdos de Valsaín.

—¿Puedo probarme el resto de lo que has traído?

—Por favor —despertó Clara de repente—. Tomad el manto, necesito veros con él puesto. El resto de las vestiduras las traeré en la próxima prueba.

Los ojos de la artista se abrieron aún más cuando vio la capa que Clara le ofrecía.

—Ya puedo imaginar las miradas de los espectadores cuando salga a escena con ella. Se van a quedar boquiabiertos con esta belleza. Tenéis que estar aquí para verlos. Diré a Cristóbal que os invite el día del estreno.

Clara sonrió. Tendría y estaría. Y llevaría con ella al señor Luis, andando, como que se llamaba Clara Román.

Hacía tiempo que Nicolás había terminado de hablar con el empresario, pero aún seguía allí, en la puerta, junto a aquel muchacho flacucho al que no había conseguido sacar dos palabras seguidas y que no hacía más que observar a una pandilla de bribones de su misma edad que se divertían dándole patadas a las piedras.

Ella estaba dentro. Se lo había dicho Cristóbal de la Puente cuando se despidió de él. Y no había podido marcharse. Le odiaba. Se lo había dicho la última vez que se habían encontrado. Y a pesar de ello, se había quedado. Tenía, necesitaba, hablar con ella, que lo dejara explicarse y lo escuchara. Eso era lo único que pretendía, se dijo. Y entonces, ¿por qué le ardían las manos del deseo de tocarla?

La puerta se abrió con un chirrido y Clara apareció de repente. ¿Qué hechicería le había lanzado aquella mujer para que nada más verla se le alegrara el alma?

—¿Qué haces tú aquí?

Nicolás, en vez de contestar, se volvió hacia el chico.

—Zagal, ¿cómo te llamas?

El ayudante del sastre miró a Clara retándola.

—Miguel —contestó con desparpajo.

Así que el mozalbete se envalentonaba cuando estaba delante de una mujer.

—Miguel, ¿crees que puedes irte un rato por ahí? —le sugirió al tiempo que hacía un gesto hacia los otros chavales. Clara lanzó una interjección de sorpresa—. Seguro que a tu ama no le parece mal que te diviertas —la desafió.

—No es mi ama —soltó el chico con rabia.

Nicolás sacó un par de maravedíes de la bolsa que colgaba de su cintura y los hizo saltar en la mano, por si el muchacho no tenía claro cuáles eran sus prioridades. Miguel los cogió al vuelo y desapareció de su vista con la rapidez de un gamo.

Clara estaba estupefacta.

—¿Se puede saber...?

No, no se podía.

La calle desapareció ante ella y estaba de nuevo dentro del corral de comedias.

De un vistazo rápido, Nicolás se aseguró de que ninguno de los vecinos se interesaba por nada que sucedía en el patio. Cogió la ropa que ella sujetaba en sus brazos y la depositó sobre el banco más cercano. Condujo a Clara hasta el rincón más apartado.

—¿Se puede saber...? —repitió ella indignada. Nicolás la miró con firmeza—. No te atrevas —le amenazó Clara—, no te atrevas a herirme.

Nicolás le respondió con el aleteo de las pestañas.

—Jamás —susurró y se acercó a ella para poder aspirar su fragancia.

A pesar de sus palabras, Clara dio un salto atrás, como asustada. Nicolás se quedó atónito.

—¿Qué es lo que temes? ¿A mí?

—¿Acaso debiera sentir otra cosa ante una persona que a la mínima oportunidad se arroja contra un hombre bueno y le da una paliza cuando nada ha hecho para merecerlo? Te comportas como una bestia.

Nicolás no pudo reaccionar ante aquel ataque.

—Sabes que no soy así —dijo con voz sedosa.

—No, no lo sé. No sé cómo eres en realidad. Hubo un tiempo en el que pensé que eras una persona que se merecía mi afecto, pero tú mismo te has encargado de destrozar la idea que tenía de ti.

Con estas palabras, Clara dio por finalizado el encuentro con aquel hombre y se hizo a un lado para pasar, pero Nicolás no estaba dispuesto a dejar que se le escapara ahora que la tenía tan cerca.

Lo había pensado mucho. El desprecio que Clara le mostró el día que golpeó al sastre le había llegado muy hondo. Joos, por medio de Justa, se había encargado de aclararle cuál era la verdadera relación entre el sastre y Clara. Y no había nada de sórdido en ella. No podía dejarla irse de aquel modo, tenía que conseguir que volviera a confiar en él.

—Concédeme un momento.

—No, no estoy dispuesta a volver a escuchar tus miserables palabras sobre por qué te comportas como lo haces. Déjame pasar —dijo al tiempo que se movía a un lado.

Nicolás le interceptó el paso y la tocó de nuevo, confiado de poder transmitir con el calor de su piel lo que no conseguía con sus palabras. Se inclinó y le besó los nudillos. Y después, se quedaron quietos, como hipnotizados, con las pupilas clavadas en los ojos del otro.

—No es una explicación lo que quiero ofrecerte —suplicó él.

Clara parpadeó, salió del embrujo al que la había sometido y arrancó su mano de la de Nicolás.

—¿Y qué es entonces? ¿Una justificación? Nada, ¿me oyes?, nada puede justificar tus arranques de cólera y tus inaceptables razonamientos.

—Lo sé. Por eso quiero disculparme.

Aquello sí que no se lo esperaba.

—¿De qué? ¿De no amparar a... a quien lo necesita, de tus ataques de ira o de tu desconfianza en mí? —preguntó mientras le daba vehementes empujones con cada palabra que pronunciaba.

Quería marcharse antes de que su fortaleza se resquebrajara, pero Nicolás le sujetó la muñeca y cogió su mano.

—Por todo, quiero disculparme por todo —murmuró mientras comenzaba a acariciarle la palma.

Ella la apartó de un tirón, antes de que los dedos de Nicolás le hicieran rememorar sensaciones en las que no quería pensar.

—Hay cosas que no tienen remedio.

¿Lo pensaba de verdad?

—Necesito verte de nuevo —le rogó él acercándose demasiado y mirándola fijamente a los ojos.

—¿Por qué? —fue lo único que se le ocurrió a Clara, nerviosa al darse cuenta de lo que le afectaba su presencia.

—Hubo un tiempo en el que no necesitabas una razón para estremecerte entre mis brazos.

Era cierto.

—Hubo un tiempo en el que no tenía nada que perder.

—¿Lo tienes ahora?

«Mi casa, mi trabajo, mi vida, mi serenidad.»

—Tengo una ocupación que atender —afirmó sin mucha decisión.

Nicolás se vio reflejado en sus palabras. Y no sabía si le gustaba demasiado. Él también la había abandonado por su trabajo, por alcanzar la meta que ambicionaba, y ya había comenzado a perder. La había perdido a ella.

—¿Me estás diciendo que no vas a tener tiempo para considerar mis atenciones?

Clara regresó a la realidad de golpe y lo empujó con todas sus fuerzas para apartarlo de ella, antes de que aquel hombre bloqueara sus defensas.

—No te das cuenta, ¿verdad?

No. Su cara de extrañeza decía que no tenía idea de qué le estaba hablando.

—¿Darme cuenta? ¿De qué se supone que...?

—Yo, yo, yo y yo. No sabes pronunciar otra palabra. A ti no te importa nadie más que tú. Dices que me necesitas, ¿te has planteado alguna vez qué es lo que yo preciso? ¿Qué es lo que los demás requieren? No, el gran Nicolás Probost, ¿cómo iba él a preocuparse por nadie? Eres como un vendaval, como la lluvia torrencial, igual de destructor que la nieve que parte las ramas de los árboles y que el calor que agosta los campos. Te comportas como un ser superior, haciendo y deshaciendo a tu antojo. De repente, me besas y me acaricias, de repente, me tratas como a una extraña. Un día decides que vivo junto a otro hombre y le pegas una paliza, y al día siguiente te convences de otra cosa, me esperas en una esquina y me dices que me necesitas. ¿Y aún te extraña que te pregunte por qué? ¿Por qué lo haces? ¿Por qué me buscas?

Se calló mientras luchaba por apagar la llama que su voz, su cara y su contacto habían vuelto a pender en su interior.

Nicolás se quedó sin habla. Le resultaba imposible responder a la pregunta que Clara le formulaba. No podía contestar a algo para lo que no tenía respuesta cuando ni él sabía aún a qué atenerse. ¿Cómo hablarle del anhelo que tenía por ella y que había ido creciendo desde el momento en el que la había visto tan unida al sastre?

—Lo siento —murmuró y adelantó las manos para atraerla de nuevo junto a él.

Pero Clara intuyó sus intenciones, se escabulló y se alejó de él.

—No, no, no, no lo voy a permitir. No voy a dejar que apeles a mi compasión. No voy a aceptar que socaves mi confianza y consumas mi energía. Olvídate de ello, olvídate de mí —farfullaba mientras cogía de nuevo la ropa que había dejado sobre el banco y se dirigía hacia la puerta.

—No voy a renunciar a ti.

Ella había llegado a la salida. Se dio la vuelta furiosa cuando oyó lo que él acababa de anunciar.

—Tú, de nuevo tú, siempre tú.

—Cambiaré. Lo haré por ti.

Clara le echó una intensa mirada antes de salir y desaparecer de su vista.

Bajó la calle lo más rápido que pudo. Esperaba, deseaba, que la brisa que soplaba se encargara de secar las lágrimas que se agolpaban en sus ojos.

Él había dicho que cambiaría. «A veces, la gente lo hace.» Pero nada más pensarlo, se dio cuenta de que la mayoría de las veces las palabras vuelan como el viento y desaparecen en la lejanía, dejando al que las escucha maltrecho y herido.

Y ella no iba a dejar que la lastimara de nuevo.

Nicolás supo que Molina había entrado en la sala por el golpe de su bastón y porque todas las conversaciones se detuvieron y los músicos retomaron su trabajo. Levantó los ojos lo suficiente para verle de espaldas a él. El ruido de la cerradura del armario le indicó la hora que era. Tarde si sacaba la llave para que el encargado de recoger las partituras las guardara.

Sopló varias veces sobre el acorde que acababa de dibujar en el papel y lo colocó con disimulo debajo de otra de las partituras «oficiales» que tenía a medias. Justo a tiempo.

Molina se dio la vuelta y lo miró con desconfianza.

—Estás muy atareado.

Nicolás alzó la vista y se enfrentó a él.

—No creo que hayáis tenido queja de mí en ese sentido —alegó, mordaz.

—No, no, no en ese, desde luego —contestó con un gesto tranquilizador y la sonrisa más falsa que el motete que se suponía que estaba componiendo Nicolás.

—¿Y sí en cuál?

—¿Vas a mostrarme cómo llevas el trabajo o prefieres continuar conversando?

Nicolás dudó un instante, pero al fin extendió la mano y le tendió el pentagrama.

—Si os interesa, puedo mostraros también tres Alleluia, dos Offertorium, un Introitus y un Agnus Dei —presumió.

—Puesto que lo mencionas, estaría dispuesto a examinarlos.

«Como si no estuviera deseando echarles la vista encima.»

Nicolás se acercó al extremo izquierdo del anaquel que ocupaba parte de la pared de la sala de ensayos, abrió el último cajón y sacó todas las piezas de la misa que había compuesto hasta entonces.

Esperó unos minutos antes de hablar, mientras la mente de Molina absorbía lo que sus ojos de rata veían.

—No creo que tengáis ninguna demanda que hacerme. Espero que con esto sea suficiente para que os hagáis una idea de cómo será el resto.

—Faltan el Kyrie, el Gloria, el Credo, el Sanctus, el Graduate, y la Communio. Lo quiero ver todo antes de que finalice el mes.

Nicolás hizo un cálculo a toda velocidad. Apenas le dejaba veintidós días. «El muy bastardo.» Ni olvidándose de dormir le daría tiempo a tenerlo listo en tan pocos días. Ni que decir cuando tenía que cumplir también con las entregas del corral de comedias.

—Sabéis que no podré tenerlo para entonces.

Molina le devolvió las partituras.

—Procura hacerlo. Tienes mi palabra de que si lo acabas en esa fecha y tiene calidad, la misa del Domingo de Gloria es tuya.

Y cuando Nicolás lo vio desaparecer, supo que a veces la vida daba una segunda oportunidad a quien lo merecía. Y él no era de los que rechazaban la segunda jarra de vino. Se dejaría la piel en ello, pero por su madre olvidada y sus hermanos desconocidos que Molina tendría su música y el señor De la Puente, la suya. A tiempo.

Joos no tardó en aparecer y Nicolás olvidó la promesa que acababa de hacerse. Se marchó con él.

Caminaban por uno de los pasillos de palacio hacia la sala de ensayos y el cantor le contaba su último encuentro con Clara.

—Ella se marchó y te dejó allí con cara de pánfilo —se rio su amigo.

—Déjalo. Ya te has reído todo lo que has querido de mí y creo que es suficiente, ¿no te parece?

—Te lo tienes merecido. ¿Pensabas que después de abandonarla a su suerte y darle una paliza al hombre que le ha dado cobijo te esperaría con los brazos abiertos? Perdiste tu oportunidad cuando la echaron de palacio y no hiciste nada por ayudarla. Olvídate de ella.

—Voy a demostrarle que no soy como ella cree —musitó para sí y aceleró el paso.

Joos corrió para alcanzarlo.

—¿La vas a cortejar? Sería la primera vez que veo a Nicolás Probost en esa tesitura. Va a ser muy divertido.

—Ni te pienses que voy a hacerte partícipe de mis avances.

—Bien, pues si no quieres hablar más de ella, cuéntame cómo te va con tus dos encargos. —Pero antes de que a Nicolás le diera tiempo de contestar, continuó—: No sé cómo te las vas a arreglar. No entiendo cómo has conseguido meterte en ese follón. Te vas a volver loco escribiendo canciones populares a ratos y música sacra el resto del tiempo. ¿Cómo vas con las entregas a tus dos peticionarios?

—No me atosigues. Por ahora he conseguido llevar a De la Puente una parte de lo convenido. El resto se lo he prometido para dentro de cuatro días. Pero no sé cómo lo voy a hacer, Molina no me quita ojo de encima. En cuanto me doy la vuelta, lo tengo detrás de mí. Antes casi me pilla terminando una canzona, pero ni se ha enterado de que no estaba trabajando para él. Está tan satisfecho de sí mismo que ni se imagina que pueda salirme del camino que él me ha trazado.

—En cualquier caso, no entiendo cómo tienes la capacidad de atender a ambas cosas.

—Lo de los cantorcicos ya me lo he quitado de encima. Los llevo y los traigo, nada más. Le he pasado a otros mis obligaciones en palacio para con ellos. Estuve en un tiento de decírtelo a ti, pero sabía que no ibas a aceptar.

—¿Estás loco? ¿Y si te descubren?

—Molina ni se va a enterar. ¿Desde cuándo has visto que se preocupe por los niños?

—Alguien puede irle con el cuento.

—¿Quién? ¿El que se encarga ahora de mi tarea? No te preocupes, se saca unos cuantos reales; un comentario fuera de lugar y se queda sin su salario. Lo tengo bien sujeto.

—Con todas esas intrigas, ¿aún te quedará tiempo para enamorar a Clara?

—Ten por seguro que no la voy a dejar marchar.

—Pareces decidido.

—Olvídate de saber los detalles, solo te voy a decir que me he dado cuenta de que mis días son más alegres cuando la veo.

Joos le dio una palmada en la espalda, divertido.

—A eso se llama...

—Ni lo menciones —le advirtió Nicolás mientras desaparecían en un recodo del corredor.

Tres semanas habían pasado, tres. Y ya no aguantaba más sin verla.

Había fingido una indisposición y se había quedado acostado. Carmen, la criada de Bonmarché, que había pasado al servicio de Molina junto con la casa, se había desvivido durante todo el día por él. ¡Pobre viejita! Nicolás había aprovechado aquellas horas para dar rienda suelta a su invención y había trabajado durante horas. Y no podía estar más satisfecho del resultado.

Solo esperaba que Molina no se enterara del engaño. Carmen no lo traicionaría, de eso estaba seguro. Tampoco era probable que ninguna de las tres criadas, que ayudaban a la mujer a sostener aquel hogar, dijera nada. Su único temor era que alguien del vecindario detuviera al maestro en su regreso a casa y le hiciera algún comentario sobre la música que se componía allí dentro. ¿Y qué si lo hacían? Siempre podía alegar que a partir de media mañana los males habían remitido y se había sentido mejor para atender parte de sus obligaciones.

Nicolás miró al cielo y se caló el sombrero. ¡Maldita lluvia! También era mala suerte que se pusiera a llover en el momento en el que él salía.

Acudía a la sastrería. A esperarla. A verla.

Se detuvo en la esquina.

Allí estaba, allí la tenía, delante de él, bajo la lluvia, mirando la fachada recién pintada de la tienda.

El cubo con la mezcla color grana, que había utilizado para decorar el taller, estaba en el suelo, al lado de Clara. ¿A quién se le había ocurrido ponerse a pintar durante la única jornada del invierno que el cielo descargaba su furia sobre la capital?

A ella, a Clara. Lo habría decidido hacía días y él sabía por experiencia propia que no era persona fácil de convencer.

—¡Clara! Entrad, el señor Luis os reclama —se oyó la voz del muchacho desde dentro de la casa.

Nicolás se revolvió, inquieto. ¿Por qué atendía la llamada con esa urgencia? Se suponía que ella no tenía nada que ver con aquel hombre? Entonces, ¿a qué tanta prisa?

El corazón de Nicolás se aceleró al volver a plantearse la relación de Clara con el sastre. La ira le pedía entrar en la tienda y obligar al dueño a enseñar sus naipes, pero se contuvo. Por ella.

«A tiempo», se dijo cuando vio que otro tipo descendía los escalones hasta la plazuela y se acercaba a la casa.

—¡Señor De LaGavia! —exclamó Clara cuando, al salir, tropezó con su inquilino—. Habéis llegado más pronto que otros días.

—A don Gonzalo le ha surgido un asunto familiar y ha tenido la amabilidad de dispensarme del trabajo restante —explicó el inquilino mientras se echaba hacia atrás y estudiaba el nuevo aspecto de la sastrería—. Os ha quedado muy bien.

La sonrisa de Clara iluminó la plaza.

—Dais por supuesto que lo he hecho yo sola.

—¿Y no ha sido así? Por lo que he podido observar los días que llevo en la casa, os creo capaz de eso y de mucho más.

Aquellas palabras consiguieron encoger las entrañas de Nicolás. Pidió calma al furor que le crecía por dentro y apretó los dientes para contenerse. Así que aquel tipo también vivía con ella.

Clara salió al exterior de nuevo y se colocó junto al individuo.

—Las letras han quedado perfectas. Es lo que más me ha costado. Por suerte, el señor Luis... mi tío... tenía un puñado de cal en el patio y las he podido remarcar. Todavía me ha sobrado un poco —añadió y señaló una pequeña olla rota que había dejado bajo el alero.

—¿Habéis terminado, entonces?

—A punto estaba de recoger —dijo ella acercándose al cuenco de la pintura granate.

—Permitidme que os ayude.

Si no llega a ser porque Nicolás la conocía, habría jurado que se habían besado. Todo estaba a su favor; las cabezas, una junto a la otra, las manos al coger el barreño, y el tiempo. Demasiado tiempo, demasiado cerca.

Clara fue la primera que se incorporó. Sonreía. Y no a él, precisamente.

—Como veis, no es necesaria la ayuda, aunque se agradece el ofrecimiento —le contestó ella dirigiéndose al interior.

¿Sonaba su voz demasiado alegre?

El desconocido la siguió con prisa. La puerta se cerró de golpe.

Nicolás no pudo evitarlo, una fuerza superior a él lo empujó hacia delante.

Se detuvo a un palmo de la casa, con un nudo en el estómago y el puño en alto, a punto de golpear la madera.

«No voy a permitir que me hieras», le había dicho ella.

Bajó el brazo y clavó los ojos en la puerta.

Y no lo haría. Nada más lejos de su intención. Herirla. ¡Como si pudiera! Ahora que había sentido el pánico de perderla en brazos de otro, lo único que deseaba era acunarla entre los suyos y que su aliento calentara el hielo que le aparecía en medio del pecho cuando la imaginaba lejos de él. Era curioso, los días pasados en Valsaín parecían tan lejanos. Apenas recordaba nada de ellos que no fuera el sonido de la risa de Clara y el calor de su piel. Aquellos momentos, en los que la había tenido tan cerca, le parecían irreales. Los veía en sus recuerdos cubiertos de una espesa niebla. Y ahora, en cambio, que la espiaba de lejos, a escondidas, como un rufián cualquiera, el solo hecho de verla provocaba en él la mayor de las felicidades.

«Lo que se reirá Joos como se entere.» Pero no lo iba a saber, ni Joos ni nadie porque aquel era su secreto.

Se movió para marcharse antes de que lo descubrieran, con tan mala suerte que dio una patada al jarro que contenía la cal con la que Clara había coloreado las letras de la sastrería. Lo volvió a tocar con la punta de la bota para detener la oscilación.

Se le ocurrió de repente. Si Clara no lo quería a su lado, respetaría su deseo. Sin embargo, no se iba a acostar ni un solo día sin que pensara en él. Y, sin cuestionárselo dos veces, se agachó, cogió el pincel, que aún permanecía dentro de la masa blanquecina, y garabateó sobre la fachada recién retocada.

Que él había estado allí era su secreto. De él y, a partir de entonces, el de ella también.

13

«¡Ay, Señor!», pensó Clara cuando vio las notas pintadas en la fachada.

Nicolás había estado allí. Y quería que ella lo supiera. En la pared, a media altura, a un lado de la puerta, había tres puntos blancos, suspendidos de unas líneas. Aquel que nunca hubiera visto una partitura pensaría que no eran sino pintarrajos hechos por uno de los pillastres que correteaban sin rumbo por las calles. Pero Clara sabía que aquellos símbolos tenían una intención muy distinta.

—Habéis madrugado mucho.

Fernando de LaGavia estaba a su lado y ella ni se había enterado de que había salido de la casa.

Clara miró los dibujos por última vez y apretó su corazón. «Pero esto no cambia nada», se dijo antes de volverse a su inquilino y entrar en la casa con la figura de Nicolás aún danzando en su mente. Él la siguió hasta la cocina.

—No más que vos —contestó ella—. Hoy tengo un día ocupado. Miguel aparecerá en breve y a media mañana tengo que estar en el corral de comedias para otra prueba.

—¿Cómo os arregláis con vuestro tío en ese estado?

La pregunta obligó a Clara a dejar al músico a un lado y a centrarse en el hombre que se dirigía a ella. Tenía que estar atenta. De su boca no podía salir ninguna referencia a que ella no era otra cosa más que una simple bordadora.

—Por suerte, el trabajo de sastre estaba ya terminado cuando sufrió la apoplejía. Miguel se limita a unir las piezas que él cortó y yo las decoro —mintió mientras ponía un caldero sobre la chimenea y acercaba la lámpara de aceite a la paja y a los palos para encender el fuego.

Poco tiempo después, las llamas calentaban la estancia y el agua de la olla.

—No me refería solo a eso, pensaba en que siempre estáis pendiente de todo; lleváis la casa, cuidáis a vuestro tío y sacáis el negocio adelante.

Clara se encogió de hombros, se dirigió al taller con él detrás, cogió la escoba y comenzó a limpiar el suelo.

—¿No es lo que hacen todas las mujeres? ¿Ocuparse de todo y hacer que las cosas sigan adelante, con más energía aún cuando estas se complican?

«Mientras luchan para que su corazón salga bien parado.»

De la alcoba donde el sastre descansaba llegó un ruido. Clara apoyó la escoba contra la pared y se dispuso a acudir al lado del señor Luis.

Fernando de LaGavia la detuvo.

—Hoy disfruto del día libre. Permitidme que lo dedique a hacer que el vuestro sea más amable.

Clara miró la mano que la sujetaba y después a su rostro.

—Como gustéis —aceptó no sin cierta cautela.

Era cierto que aquel hombre se había comportado con amabilidad desde su llegada, pero Clara no olvidaba la primera impresión que había tenido de él: la codicia le brotaba por las pupilas.

Fernando de LaGavia fue el hombre perfecto durante el resto del día. Afeitó al señor Luis, lo ayudó a vestirse, lo calzó y, con la ayuda de Miguel, lo obligó a levantarse, a salir a la calle y a pasear. Si pasear se llamaba a arrastrar el pie derecho cada vez que adelantaba el izquierdo. No lo dejó en paz hasta que el sastre se quejó del trato que estaba recibiendo. Cuando entraron en la casa, el hombre tenía la frente perlada de sudor, pero había desaparecido de sus ojos la turbiedad de los días anteriores.

El secretario insistió en que no se volviera a tumbar, que se quedara sentado. Y para ello, él mismo bajó del piso superior la silla más robusta que había en la vivienda.

—Así podréis estar en el taller. Los días se os harán menos largos y vos —se dirigió a Clara— podréis dedicaros a vuestra labor sin necesidad de estar interrumpiéndoos tan a menudo para atenderle.

—Y así —susurró ella para que el sastre no la oyera—, será más fácil para los muchachos de la señora Engracia obligarlo a pasear varias veces al día.

A pesar de lo que el medicucho había pronosticado sobre la imposibilidad de que controlara alguna vez el lado derecho de su cuerpo, el señor Luis ya había hecho algunos progresos. Hasta el habla le había mejorado. Las pausas entre palabras eran ahora más cortas y mayor su facilidad para pronunciar algunos sonidos. Aunque con la pierna y el brazo derecho solo conseguía hacer pequeños movimientos, los hijos del joyero insistían en que el esfuerzo que ellos hacían para sostenerlo era menor ahora que los primeros días.

Clara estaba convencida de que en poco tiempo el señor Luis les sorprendería a todos y caminaría solo.

Además, ella lo necesitaba. Necesitaba que el sastre se repusiera. El encargo del teatro estaba casi listo y tenían que atender a otros clientes. El hijo de la señora Agustina se casaba en tres semanas y su madre esperaba, ansiosa, las camisas desde hacía más de un mes. Aquello no podía dejarlo por más tiempo, tendría que hacerlo ella y necesitaba un rato de tranquilidad para poder cortarlas sin que nadie la viera. Le contaría a Miguel que las había encontrado cortadas al fondo del arcón. Y rezaría para que el muchacho la creyera.

Conseguir verse libre de Fernando de LaGavia también sería de gran ayuda. Con él siguiéndola y observándola durante todo el día, apenas avanzaba con la labor pendiente.

—¿Habrá solucionado el juez sus problemas familiares?

Al secretario no le pudo extrañar más la pregunta.

—Dijo que me mandaría recado cuando regresara a la Junta.

—Probablemente lo haga hoy. No creo que una persona con

un cargo como el suyo pueda alejarse de los asuntos oficiales durante mucho tiempo.

—Es que es un hombre sumamente ocupado.

—Vos, os traéis trabajo, ¿verdad? Lo pregunto porque soléis acostaros muy tarde.

«Y porque necesito saber a partir de qué hora estaré libre de miradas curiosas.»

Fernando de LaGavia no podía estar más contento. Aquella era la primera vez que Clara se interesaba por él. Hasta el momento, y a pesar de que convivían bajo el mismo techo, sus conversaciones no habían pasado de cuatro palabras corteses a la hora de la cena.

—Hay días en que la Junta de Población se ve desbordada de trabajo.

Clara prefirió callarse lo que opinaba de la carga de aposento y de la obligación de alojar a extraños en casas ajenas y, mucho menos, de sugerir qué se podía mejorar en la villa con los reales que la Junta recaudaba.

—Entonces, ¿trabajaréis también hoy hasta la madrugada? Deberíais aprovechar para descansar —comentó Clara con mucha afectación.

Él mostró una amplia sonrisa ante la «franca» preocupación que Clara mostraba por él.

—Lo haré.

—Os lo merecéis —contestó ella con interés y la idea de que las camisas no pasarían de aquella noche. Miguel empezaría a unir las piezas al día siguiente, y ella comenzaría a bordarles el dibujo de la pechera.

Ahora que había conseguido lo que se proponía, Clara dio por terminada la tertulia y se levantó de un salto. Dobló la tela en la que trabajaba y la dejó sobre la mesa.

—¿Os marcháis?

—Hay que seguir atendiendo a los clientes —le informó, como si la necesidad de trabajar y de alimentarse necesitara alguna explicación.

—¿Vais sola?

Clara se volvió hacia la figura que cosía en el rincón.

—Sí, Miguel ha de terminar lo que tiene entre las manos hoy mismo.

—Os acompaño. Las calles de la villa, a veces, no son tan seguras.

Fernando de LaGavia tenía razón y Clara aceptó el ofrecimiento. Un rato más tarde, salía del taller escoltada por todo un secretario de la Junta de la Población, Agricultura y Comercio.

Él charlaba animadamente sobre lo largas que se le hacían a menudo las jornadas y ella le escuchaba con aparente interés.

Sin embargo, no pudo evitar que sus ojos se dirigieran a las notas de la pared. Un estremecimiento le recorrió la espalda. Nicolás había vuelto a lo largo del día y las dos figuras del día anterior se habían convertido en cuatro. Se le encogió el estómago y un extraño gozo se le subió a la garganta. Buscó a su alrededor. Ni rastro de él. No pudo evitar que la congoja sustituyera la alegría.

Y Clara supo que a partir de entonces, no pasaría ni un solo instante sin preguntarse dónde y cómo estaría.

El jurista no apareció ni al día siguiente ni al otro ni al tercero y su secretario fue asignado, junto al resto de los casos, a otro letrado. El efecto fue que ni uno ni otro fueron atendidos. Bastante tenía el nuevo jurisconsulto con sus propios asuntos, como para hacerse cargo de los de los demás. Y, sin nadie al que obedecer ni casos a los que atender, la única ocupación del secretario era contestar a aquellos que acudían a la corte para enterarse de cómo iban sus cuestiones. La respuesta era sencilla: «vuelva usted mañana». Así pues, Fernando de LaGavia regresaba a la sastrería a la hora de la siesta y no volvía a ocupar la mesa de la Junta de Población hasta la mañana siguiente.

En consecuencia, Clara había conseguido un fiel acompañante. Además, la señora Engracia insinuaba, en cuanto tenía ocasión, lo buen mozo que era y lo que se alegraría de que las campanas de la iglesia de San Ginés tañeran a cantos de boda.

Y Clara empezaba a plantearse si no sería una idea apropiada.

El secretario era un hombre agradable, tenía una conversación amena, era complaciente con el sastre, buen trabajador y no tenía costumbres indebidas. En opinión de la joyera esta era una cuestión muy importante puesto que, aseguraba la mujer, eran muchos los hombres que se dejaban el jornal en cualquier tugurio camino de sus casas.

Además, llenaba a Clara de atenciones y, lo mejor, estaba acostumbrado a verla trabajar y no parecía importarle. No le molestaba que atendiera a los clientes, fueran hombres o mujeres, que discutiera con los proveedores y hasta le impresionaba verla llevar las cuentas. Y le interesaba el negocio.

Regresaban a la sastrería de hacer la visita semanal a la señora de Brañas para dejarle los cuellos y los pañuelos que Clara bordaba.

—La viuda parece una mujer muy capaz.

—Si no fuera por los tardos de sus cuñados, haría tiempo que habría acrecentado el negocio.

—Aprecia vuestros bordados. Parece que os tiene cierta estima.

—Estaos seguro de que por mucho que me aprecie, no me trataría de igual manera si no vendiera bien mis labores.

—¿Por qué lo hacéis? —le preguntó él de repente. Clara no entendió a qué se refería con aquello—. ¿Por qué se los ofrecéis a ella si los podéis comerciar vos misma a vuestros clientes?

—Sabéis que el negocio es una sastrería. Nunca me permitirían vender mis labores en ella. Vos, mejor que nadie, deberíais saberlo puesto que conocéis las leyes de la villa.

—Cambiadlo.

Clara se detuvo.

—¿Qué queréis decir?

—Vuestro tío tardará en reponerse y no podrá atender a sus clientes hasta entonces, si es que alguna vez mejora lo suficiente. ¿Qué tenéis pensado cuando terminéis con los encargos que coséis en este momento? La noticia de su enfermedad ya ha corrido por el vecindario. No he visto nuevas telas y la cuerda de tomar medidas reposa en el mismo sitio desde hace tiempo. Hace días que nadie os hace nuevos encargos. No es previsible que el negocio se sostenga durante mucho más, así pues, cerradlo, cambiadle la dirección, modificadle el enfoque. Sois una mujer, una mujer que no solo cose sino que lo hace muy bien. Utilizad vuestra habilidad, hacedlo para mujeres. Sabéis cómo tratarlas. He visto cómo os conducís con la señora de Brañas, haced lo mismo con las otras. Bordad para ellas los puños y los cuellos que lucirán el domingo en la misa de la catedral. Sois una señora, trabajad pues para ellas.

La alocución había absorbido la atención de Clara, tanto que ni se había enterado de que habían llegado a la sastrería.

Su inquilino tenía razón. ¿Cuánto tiempo aguantarían de esa manera? Tendría que hablar con el sastre. Era cierto que el señor Luis progresaba, pero aún no podía hablarse de grandes avances. Además, nada le garantizaba que alguna vez pudiera recuperarse del todo.

A Clara le entraron ganas de llorar, no hacía ni un mes que se jactaba delante de Justa de lo que había conseguido y ahora estaba prácticamente como al principio. No, no como cuando salió de palacio, ahora tenía un «familiar» al que cuidar, un negocio que sostener y... dos nuevas notas musicales pintadas en la fachada.

—¡Eh, vos! ¿Qué estáis haciendo?

Fernando de LaGavia bajó los escalones de la plaza de dos en dos y sujetó a Nicolás por el cuello. Clara se recogió el ruedo del vestido y se precipitó detrás de él.

—Soltadle —le rogó.

Aquella tarde, con la cabeza llena de dilemas, no era capaz de ocuparse de un solo problema más. Y mucho menos de pensar en el sufrimiento que le causaría que alguno de aquellos dos hombres saliera herido.

El secretario tardó en atender su pedido.

—¿No tenéis nada mejor que hacer que malograr lo que a otros tanto les ha costado mejorar? —increpó a Nicolás—. La señorita se pasó todo un día embelleciendo la pared y venís vos y la echáis a perder en un momento. ¡Idos a pintarrajear a otro sitio! —le gritó al tiempo que lo empujaba con toda su rabia.

Clara escuchó a la perfección el golpe seco de la cabeza del músico al chocar contra el muro. Y se preparó para hacer frente a su cólera. Pero nada sucedió, Nicolás miró al secretario y, luego, desvió la mirada hasta encontrar lo que había ido a buscar.

Los ojos de Clara eran tenues y perfectos. Brillantes, decididos. Como ella.

Sin necesidad de usar las manos, separó la espalda de la pared contra la que aquel petimetre, que se fingía tan valiente delante de Clara, lo había arrojado.

—No temáis. Ya me iba —aseguró mirando al secretario. Pero Clara supo que era a ella a quien se lo decía—. He terminado aquí —murmuró al pasar junto a ella—, por hoy.

Cuando Clara sintió que la palma de la mano de Nicolás rozaba la suya, tuvo que contener el deseo de enredarse en sus dedos y retenerlo. Para siempre.

Y es que su mente le decía una cosa y su alma le pedía otra. Se debatía entre la serenidad de su recién estrenada vida y la trampa de sus caricias. Cuando él no estaba, cuando no lo veía, fingía ser feliz, pero solo cuando aparecía de nuevo, se le revolvía el cuerpo, el corazón le botaba en el pecho y la dicha le inundaba por dentro. Y era entonces cuando se daba cuenta de lo que echaba de menos el color de su sonrisa, el brillo de su pelo y la caricia de su voz.

Nicolás se marchó cantando una corta tonadilla. Apenas seis notas que repetía una y otra vez. Seis notas, seis, las mismas que estaban pintadas sobre la pared de la sastrería.

Pero las cosas cambiaron cuando desapareció de la vista de Clara. Aún temblaba cuando llegó a la puerta de palacio. La rabia de encontrarla con otro lo había llenado de ira. Pero aquel furor pronto había desaparecido para ser sustituido por el miedo. El temor a perderla había sido tan intenso como el día en el que no se pudo contener y golpeó al sastre.

Se sentía como si un borracho hubiera vertido los restos del vino añejo sobre él y después le hubiera estampado el jarro en medio de la frente.

—¡Abrid la puerta al tenor de la corte! —gritó uno de los guardianes del palacio.

«El tenor, el cantor, el músico más genial.» Tenía muchos

apelativos, algunos creados por él mismo, pero hacía ya tiempo que había empezado a pensar que en realidad lo único con lo que contaba, lo único que era suyo en realidad, era aquello que le surgía de dentro. La música, «su» música. Y era precisamente eso lo que iba a ofrecer a Clara. Y era precisamente por eso por lo que había decidido aparecer ante ella con las manos en alto, con las manos abiertas, con las manos vacías y el corazón lleno.

Ahora solo esperaba que ella estuviera dispuesta a aceptarlo.

Y mientras tanto seguiría trabajando para aspirar al título de mejor músico de la corte.

Marzo pasó y la Semana Santa comenzó.

Nicolás entró en el templo desde el Patio del Rey. Aún estaba vacío. Faltaba más de una hora para que se celebrara la eucaristía del Domingo de Gloria, sin embargo, quería empaparse de la quietud del edificio antes de que todo comenzara. Los últimos veinte días habían sido los peores de su vida. No había tenido tiempo para nada más que cantar, componer y ensayar. Hacía ya varias jornadas que no acudía a la sastrería. Por un lado, deseaba —¡y de qué manera!— que la ceremonia finalizara para poder retomar sus visitas a Clara y, por otro, que no empezara. De lo que sí estaba seguro era de lo que sentiría cuando los órganos dieran paso a la música.

A «su» música, porque era suya, porque era él quien la había creado.

Tanto lanzar maldiciones contra Molina y al final se había comportado como un hombre honorable; había examinado cada una de las partituras y les había dado el visto bueno, había ordenado que el copista hiciera las copias para los instrumentos y las voces y las había repartido entre los componentes de la Real Capilla. Claro que el muy canalla no había hecho público quién era el autor de toda la música que se cantaría y se tocaría aquel día tan señalado, pero ya se había encargado él de solucionarlo; en el margen superior de todos y cada una de los manuscritos aparecía su nombre en letra capital. Para eso el copista era, desde hacía años, un buen «amigo» suyo.

Se le escapó una carcajada que resonó en toda la iglesia e hizo volverse a cuatro de los seis capellanes de altar que preparaban el culto. Nicolás ni se molestó en hacerles un gesto para tranquilizarlos. Simplemente, se apoyó en una de las columnas centrales del templo y cruzó los brazos, dispuesto a disfrutar del silencio.

«Ya llegará el momento en que las paredes vibren de emoción.»

Aquel día, la reina no se sentaría en la tribuna que se había instalado no hacía demasiados años para que la regente disfrutara de las ceremonias religiosas con más recogimiento. No, aquel día, Ana de Austria haría la entrada triunfal por la puerta a los pies de la nave central y ocuparía su puesto en la tribuna inferior, justo enfrente del altar. El rey en persona había mandado retirar la reja situada en aquel punto para facilitarle el acceso desde sus dependencias.

El monarca entraría por el mismo punto, después de ella, y haría el mismo recorrido, tal y como establecía la etiqueta de la Casa de Borgoña, que Felipe II había hecho instaurar en la vida palaciega. El rey cruzaba, en primer lugar, todos los aposentos reales con su séquito; recorría las galerías superiores del patio hasta llegar a la Sala Grande de la emperatriz y, de ahí, pasaba a la capilla. Todo aquel ceremonial, que en ocasiones le resultaba a Nicolás excesivamente artificioso, aquel día le parecía el marco perfecto para una obra de arte. «Su» obra de arte.

La entrada de personas en el templo llamó su atención. Alzó la vista hacia la primera de las tribunas. Los organistas se acomodaban en su sitio, al igual que hacía el resto de los músicos. Solo tres de los bajones eran componentes de la Capilla Musical, los demás eran ministriles pertenecientes a las Caballerizas Reales. Joos se encontraba entre estos.

Su amigo se acercó a la barandilla y le hizo un gesto de reconocimiento.

Nicolás contestó con una amplia sonrisa. Aquel era su día. Y Joos lo sabía. Las discrepancias surgidas entre ellos, a raíz de la partida de Clara, estaban ya relegadas en el olvido.

Había llegado la hora de ocupar su lugar. Era «su» música y no iba a permitir que nadie la cantara por él.

La escalera de caracol arrancaba de la galería alta del Patio del Rey y daba acceso a las tribunas más altas. Empezaba a estar concurrida. La familia real y algunas de las damas de la reina se situarían por encima de los músicos, el resto tendría que conformarse con subir un piso más arriba.

Un estruendo poco habitual le hizo elevar la vista hasta la última balconada. Sin duda era un día especial. No era normal que las damas de la corte permitieran a las criadas abandonar las obligaciones tan temprano. Vio llegar a un grupo de chicas, ataviadas con sus mejores ropajes. Las oyó cuchichear sin dejar de mirar en su dirección. Justa estaba entre ellas. Era la que más reía. Desde luego, Joos no podía haberse buscado una enamorada más descarada. Estaba seguro de que los momentos que pasaban juntos debían de ser de todo menos aburridos.

Nicolás y ella cruzaron las miradas; repentinamente seria, la de ella; alegre, la suya. El cantor sonreía al pensar que no pasaría mucho tiempo antes de que Clara tuviera noticias de su éxito. Justa se encargaría de ello. Y él, de sugerírselo a Joos.

El resto de los cantores se habían agrupado a su alrededor, todos con sus hábitos, todos con sus sandalias, todos con sus tonsuras, todos menos él, que se había puesto las mejores galas.

Aquel era su día, hasta Molina lo había aceptado. «Tendrás que vestirte acorde con el momento», le había recomendado a la vez que le tendía la llave del guardajoyas, el lugar donde se custodiaban los libros de canto y las vestiduras más lujosas.

Vestía de color índigo y oro. Si Clara lo pudiera ver...

Clara. En cuanto el día terminara, tomaría la decisión de qué hacer con ella, qué hacer con sus sentimientos. La fachada derecha del taller ya estaba cubierta de música, sin embargo, ella aún no le había dado ningún indicio de lo que opinaba. Eso sí, fuera lo que fuese lo que pensara de todo aquello, Nicolás estaba convencido de que, por muchos esfuerzos que hiciera, el petimetre ese que había aparecido de la nada, lo tenía muy difícil para conquistarla.

Aquel tipo dedicaba a Clara más tiempo del que dictaba el decoro. Los había encontrado juntos más de una vez, a decir verdad, bastantes. Y los había observado. Siempre hablaba él; ella, siempre reía. Hasta que Clara lo descubría y se le enturbiaba el semblante. Le echaba una mirada profunda, primero a él, después, a las notas. A veces, entraban, otras salían, pero siempre, siempre, Nicolás se levantaba, pasaba a su lado y le rozaba la mano. Y Clara nunca la apartaba.

Por eso estaba tan feliz, por lo que estaba a punto de ocurrir en aquella iglesia y porque, cada vez que la veía, regresaba con la prueba de que ella sentía algo por él. Mientras las notas musicales siguieran en el mismo lugar y nadie las borrara, las cosas estarían en su sitio.

Ella no lo sabía, pero Nicolás le estaba regalando una canción. El primer día no habían sido más que dos sonidos dispares, el segundo, otros dos, pero, cuando el tercer día los tarareó seguidos, descubrió que le había surgido una melodía. Y lo tuvo claro. La terminaría, le compondría una canción, se la ofrecería junto con su arrepentimiento. Podría haberlo hecho, podría haber trabajado más y más rápido, haber intercalado la canción entre las composiciones del teatro y de la Real Capilla, dejar de dormir y terminarla. Pero por nada del mundo se privaría de verla todos los días.

El aire entró por los tubos del órgano. El profundo sonido se mezcló con el más intenso de las cornetas. Las puertas de la capilla se abrieron. En breves instantes, aparecerían los prelados, el Capellán Mayor, los cardenales, el Limosnero, los mayordomos, los embajadores, el teniente de arqueros, los guardadamas, los grandes de España, los alcaldes de corte y demás caballeros, gentiles y sacerdotes. Y detrás de ellos, la reina y, luego, el rey.

Nicolás estiró la espalda y se irguió.

No había vuelta atrás, aquello había comenzado.

Todo el mundo se había marchado, pero Nicolás continuaba en la iglesia. Se acercó al banco del organista y pulsó una tecla. El sonido rebotó por los muros del templo, recién remozados. Lo sintió subir hasta la techumbre y chocar contra el techo pintado de bermellón, azul, blanco, rojo brasil y oro para después dispersarse por las naves hasta disolverse en el espacio.

Escuchó unos pasos que se acercaban por la galería exterior y que se detuvieron frente a la puerta de la tribuna. Joos se asomó por el vano de la puerta.

—Sabía que te encontraría aquí. Andan buscándote. —Nicolás elevó una ceja—. No temas, aún no ha llegado el momento de que desaparezcas de mi vista.

—Te gustaría, ¿eh?

—Ni te imaginas cuánto. Quince años juntos empiezan a parecerme demasiados. Date prisa, el mayordomo mayor te espera.

Sin embargo, Nicolás no se movió del asiento.

—Hasta ahí, ¿hasta ahí he llegado?

—Tan alto como esperabas. No sé de qué te extrañas, sabías que sucedería.

—No todo lo que uno imagina ocurre —comentó Nicolás absorto, pensando en Clara—. Aunque la confianza siempre resida ahí.

Joos estaba maravillado. ¿Qué le sucedía? Acababa de demostrar ser el compositor más joven —nadie antes había conseguido lo que él con poco más de veinte años— y con más talento que había pasado por la corte española durante los últimos años, y lo encontraba meditabundo.

—Deja de hacerte el filósofo y muévete. No les hagas esperar cuando esto es por lo que has suspirado toda tu vida.

Nicolás estuvo a punto de reconocer que, a pesar de haber alcanzado el logro de su vida, no se sentía tan feliz como había imaginado.

Pero como no tenía ganas de dar más explicaciones de las ya ofrecidas, se levantó de un salto.

—Aquí me tienes, dispuesto a recibir las lisonjas del estado —bromeó al pasar al lado de Joos. Este apenas pudo darle una palmada en la espalda antes de verlo desaparecer.

Unos minutos después alguien abría la puerta ante la que Nicolás se había detenido y entraba en el oratorio del rey. Molina ya estaba dentro.

—Majestad —saludó con la rodilla derecha en el suelo y la cabeza baja.

Cuando se colocó al lado del maestro, el mayordomo mayor comenzó a hablar.

—Su Majestad ha mandado llamar al maestro de la Capilla Musical para felicitarle. La eucaristía ha resultado ser de una belleza inconmensurable. El rey, la reina y el resto de la familia real están en verdad conmovidos por la delicadeza de las melodías escuchadas. —Nicolás pasó el peso del cuerpo a la pierna derecha al tiempo que intentaba contener el regocijo que aquellas palabras provocaban en él. Ya tendría tiempo después de disfrutarlas y de celebrarlas. Todo el tiempo del mundo, el resto de su vida, ahora que el sino cambiaba para él—. Su Majestad ha sido informado de que decís haber sido vos el artífice de las mismas.

Nicolás miró al maestro de reojo; Molina había cumplido.

Dio un paso adelante y dejó escapar la sonrisa que ocultaba desde que el hombre había comenzado a hablar.

—En efecto, Su Majestad ha sido bien informado.

—Y ¿habéis sido vos el único que ha compuesto todos los cánticos de la ceremonia?

Nicolás se irguió, henchido de orgullo.

—Yo mismo he completado todos los pentagramas que los músicos han interpretado y han cantado los monjes.

—¿Así pues, garantizáis al rey que no os habéis servido de otra ayuda?

Nicolás comenzó a acalorarse, ¿a qué venía aquella insistencia en la autoría de las piezas musicales?

—Se lo aseguro —repitió de nuevo.

—Difícilmente podríais negarlo puesto que habéis tenido la «valentía» de refrendarlas con vuestro propio nombre.

«La valentía.» Nicolás se relajó de nuevo.

—Pido disculpas al maestro por mi atrevimiento al firmar las partituras —se excusó con la mejor de sus sonrisas y se volvió hacia Molina—. Maestro, dispensad a vuestro discípulo, que a veces comete torpezas imperdonables —dijo, inclinándose ante él en un gesto excesivo.

Molina también sonreía, aunque Nicolás estaba convencido de que hubiera preferido estar muy lejos de allí. No imaginaba mayor venganza que obligarle a escuchar los halagos de la corona a sus creaciones. Nadie le arrebataría ya aquel instante. Lo guardaría como el mayor de sus triunfos, por encima de sus éxitos artísticos.

El mayordomo se volvió entonces hacia el monarca e hizo un gesto de asentimiento. Este se levantó de repente. Todos los presentes se inclinaron. Nicolás los imitó. Los pasos reales se alejaron del grupo hasta desaparecer en la estancia próxima. Una puerta se cerró y solo quedó el silencio, únicamente roto por los arañazos de una pluma sobre un papel.

Nicolás se enderezó y descubrió por detrás del mayordomo a un escribano, que no había visto antes. El hombre echaba polvo secante sobre el pliego en el que acababa de escribir, se puso en pie y comenzó a leer.

—«El día del Señor veinte y cinco de marzo de mil y quinientos y setenta y uno.

»"El Rey, por esta quiero hacer constar que Nicolás Probost, nacido Niek Probost, en Cortrique, Flandes, en el año mil y quinientos y cincuenta, será expulsado de la corte española..."

Nicolás dejó de escuchar. Las sienes le comenzaron a palpitar. Parpadeó varias veces. Apretó los ojos sin poder dar crédito a lo que oía. Volvió la cabeza hacia Molina. Su sonrisa se había ampliado, hasta ser del mismo tamaño que la negrura de sus entrañas. Aquel miserable lo había engañado. Sintió hervir su corriente sanguínea.

—¿Podéis informarme de cuáles son las recriminaciones que se me hacen? —interrumpió con brusquedad.

El mayordomo alzó una mano y el escribano buscó la línea y repitió:

—«... por dedicar sus jornadas a trabajos que nada tienen que ver con las atribuciones por las que la corona le entrega sus gajes y por descuidar sus obligaciones...»

—Por no entregaros a aquello por lo que se os paga —resumió Molina.

Nicolás tomó aire y contuvo las ganas de agarrarle por el cuello para obligarle a expulsar todas las falsedades que almacenaba dentro. Se volvió hacia el mayordomo real.

—¡Eso no es cierto! He acudido a todos los ensayos. ¡Preguntad a cualquiera! La música que el rey ha escuchado hoy, y que tantos halagos merece, la he compuesto en mis descansos. Hasta el dinero para pagar las luminarias, que utilizaba por la noche mientras trabajaba, han salido de mi bolsa.

«¡Y no de la suya tal y como es su obligación para con todo el que viva en su morada!», le hubiera gustado gritar.

—Usabais el papel que robabais a las arcas reales —apuntilló Molina.

Nicolás lo ignoró como a un escarabajo. Tenía que convencer al hombre de confianza del monarca de que lo que se había plasmado en el pliego que el escribano leía no tenía ningún fundamento.

—Solo porque era necesario.

Molina soltó una carcajada.

—Mentís. Lo que hemos escuchado hace un rato no es lo único que habéis escrito.

Así que era eso. Sabía lo del teatro, había visto sus composiciones. Y se lo iba a hacer pagar.

—No es la primera vez que un músico de la Casa Real compone para una comedia.

—No —asintió Molina flemático—. Desde luego, no sois el primero. Solo que ellos ni pertenecen a la Capilla Musical de la corte ni muerden la mano que les ha alimentado durante todos estos años.

—Y yo no he mordido nada. —Se dirigió al mayordomo de nuevo. Pero Nicolás no leía nada en aquel rostro impertérrito—. ¿Vais a echarme de palacio por unos cuantos papeles? Descontádmelos del salario, o mejor, de los premios.

Que les quedara claro que él era el cantante más reclamado en palacio.

—¿No os habéis enterado bien de lo que aquí se ha leído? —intervino Molina.

Molina, siempre él. ¿Es que el mayordomo se limitaría a encogerse de hombros mientras dejaba que aquel insecto lo echara a la calle?

—Veo que vos sí, y que estáis dispuesto a ilustrarme.

—«Des-cui-dar vues-tras o-bli-ga-cio-nes» es trasladar vuestro cometido con los cantorcicos a otro.

Nicolás se quedó mudo. También se había enterado de aquello.

El mayordomo volvió a hacer un gesto con la mano. El escribano continuó.

—«... por despojar al maestro Pedro de Molina de la obra que por derecho le pertenece...»

—Por arrebatarme «mi» propio trabajo y firmarlo como vuestro cuando sabéis a la perfección que yo, y solo yo, la he compuesto.

«¡Mentira!», quiso gritar, pero se había quedado sin fuerza, se había quedado sin aliento, con el corazón partido en dos y el alma encogida.

—«... y para que sea efectivo el día del Señor veinte y seis de marzo de mil y quinientos y setenta y uno firmo. Yo, el rey.»

Una losa cayó sobre la cabeza de Nicolás. Acababan de enterrarlo en vida.

14

Justa esperaba escondida debajo de la escalera en la que siempre se encontraba con Joos. Se ciñó el mantón que se había echado sobre los hombros. Se estaba quedando helada, de nada servía intentar calentarse las manos con el vaho de su respiración.

Oyó un ruido y se refugió en la oscuridad de las sombras. Si alguien la descubría fuera del dormitorio comunal a aquellas horas, le anularían el permiso para abandonar el palacio dos veces al mes.

—¿Cariño, estás ahí?

Justa dejó escapar un suspiro de alivio. Salió de su escondite y se refugió en los brazos del hombre que la buscaba.

Joos acogió a su amada con el anhelo del viajero que llega al hogar. Se mantuvieron unidos durante unos minutos, deleitándose con su calor y las palabras no pronunciadas.

—¿Lo has encontrado?

Joos negó con la cabeza.

—Nadie lo ha vuelto a ver.

—¿Crees...?

Joos afirmó en silencio.

—Sea lo que sea lo que ha sucedido allí dentro, puedo asegurar que no ha sido nada bueno. Conozco a Niek y, si las cosas hubieran salido como él esperaba, como ambos esperábamos, a estas alturas, la corte por entero estaría enterada de su éxito.

A Justa le recorrió un escalofrío por la espalda. Los peores augurios comenzaban a pasarle por la mente.

—¿No habrá cometido pecado contra sí mismo? —murmuró sin poder alzar la voz. Ni ella misma quería escuchar aquello que se le escapaba entre los labios.

Joos se separó de ella.

—No —aseguró categórico—, no —repitió. Necesitaba oírlo otra vez. Nicolás no era de los que se dejaban llevar por la desesperación, no era de los que se mataban, era de los que tiraban para delante, era de los que triunfaban.

Justa volvió a abrazarse a él y Joos se aferró a ella con más fuerza, como si mantenerla pegada a él le ayudara a sostener la parte de su vida que comenzaba a tambalearse.

—Siempre dices que la Capilla Musical es todo para él —se justificó Justa por haber tenido aquel oscuro presentimiento.

—Lo era. Aunque ahora tiene también la música del teatro —ratificó Joos esperanzado—. Y a Clara, tiene a Clara.

O al menos, eso esperaba.

Un día, un día era todo lo que le habían concedido.

No había comido ni había dormido. Simplemente, había estado. Oculto bajo el tejado de una de las torres, como una rata cualquiera, como un pájaro herido, mascando la derrota y sin poder quitarse de la boca el amargo sabor a hiel.

Quiso matar a Molina, ahogarlo con sus propias manos, pero ni eso había podido hacer. Tan pronto como oyó el regio nombre de quien firmaba la sentencia y se volvió hacia él, este había dado un salto atrás y los dos soldados que guardaban la puerta del oratorio real se habían echado sobre Nicolás inmovilizándolo. Desde entonces no lo había vuelto a ver. Además de ladrón, cobarde. Lo había echado a los leones y se había lavado las manos, como Pilatos. Lo había traicionado como Judas.

Y él no lo había visto llegar.

Nadie sabía que lo habían echado del palacio, Joos tampoco. Lo había rehuido, consciente de no poder soportar ni su presencia ni su mirada. Su mirada de pesadumbre, de comprensión, de pena. Era su mejor amigo y Nicolás se conocía bien. Tan pronto como lo tuviera delante, se desahogaría con él. Por eso, antes de ceder a la inclinación de descargar su ira contra su amigo, había preferido evitarlo.

Además, estaba Justa. En cuanto Joos se enterara, se lo contaría a Justa y la rueda comenzaría a girar. La noticia se extendería como el fuego por un bosque reseco. Y prefería, cuando sucediera, porque ocurriría, estar lejos de allí. Ya le enviaría una nota, cuando pudiera, se la entregaría a uno de los cantorcicos en un despiste de su recién estrenado teniente, sea quien fuere.

Y Clara. ¿Qué haría con respecto a ella? ¿Cómo hacer frente al fracaso ante ella? ¿Cómo hacer frente a su compasión?

No lo aguantaría, no podría, no lo haría.

Se arrepintió de no haber acudido a otro lugar antes de subir allí, de no haberlo pensado antes, de no haberse acordado. Tenía dinero. Sin duda le harían pagar por ella mucho más de lo que valía, pero, en ese momento una botella de aguardiente se le antojaba la mejor de las compañías.

Enterró la cabeza entre las piernas de nuevo. Y volvió a compadecerse de sí mismo.

La noche se le hizo eterna.

Salió temprano, cuando las nubes apenas se teñían de rosa y la luna aún brillaba en las alturas. Y según se acercaba a la ciudad, las sombras del caserío de la villa le parecieron las fauces de una fiera a punto de engullirle.

No había salido de la explanada del palacio cuando escuchó unos pasos detrás de él. Alguien se acercaba deprisa, con intención de alcanzarle.

Nicolás recibió en la espalda una palmada nada reconfortante.

—¡Hombre! El «tenor» de palacio ha madrugado mucho esta mañana.

Ni se volvió. Tomás Sánchez era la última persona a la que quería ver en aquellos momentos. Apretó el fardo que colgaba a su espalda, y que contenía todas sus pertenencias: apenas un vestido completo, un cuello de repuesto, los zapatos y... nada más.

Se tocó el bulto que guardaba a buen recaudo, pegado a un costado del cuerpo. Al menos, había conseguido una bolsa bien repleta. Y aún le quedaba el trabajo del teatro. Con lo que tenía ahorrado, le llegaría hasta el momento en el que cobrara, en el día del estreno de la comedia, justo después de la recaudación.

—La hora a la que me levanto no es de tu incumbencia.

—Hoy empiezo en un nuevo trabajo. ¿Quieres saber a qué me voy a dedicar los próximos años?

—No —farfulló Nicolás, acelerando el paso.

Pero el que lo perseguía no estaba dispuesto a dejarlo escapar; lo alcanzó y se puso de nuevo a su lado.

—Tienes suerte, vas a ser el primero en conocer la noticia, no hace ni una jornada que me lo han comunicado, fue ayer, antes de la eucaristía. Probablemente tú ni te habías levantado, eran más o menos estas horas cuando me lo vinieron a decir; soy el nuevo teniente de cantorcicos.

Nicolás se paró en seco y se giró hacia él.

—Trasladas tus cosas —constató al ver el bulto que cargaba el otro.

La carcajada del ministril resonó en la amplitud de la plaza.

—¿Pensabas que eras el único músico que contaba ahí dentro?

—¿Desde cuándo lo teníais preparado? —masculló Nicolás con los dientes apretados.

El nuevo favorito de Molina lanzó otra carcajada.

—Siempre te has creído superior a los demás. Con el deseo de sobresalir por encima de todos tú mismo has dejado en evidencia tus defectos.

—¡Y los enemigos como tú los han aprovechado! —le escupió a la cara.

Otra risotada.

—¿Sabes? Si no fuera porque a veces te comportas como un caballero distinguido que salva damiselas en apuros, hasta podría testimoniar a tu favor. Tiene que ser muy doloroso haber trabajado tanto para que otros se lleven el premio que en justicia te corresponde.

—¡Puedes meterte tus...!

Tomás Sánchez se apartó de él por precaución, sin embargo,

no disimuló la amplia sonrisa que se le había instalado en la cara.

—¡El gran músico! Ha sido alejarte de la corte y perder tus buenos modales.

—No dudes que en breve volverás a oír hablar de mí. Uno no deja de ser un virtuoso cuando se muda del lugar en el que reside.

—Sí si el lugar en el que vive es precisamente la llave que abre las puertas —añadió Tomás Sánchez con gesto burlón.

A Nicolás le entraron ganas de no dejarlo marchar sin haberle marcado el rostro con el puño.

—No es mi caso. Ten por seguro que yo soy de los que saben cómo hacer que algunas puertas no permanezcan cerradas.

—Eso habrá que verlo. ¿Qué has pensado hacer? Tengo oído que en la casa de los Cisneros andan buscando un instructor para una sobrina de diez años que han acogido en su palacio. No es tan distinto de lo que hacías antes, cambiarás a ocho mocosos por una pollita. Si eres cauto y te comportas como un modesto preceptor, humilde y respetuoso, hasta puedes tener la oportunidad de emparentar con tan insigne familia. Que una jovencita como esa te caliente la cama no es cosa a desechar.

—¡Eres despreciable! —bramó Nicolás mientras soltaba el hatillo.

Pero la violencia verbal del tenor no hizo más que aumentar las carcajadas del otro mientras se alejaba corriendo.

—Míralo por el lado bueno —le gritó desde lejos—, podrás decir que tus obras se tocan en la corte española. ¡Y tendrás razón!

Nicolás no supo el tiempo que permaneció de pie, plantado en la plaza. Solo el movimiento a su alrededor consiguió sacarlo de su aturdimiento. Un nuevo día comenzaba en la villa. Se inclinó para recoger el petate que aún seguía en el suelo y se adentró en las calles de Madrid como nunca antes lo había hecho, cabizbajo y avergonzado, doblegado y humillado; abochornado de su fracaso, de su presunción, de su arrogancia, pero sobre todo, de sí mismo.

Evitó las calles principales, evitó la calle Mayor y sus calles aledañas. Evitó a los conocidos, a los desconocidos y a Clara.

Evitó encontrársela, evitó verla y evitó que ella le viera a él. Fue por eso por lo que se dirigió hacia el este, por mantenerse lejos de ella. Por eso y porque por detrás de la plaza de Santo Domingo, más arriba del convento de las franciscanas, se disponían algunos de los mejores tugurios de la ciudad.

Bebió mucho, jugó, bebió, comió cuando las tripas comenzaron a tener vida propia, bebió, jugó, volvió a beber y jugó de nuevo. Y terminó la tarde dormido sobre una mesa mojada, regada con el peor caldo de la ciudad y con una mujer colgada a su cuello.

Cuando el mesonero lo despertó, no recordaba cómo había llegado hasta allí, quién era aquella mujer ni qué hacía en ese lugar. Intentó volver a dormirse, pero el bodeguero no tenía ninguna intención de albergar borrachos y lo echó a la calle, a pesar de los lamentos de la chica, que al parecer se había encariñado de Nicolás.

—¡Idos a vuestra casa! —le gritó desde la entrada de la cantina.

—¿A mi casa? —contestó con voz aguardentosa antes de que se le escaparan unas risotadas—. ¡No tengo! —gritó entre los estertores provocados por la risa.

—En ese caso, buscad dónde dormir la borrachera.

Un bulto cayó a los pies de Nicolás. Este intentó alcanzarlo, pero no calculó la distancia. Se tambaleó al tropezar con sus pertenencias. Fue la benevolencia de Dios lo que lo mantuvo en pie. Aún tardó un rato en dejar de reírse. Entonces, posó una mirada ausente sobre el hatillo. Mucho después, cuando la neblina se despejó y en su mente se dibujó la figura de lo que era, las rodillas se le doblaron y se dejó caer sobre él.

El silencio se apropió del momento, del lugar y del hombre. Y dio paso al dolor.

Cuando el tabernero salió a vaciar la vejiga antes de que el sueño lo venciera, se encontró con que aquel chalado, al que había tenido que sacar de su taberna a la fuerza, aún seguía allí. Si se hubiera acercado, habría podido escuchar algo parecido a unos sollozos silenciosos.

—No os preocupéis, señora Agustina. Transmitiré a mi tío vuestros mejores deseos. Sin duda se recuperará pronto. Ya se encuentra mucho mejor.

—Ay, hija, no imaginas lo inquieta que he estado. Ayer mismo pensé que tenía que acercarme a verle.

Pero Clara sabía, sin miedo a equivocarse, que la única preocupación de la señora, que le había abierto la puerta apresurada, haciendo a un lado a la vieja criada, era por las camisas de su hijo.

—Ya le he dicho que está muy recuperado —mintió—, aunque tiene que descansar, por eso he sido yo la que ha venido. ¿Dónde está vuestro hijo?

La señora Agustina dio un paso atrás, asustada.

—¿Vais a ser vos la que...?

Clara elevó las manos teatralmente y se hizo la ofendida.

—¿Cómo se le ocurre? Miguel se encargará.

La mujer miró al chico sin mucha confianza. El mocoso apenas era un niño.

—Pero es que...

Clara no tenía intención de entrar en polémica con aquella mujer.

—¿Dónde haremos la prueba? —comentó con rapidez, dando unos pasos hacia el interior de la casa.

La oronda mujer se adelantó a Clara y se plantó ante una de las estancias. Clara se acercó a ella, le tomó una mano entre las suyas y se la palmeó. La mujer se tranquilizó y ella aprovechó para abrir la puerta.

—Miguel, espera aquí dentro —indicó al muchacho—. La señora Agustina avisará a su hijo y en seguida podrás empezar. Nosotras, mientras tanto, aguardaremos en la cocina.

—¿Se demorará mucho? —preguntó la dueña de la casa.

—Apenas lo que se tarda en rezar tres avemarías a la Virgen. Con que se pruebe una camisa será suficiente, solo para estar seguros de que el patrón es el correcto. Esta misma tarde, cortaré... mi tío cortará la otra, ahora que está tan repuesto hay muchas cosas que ya puede hacer.

Miguel le echó una mirada de incredulidad que Clara no

quiso analizar. Se escucharon unos pasos enérgicos en el piso superior.

—Mi hijo. Os habrá escuchado.

—¿Podréis ofrecerme un poquito de agua? —preguntó y se llevó a la mujer hacia donde había visto desaparecer a la anciana criada.

No mucho después, Miguel y ella salían de aquella casa. Clara satisfecha por el trabajo bien hecho y Miguel con cara hosca. El hijo de la señora Agustina era un hombre de lo más desagradable. No solo se había dirigido a él como si fuera un anormal sino que encima lo había echado de la estancia de malos modos. Miró a Clara con inquina. Las cosas habían cambiado mucho desde que aquella mujer había aparecido en la casa del maestro. Y no le gustaban en absoluto.

—Anda, regresa a la sastrería. Yo aún tengo unas cuestiones que resolver y no me gusta que el señor Luis permanezca solo tanto tiempo. —El chico se encogió de hombros y se dio la vuelta sin decir nada—. ¡Aguarda! —Cuando el muchacho se volvió de nuevo, le tendió la camisa—, lleva esto también. Y no te entretengas.

El chico le echó otra mirada huraña mientras se decía que aquella mujer solo lo quería de mozo de carga. Y ya estaba harto. No pensaba obedecerla, no regresaría al taller. ¿No se marchaba ella de paseo? Él haría lo mismo. Se desviaría de su camino y pasaría por la calle Ancha. El sastre no lo iba a echar de menos. La vecina se encargaba de vigilarle mientras ellos estaban fuera. Tampoco sería demasiado tiempo. Si se metía por la calle aledaña y subía unas manzanas, pasaría ante la nueva cárcel y, desde ahí, estaría en la calle Mayor en menos de un minuto.

Se le ocurrió de repente. Echó un último vistazo a Clara y salió corriendo, con la camisa del hijo de la señora Agustina en una mano y la felicidad desbordándole en el pecho.

Llevaba dos días en un hostal inmundo, en una pensión de mala muerte, más allá de la Puerta de Moros, y donde los únicos habitantes honestos eran él y las chinches. En ese orden.

Había pasado dos noches, pero no había dormido ninguna. El frío y, sobre todo, los ruidos lo hacían imposible. Del todo. Una caterva de borrachos pendencieros se instalaban todos los días a media tarde en la taberna y no se marchaba hasta el amanecer. Y su habitación solo distaba dos escalones del alboroto, de las reyertas y de las camareras que a juzgar por las insinuaciones, podían estar trabajando en una mancebía más que en una taberna.

Aquella misma mañana, había cogido sus cosas y se había despedido. Para regresar varias horas después. No había conseguido que nadie le alquilara otra habitación. No le habían aceptado en ninguna casa decente. La obligatoriedad de cumplir la regalía de aposento se saltaba a menudo, pero sin una recomendación y la bolsa bien repleta, le habían advertido que no conseguiría ser acogido en una casa de bien. La bolsa la tenía y solo conocía a una persona influyente en la villa. Cristóbal de la Puente bien podía escribirle la misiva. Así que se había dirigido al teatro con la esperanza de encontrarle.

Y allí estaba, delante de un muro infranqueable.

Por más que Nicolás se esforzó, la puerta no cedió. La empujó una y otra vez, se apoyó en ella y la emprendió a patadas. Pegó, pataleó y golpeó. Pero, cuando el calor y la angustia se le subieron a la garganta, abandonó su empeño. Se apoyó en la madera.

Tenía el hombro dolorido y se sentía ridículo, patético, como el mendigo que mantiene la esperanza de ver caer del cielo dos mil escudos.

—Está cerrado —dijo una voz infantil detrás de él.

—Ya lo veo —farfulló Nicolás.

—Está cerrado —repitió el niño.

Era lunes de Pascua y el pueblo español no podía distraerse durante la Semana Santa. Con toda probabilidad el corral de comedias no abriría hasta la semana siguiente.

—¿Eres de por aquí? —preguntó al pequeño.

El niño, un mozalbete con el pelo despeinado, la cara sucia y peor vestido de lo que aconsejaba la temperatura de marzo, encogió los hombros como respuesta.

Pero pronto le pudo la curiosidad.

—¿Por qué quieres entrar? Ahora no hay representación.

—¿Sabes dónde vive el dueño?

—¿El señor Cristóbal?

—Sí.

—No. Sé dónde vive ella.

Podía ser una opción. Por lo que había visto en las ocasiones en las que había acudido a aquel lugar, la relación entre el empresario y la actriz se alargaba más allá de la hora del trabajo.

—¿La señorita Carrillo?

—Ajá.

Pero el muchacho no soltaba prenda, mucho más interesado en lo que Nicolás tenía sobre la cabeza que en la conversación.

Este se desprendió del sombrero y se lo puso. Se le hundió hasta las cejas.

—Es tuyo si me indicas su dirección.

El muchacho ni se lo pensó un minuto, se levantó el ala por la parte delantera y empezó a hablar.

—Vive dos calles más arriba. Es la casa grande, la de la esquina.

—Buen chico.

Encontraría al empresario, le entregaría lo último que había compuesto y le pediría una recomendación.

—Ella es muy guapa, ¿no creéis?

—Sin duda alguna, es una mujer muy bella.

El niño esbozó una sonrisa tímida. Así que el mozalbete se había enamorado. Y de una actriz, nada menos.

—Por eso su marido no quiere que haga la representación.

«Su marido.» Era una mujer casada. Y ahora, ¿con qué cara aparecía en su casa y le preguntaba por su amante?

Con ninguna. Le tocaba de nuevo pasar la noche en blanco y volver a disfrutar de las pulgas.

Se llevó la mano al costado, al menos aún le quedaba la bolsa bien repleta.

Golpeó al chiquillo en el ala del sombrero que acababa de perder y este le tapó parte del rostro.

—Eres un buen chico, seguro que tu padre está muy orgulloso de ti.

—Seguro, señor. Hago todo lo que me pide —le informó con orgullo después de descubrirse la cara de nuevo.

—¡Nuño!

Nicolás miró hacia donde procedía el grito. Un hombre con cara de pocos amigos los observaba desde el descampado del otro lado de la calle. Al igual que el niño, hacía mucho que no utilizaba el agua nada más que para saciar la sed, aun así pudo ver a la perfección la cicatriz que le atravesaba el lado izquierdo de la cara de parte a parte.

—Tengo que irme, señor —anunció Nuño más nervioso de lo que había estado antes.

Nicolás asintió.

—Gracias por la información.

Pero el niño no parecía dispuesto a abandonarle. Comenzó a balancearse adelante y atrás, nervioso.

—Señor, si se encuentra con..., si ve que... —De nuevo otro grito del padre—. ¡Tenga cuidado, señor! —dijo al fin y salió corriendo.

La advertencia arrancó una sonrisa a Nicolás.

«¡Vaya con el mocoso!» El chaval había salido protector.

Vagabundeaba por la ciudad, intentando evitar que sus pasos lo dirigieran a la sastrería, aunque el día anterior no lo había conseguido. Había rondado la zona hasta que había visto a Clara salir con el ayudante. Pero aquella mañana se había levantado dispuesto a no ceder a la tentación de buscarla y seguirla, de no traspasar la línea imaginaria que él mismo se había impuesto.

En esas estaba, parándose en todos los puestos, deteniéndose en todos los mendigos, escudriñando las caras de las mujeres que pasaban a su lado cubiertas con los mantos de arriba abajo, ocultándose de la autoridad, chocándose con los viandantes cuando se dio cuenta de que sus hechos contradecían sus pensamientos.

Había vuelto a las cercanías de la casa de Clara.

Sintió rabia. Se enfureció por la debilidad de su voluntad y de su mente. Sintió vergüenza al verse perdido, como un cachorro en busca de protección, y se marchó de allí, huyendo de sí mismo. Se internó entre las callejuelas. Terminaba una y entraba en otra, cada vez más estrechas, cada vez más oscuras. Caminó y pensó. Perdió la noción del tiempo. Hasta los pies comenzaron a dolerle dentro de las botas y volvió a plantearse lo absurdo de su conducta. No en mucho tiempo, las calles comenzarían a vaciarse de gente.

Se dirigía de nuevo al centro de la villa cuando un fuerte empujón lo metió en una calleja sucia y oscura. Recuperó el equilibrio apoyándose en la pared de una casa y sacó el cuchillo. Se volvió para enfrentarse a quien lo había golpeado.

El primer golpe le alcanzó en pleno estómago y lo hizo doblarse en dos; el siguiente le quebró la espalda y el tercero, las piernas. Cayó de rodillas y se desplomó como un toro herido. El ruido metálico de su propia arma deslizándose por el suelo lejos de él resonó en la quietud de la calle.

Alguien, imposible saber quién, le tiró de la capa y metió la mano por debajo de ella. «El dinero.» Nicolás no supo de dónde sacó el ímpetu para incorporarse y luchar. Fue lo peor que pudo hacer.

Dos hombres le cerraban el paso a uno y otro lado de la costanilla. Tenían el brillo de la codicia en la mirada y un cuchillo en la mano.

—La bolsa —gruñó el de la derecha a la vez que movía los dedos de la mano libre para instarle a desembarazarse del dinero.

Nicolás dio gracias al cielo por que se le hubiera ocurrido dejar sus útiles de trabajo en el hostal. En un gesto involuntario, se llevó la mano al costado. Tenía que proteger los únicos bienes que le quedaban.

De nada le sirvió. Los atacantes se acercaban a él con lentitud. Y él lo único que podía hacer, ahora que se había quedado sin la daga, era esperar a que se decidieran a atacarle.

Por el rabillo del ojo vio que el de su izquierda se acercaba hasta él. Nicolás se volvió hacia él. El otro aprovechó el momento. Le sujetó de la capa y tiró con todas sus fuerzas arrastrándolo hasta el suelo.

Los golpes le llegaron de todas partes. Se encogió y se cubrió la cara y la cabeza como pudo.

—¡Quítaselo de una vez! —gritó una voz áspera.

La lluvia de coces aún tardó un rato en finalizar y cuando lo hizo, notó la punta de un cuchillo en el cuello, justo debajo de la oreja.

—Haz un solo movimiento y te olvidas de todo —le amenazó otra voz.

Fue incapaz de moverse. Un corte limpio y aquellos dos hombres se quedaron con su dinero. Los reales y los maravedíes, que le había costado ganar toda la vida, cambiaron de dueño con la misma rapidez que los dados en manos de un truhán.

Escuchó sus pasos alejándose de él. No gritó. Nadie le ayudaría, puesto que nadie había.

Lo dejaron en el suelo, maltrecho y dolorido, aun así reunió las fuerzas suficientes para alzar la cabeza y verlos huir. El que le había amenazado con el puñal se dio la vuelta en el mismo momento en el que clavaba sus ojos en él. Una profunda cicatriz le atravesaba la mejilla. Y en la esquina, un niño con un sombrero que le cubría toda la frente, lo miraba con ojos misericordiosos.

Se llamaba Niek, el vencedor, pero era evidente que Dios no estaba de su parte.

Alcanzó la calle principal como pudo.

—¡A mí el alguacil! —gritó a la gente que pasaba.

Hubiera sido mejor quedarse tirado en el callejón; los roñosos gatos de la villa le habrían tenido más conmiseración. Ni uno solo de los viandantes que cruzaban la rúa hizo un gesto de auxilio.

Retrocedió hasta el muro de la casa más próxima, se sentó en el suelo como pudo y apoyó la cabeza en la pared. Y hasta tuvo que encoger las piernas para que no lo pisaran.

Se le aceleró la respiración ante la idea de haber sido engañado por un niño de menos de diez años y tuvo que hacer un esfuerzo ingente para serenarse.

Había recibido un buen golpe en el costado izquierdo y debía de tener la cara magullada. A todos sus problemas acababa de añadirse uno mucho más grave. No hacía ni tres días que se había quedado sin casa y sin trabajo. Si vivir en Madrid sin un oficio era difícil, subsistir sin un solo maravedí era del todo imposible. En apenas setenta y ocho horas había caído del cielo al infierno, había pasado de volar entre las nubes a estamparse contra el suelo, de tenerlo todo a perderlo en un instante; apenas un soplido y la ilusión se había evaporado por completo. Era como despertarse en medio de una pesadilla para descubrir que en realidad no se está dormido. ¿Cómo había sucedido? ¿Cómo le había ocurrido a él? ¿Qué más le estaba destinado?

La respuesta a la última pregunta se materializó ante él. Clara estaba en medio de la calle y lo miraba confundida.

—¿Nicolás? —murmuró y antes de que él pudiera responderle la tenía agachada junto a él—. ¿Qué te ha sucedido?

Él intentó levantarse, pero un intenso dolor le atravesó el costado derecho y se desplomó de nuevo.

—Nada.

«Nada», quiso repetir, pero un fuerte pinchazo lo obligó a dejar de respirar.

—¡Miguel! —llamó ella.

Nadie apareció.

Clara echó una mirada se reojo a Nicolás, que había hundido la cabeza entre las manos, y miró a su alrededor. Localizó al ayudante observando a otros chiquillos, que se divertían jugando a no dejarse atrapar.

—¡Miguel! —gritó de nuevo.

Aquella vez sí, aquella vez obtuvo la atención del chico, la del chico y la del resto de los curiosos, que, a pesar de que observaban la escena con sumo interés, no habían hecho ni un solo intento por acudir en auxilio del herido.

El ayudante del sastre echó una última ojeada a sus compañeros de juego y acudió de mala gana a la llamada de aquella mujer.

—¿Sí?

Clara no se detuvo a explicarle la situación, se agachó junto a Nicolás y le apremió:

—Sujétale por ahí.

Lo levantaron entre ambos. Nicolás aún no se había afianzado del todo y el chico ya lo había soltado y regresado a la diversión. El herido se desequilibró, pero Clara lo sujetó con todas sus fuerzas. Lo que fuera con tal de no soltarlo, lo que fuera con tal de no dejarlo caer.

Por fin, las piernas de Nicolás se estabilizaron. Pero Clara no cesó en su abrazo. Ni él.

El corazón de Nicolás se tranquilizó cuando la tuvo entre sus brazos. El corazón de ella se desbocó cuando lo tuvo entre los suyos.

Nicolás palpó la suavidad de su pelo, aspiró su olor, se llenó de su presencia. De nuevo. Ella apoyó la cabeza en su pecho y se aferró a los músculos de su espalda.

Desaparecieron las gentes de la calle, desapareció la suciedad, desaparecieron las voces, las tiendas y los tenderos, los aguadores, los guardias, los pillastres, las damas y sus dueñas, las criadas, los tullidos, los frailes, los mendigos y los vendedores callejeros. El tiempo desapareció.

Y solo quedaron ellos. Ella y él, unidos, abrazados, viviendo única y exclusivamente para escuchar el sonido del latido de sus corazones. Como nunca, como siempre.

Fue un beso suave, «irresistible», tierno, «irresistible», dulce. «Irresistible.»

El alguacil apareció de la nada.

—¿Hay algún problema?

Se separaron como quemados por las ascuas de un brasero.

—Ninguno —contestó Nicolás con rudeza.

—¿Y esas heridas?

—No ha sido más que una mala caída.

El hombre puso cara de entender.

—Ya. Y la señora lo está ayudando a levantarse.

No les insultó mencionando la palabra «amantes», sin embargo, Nicolás sabía lo que estaba pensando y clavó los ojos en Clara. Un gran alivio se le instaló en el pecho. En su cara no había rastro de arrepentimiento. Sin embargo, el momento se había roto, no podían seguir allí. La interrupción había llegado a tiempo, un momento más pegado a ella y no se habría podía contener. Y el brillo de los ojos de la mujer que tenía delante le decía que a ella le sucedía lo mismo; un segundo más y los habrían detenido por ir contra la moral ciudadana.

—Encantada de haberos podido ayudar, pero me tengo que marchar —informó Clara a Nicolás con demasiada formalidad—. El señor Luis estará preguntándose dónde nos hemos metido. ¡Miguel! —llamó.

—Entiendo —dijo el guardia.

Su tono de condescendencia enfureció a Nicolás.

No, aquel hombre no entendía nada. No entendía lo que sucedía, lo que le ocurría cuando la tenía cerca; no sabía que el ánimo le subía de repente, que pasaba del pensamiento más negro a ver la aurora, no suponía que todas sus penas se curaban cuando ella aparecía; y lo que no imaginaba, porque ni él mismo lo había intuido hasta ese mismo instante, era que vendería su alma por conseguirla.

La vio partir seguida del muchacho y fue como si un cuchillo le desgajara un pedazo de su carne.

15

Habían vuelto a aparecer y Clara no podía apartar la mirada de ellas. Las había visto aquella misma noche, cuando acudió a la casa de los joyeros a petición del sastre. Incluso herido se había acercado hasta allí para decirle que pensaba en ella. Nada más ver aquellos nuevos pequeños círculos en la pared, había regresado el deseo de tenerlo otra vez entre los brazos. Habían pasado siete días desde que lo había encontrado tirado en la calle y siete pares de notas habían aparecido. Las primeras, el mismo día del percance. ¿Por qué no lo había obligado a ir con ella?

Por vergüenza, por pudor, por decoro, por egoísmo, por miedo. Cuando aquel hombre los encontró abrazados, no le había importado, pero después, al insistir en la relación que tenían, había pensado en el escándalo en el que se vería envuelta la sastrería si alguien se enteraba de aquello y le había entrado el pánico. Los nuevos clientes, a los que tanto había costado atraer, desaparecerían como la niebla ante los rayos del sol.

Ni siquiera se había enterado de qué le había sucedido. «Nada», había dicho él. «Todo», debería haberle dicho.

Justa se lo había contado.

Lo habían echado de palacio. La noticia era la comidilla de la corte. Sin embargo, no se sabía la causa. «Unos —decía Justa—, cuentan que lo han encontrado en la alcoba de una de las damas de la reina; otros, que lo han descubierto saliendo a hurtadillas del oratorio de la reina; y los más, que se ha visto envuelto en las intrigas palaciegas de ciertos nobles que no quieren bien al regente.» Pero Justa sabía la verdadera razón; había caído víctima de la envidia de su propio maestro.

Clara imaginaba cómo se sentiría; como si todos los ladrillos de la torre del reloj del palacio de Valsaín se hubieran desmoronado de golpe sepultándolo debajo de un amasijo de piedras y argamasa.

Lo que no sabía Justa era dónde vivía. Joos había mencionado algo sobre las afueras de Madrid, camino hacia Toledo. «No hay por qué preocuparse —había añadido—, no se morirá de hambre.» Al parecer, trabajaba en la música de la próxima representación de uno de los corrales de comedias de la villa.

Así que era por eso por lo que se lo había encontrado en el teatro de Cristóbal de la Puente. Y ella que había pensado que la estaba siguiendo...

—Las vas a desgastar.

—¿Perdón?

—Las notas.

—Señor Luis, no os había oído salir del taller.

—No sé por qué no me produce extrañeza —comentó el sastre con una ironía inusual en él—. Conseguirás que desaparezcan de tanto mirarlas. Y la verdad es que no creo que sea esa tu intención.

—¿Cómo sabéis lo que yo deseo?

—Porque si así fuera, ya las habrías borrado.

Clara sonrió. Aquel hombre comenzaba a conocerla bien. Y a ella el silencio comenzaba a pesarle demasiado.

—Estáis en lo cierto, lo habría hecho.

—Pero en vez de eso, pasas junto a ellas más tiempo del razonable. No hay un solo momento en que desparezcas de mi vista que no te encuentre aquí.

El sastre había vuelto a caminar, con esfuerzo, era cierto, y aunque se las componía para moverse por la casa, apoyado en un grueso cayado fabricado por el joyero, aún arrastraba la pierna más de lo debido.

—¿Es él?

«Sí, es él.»

—¿A qué os referís?

Ahora fue el sastre el que sonrió.

—El músico, el que me golpeó cuando imaginó que tú y yo...

—Sí —le cortó Clara antes de que pronunciara las siguientes palabras.

—¿Lo sueles ver?

—No, sí, no —respondió desconcertada—. Lo encontré hace unos días.

—Lo sé. Miguel me lo contó. Me dijo que él no aparentaba muy bien y que tú parecías estar preocupada. ¿Lo estabas, lo estás?

—No quiero hablar de ello. —El silencio se hizo completo—. Hace frío, deberíais entrar dentro.

—Esperaré a que llegue nuestro inquilino —comentó el hombre con tono jovial.

—No siempre aparece antes del anochecer —le advirtió ella.

Pero el sastre no la escuchaba.

—Es un buen hombre —comentó el señor Luis al aire.

Fuera lo que fuese lo que intentaba el dueño de la sastrería, ella no se dejaría amilanar.

—Con los modales de un caballero —confirmó.

—Tiene un buen oficio.

—Y estoy segura de que lo ejerce con toda diligencia —contestó Clara.

—No llegará el día en que le veamos perder parte de la compostura —reafirmó el sastre.

¿A qué estaban jugando al cantar las alabanzas del secretario? Decidió seguir el juego.

—No parece tener las aficiones de muchos. Los taberneros no se enriquecerán a costa de su estipendio —dijo ella cuando recordó las palabras de la señora Engracia siempre que hablaba sobre el secretario.

—Ni creo que haya mujeres a las que favorezca fuera de esta casa —contestó el dueño de la sastrería.

Lo había dicho, había pronunciado la idea que Clara tanto temía, la idea que le cruzaba por la mente cada vez que Fernando de LaGavia aparecía ante ella, la que rechazaba en silencio y que fingía no saber cuándo clavaba en ella la mirada.

Simuló no haber oído las últimas palabras.

—Es un hombre cabal —comentó.

—Estoy seguro de que la mujer que lo despose obtendrá su cuidado y su cortesía.

Clara estaba de acuerdo, Fernando de LaGavia era un hombre respetable. Pero la palabra honorable no siempre significaba idóneo.

Simplemente, a veces, no era suficiente.

Por más que Clara insistió no consiguió que el señor Luis entrara en el taller. Lo ayudó a acercarse hasta el banco de la plazuela y no se marchó hasta que lo acomodó sobre dos almohadas sacados de su alcoba.

—Llamadme si tenéis cualquier urgencia —le había dicho.

El sastre no cabía en sí de satisfacción. En los últimos tiempos había mejorado mucho, mucho más de lo que daba a entender. Sin embargo, forzaba la situación para que Clara lo atendiera. Ni se planteaba que su comportamiento no se diferenciaba mucho de los caprichos de un niño de dos años. Lo único que le importaba era que su hija estaba con él, que dormía a menos de siete metros, que la escuchaba levantarse y acostarse, que la veía trabajar, y que la oía reírse y suspirar. Solo sabía que no quería volver a perderla, nunca se acostumbraría ya a que le faltara, no sería capaz de volver a enhebrar una aguja sin tenerla a su lado. Y que haría lo que fuera por verla feliz. Lo que fuera.

Escuchó unos pasos rápidos que se detuvieron a su espalda. Alguien lo observaba desde la rúa. Oyó el sonido de un cuerpo rasgando el aire e, inmediatamente después, un muchacho aterrizó a su lado. En tres zancadas, el pillastre estaba ante la puerta de la sastrería.

—¿Adónde crees que vas?

El rapaz se volvió asustado. No había reparado en el hombre al que casi aplasta.

—Traigo un mensaje para la señorita Clara —tartamudeó.

—La señorita no puede atenderte —mintió el sastre.

—No puedo demorarme más. Me esperan.

—¿No te habrás escapado de casa?

—No, bueno, algo así —dudó el chiquillo.

—Yo le daré la nota —añadió el sastre mientras extendía la mano.

—Es un mensaje, no una misiva —balbuceó dubitativo.

—Habla.

El niño ni se planteó no cumplir la orden.

—Es de parte de Justa Griñán —comenzó—. Lo han echado de la posada en la que paraba. En cuanto sepa algo más, mandará a alguien a comunicárselo —y como el hombre seguía con los ojos clavados en él, añadió—: Nada más. Eso era todo.

—¿Estás seguro?

—Os lo aseguro. ¿Se lo diréis?

El sastre hizo un gesto afirmativo. El muchacho ya estaba a punto de darse la vuelta y regresar corriendo por donde había llegado cuando lo detuvo con un gesto.

—¡Miguel! —llamó.

Su ayudante apareció en la puerta. Clara lo seguía con cara de angustia.

—¿Sucede algo?

—Nada, nada. Miguel vuelve al trabajo. Chiquilla —el sastre puso mucho cuidado en no decir su nombre para que el mensajero no notara el engaño—, trae un par de maravedíes y dáselos a este mozo. El recado que traía, bien lo vale.

Clara hizo un gesto de no comprender nada, pero se metió para dentro.

—Maestro... —comenzó Miguel, que no había acatado la orden del sastre.

—Puedes volver a lo que estabas. Ya no te necesito.

Y unos minutos después, el audaz cantorcico regresaba a toda prisa a la casa del maestro de la Real Capilla de la que se había escapado.

Clara no tardó en volver a aparecer por uno de los ventanucos.

—Deberíais entrar en el taller. El tiempo aún está frío y la noche se cuela por los ropajes en cuanto el sol se oculta entre los tejados.

—Solo un rato más —pidió el señor Luis.

Y es que lo estaba disfrutando. Sobre todo desde que había escuchado el ruido de unos pies sobre los escalones de la plaza y de una respiración que no era la suya.

—Podéis salir de vuestra guarida —dijo en voz alta cuando Clara volvió a meterse en la vivienda. Se oyó un resoplido, pero nadie contestó—. ¿O es que pretendéis quedaros ahí toda la noche? Ya habéis escuchado a la dama, pronto el atardecer llegará a su fin y os quedaréis como los patos en invierno.

El señor Luis no se había equivocado, no. Era Nicolás.

—Ahí tienes los útiles —dijo apuntando el bastón hacia el rincón más oscuro de la plaza.

—Así que sois vos el que deja la pintura aquí fuera.

—¿Quién si no? ¿Acaso esperabais que fuera ella?

«Sí.»

—No. No lo sé.

—Anda, id y acabad lo que habéis venido a hacer.

Nicolás no se lo pensó dos veces y terminó su tarea. Pero no se marchó como otras veces sino que se sentó al lado del sastre. Este se hizo a un lado.

Ninguno de los dos dijo una palabra durante un buen rato. Hasta que a Nicolás le quedó claro que el sastre no le iba a poner las cosas fáciles y dio el primer paso.

—¿Por qué? —le preguntó, sin apartar los ojos del puchero de la cal.

—¿La pintura?

—Sí.

—Por Clara.

De nuevo se hizo el silencio. Y de nuevo fue Nicolás el que lo rompió.

—¿Os lo ha pedido ella?

—¿Que hable con vos? —preguntó el sastre.

—Sí.

—Pensé que erais la persona que mejor la conocía.

—Al parecer, no tanto como vos.

Era patente el enojo en la voz de Nicolás.

—¿Seguís pensando que ella y yo...? —La pregunta llegó por parte del sastre.

—No. ¿Sabíais que yo imaginaba que vos, que ella...?

—No hace falta ser muy avispado para figurarse la razón por la que un desconocido le da una paliza a otro. —Nada dijo Nicolás y nada dijo el sastre hasta mucho tiempo después.

—Os pido perdón. Fue un arrebato. Ese día me quedé sin juicio.

—Un impulso en el que pusisteis demasiada vehemencia —constató el sastre, pasándose la mano por la mandíbula, que el cantor le había alcanzado de lleno.

—Reitero mis disculpas —repitió Nicolás. Y lo decía de verdad—. ¿De qué os reís?

—De vos —confesó el sastre conteniendo de nuevo la sonrisa—. Por lo que veo, habéis cambiado mucho en estos meses. Hasta donde sospecho, la vida no os ha tratado tan bien como vos pensabais que haría.

—¿Sospecháis? Yo diría más bien que lo sabéis.

—Habéis escuchado lo que ha dicho el muchacho.

—Hacía bastante tiempo que os contemplaba cuando el chico apareció.

—Más bien diréis que la observabais a ella.

«Viejo zorro.»

—Lo intentaba. Pero no suele prodigarse demasiado a los ojos ajenos.

—Trabaja duro —la disculpó el sastre.

—Lo sé, la he visto. —El sastre no le quitaba el ojo de encima—. La veo —confesó Nicolás.

En algún momento, Miguel salió del taller camino de su propia casa y los encontró allí, quietos, sentados, juntos.

—Con Dios —saludó el sastre.

El muchacho bajó la cabeza como respuesta y se alejó con rapidez.

—No parece muy hablador —constató Nicolás, como si ellos hubieran dicho alguna frase que contuviera más de cinco palabras.

—Antes lo era más —murmuró el sastre—. No es mal chico. Hace lo que le mandan, como tiene que ser.

Ambos se refugiaron en el silencio de nuevo. Los sonidos de la ciudad parecían amortiguados por la propia oscuridad; era la hora en la que la gente se recogía en sus casas. Les llegaba el olor de las ollas colgadas de los llares y puestas sobre el fuego. Sin embargo, en la casa del sastre todo seguía en silencio, aunque dentro, alguien había encendido los candiles.

Nicolás prefirió no plantearse qué sucedería si Clara salía de la tienda y lo descubría. Ya había sufrido demasiadas ensoñaciones, demasiadas ambiciones insatisfechas y demasiados sueños rotos. Así que se quedó allí, junto al sastre, pensativo, sin dejar que lo atrapara la esperanza.

Simplemente, se sentó a esperar.

Fue el sastre el que rompió la quietud de la noche y lo hizo con una pregunta.

—¿Qué es?

Nicolás tuvo que seguir la dirección de su mirada para darse cuenta de a qué se refería. Sus ojos chocaron contra la fachada de la sastrería.

—Una melodía.

—¿Es vuestra?

Nicolás asintió sin percatarse de la oscuridad reinante. El sastre repitió la pregunta.

—Sí —dijo el cantor—. La he compuesto para ella —confesó.

—Cantadla entonces.

Nicolás temió lo que sucedería a continuación. Clara lo escucharía, saldría de la casa, lo vería, se daría la vuelta y se metería de nuevo, obviándolo, ignorándolo. Y a él se le rompería la voz... y el corazón.

Aun así, aun a sabiendas de que aquella era la última vez que la tendría ante los ojos, no pudo, o no supo, controlar el anhelo de que Clara escuchara lo que había compuesto para ella.

No había llegado a la novena nota cuando una figura se recortó en el quicio de la puerta mientras se limpiaba las manos en el delantal.

—¿Quién es, qué sucede? ¿Señor Luis?

Nicolás se detuvo un momento, un segundo, apenas un instante, solo para constatar que a la mujer que tenía delante le temblaba la voz.

Las notas continuaron surgiendo de su garganta como por ensalmo. Se posaron un instante sobre Clara, lo suficiente para que esta no pudiera escuchar nada que no fuera la melodía, y se deshicieron en el aire como hilos de nubes sopladas por la brisa. Los ojos de Nicolás se posaron en ella como la fina lluvia sobre los pétalos de las flores. Clara notó la frescura del movimiento de sus pestañas y la hondura de sus pupilas. Casi no había luz; el farol permanecía aún sobre la mesa del taller, pero ni ella ni él fueron conscientes de ello; ella porque sus sentidos se habían cerrado a todo que no fuera él, y él, porque solo la veía a ella.

Cuando Nicolás llegó al final de los acordes, todavía sostuvo la cadencia unos instantes más. Media vida habría dado por mantener aquellos ojos clavados en los suyos. La misma que habría dado Clara por haberlo conocido en otras circunstancias.

El sastre lo había dejado muy claro. El músico se quedaba y no había opción a ninguna protesta.

—Acércale hasta ahí —ordenó Clara a Nicolás y le indicó la silla en la que el señor Luis pasaba las horas.

—El joven se quedará a cenar.

Clara no habló, pero lo decía todo con la mirada. Él prefirió no saber lo que sus ojos pronunciaban en silencio.

—El guiso no tardará en estar listo.

—Como no te escuchábamos bregar por la cocina, pensábamos que aún no habías empezado con la faena.

—El jubón del... ya está casi listo. Lo que queda lo dejaré para la noche, cuando todo el mundo esté dormido —explicó.

El sastre le echó una mirada profunda. Nadie sabía que Clara era algo más que una simple ayudante. Ella hizo un gesto con la cabeza para quitar importancia a sus palabras.

—Sé guardar un secreto —se adelantó Nicolás, dirigiéndose al sastre—. Te ayudo con la cena.

Era la primera vez que Clara trabajaba junto a otras manos. La mesa de la cocina no era amplia y los cuchillos no estaban afilados. O al menos esa era la justificación que Clara daba a su torpeza. La tercera vez que intentó cortar un pedazo sin conseguirlo, él le quitó la herramienta y la hizo a un lado.

—¿Por qué? —preguntó ella a su espalda.

—Para que al finalizar la cena todavía conserves todos los dedos —bromeó él mientras apretaba el filo contra la piel de la calabaza con la que iba a cocinar los restos de las legumbres que habían sobrado aquel mediodía. Aquello era mucho más sencillo que responder a la pregunta que le había hecho en realidad.

—Sabes de qué estoy hablando. ¿Qué haces aquí?

Nicolás detuvo el corte, soltó el cuchillo, que se quedó clavado en el centro de la hortaliza, y se dio la vuelta con mucha calma. Todos los nervios que tenía mientras había estado sentado con el sastre, todas las dudas sobre la reacción de Clara se habían desvanecido en cuanto oyó la oscilación de su voz.

—Estoy aquí por ti —confesó sin dejar de mirarla a los ojos.

Clara no se movió del sitio. Retroceder ante Nicolás era dar por perdida una batalla.

—No es cierto.

—Lo es, como lo es que el otro día nos encontramos en la calle.

—No habrías venido si no buscaras algo.

—Por supuesto que lo hago, ¿no lo hacemos todos? —susurró él.

Le cogió la mano. Clara se estremeció al notar su piel, pero la apartó y la escondió detrás de la falda.

—¿Y cuál es tu intención si puede saberse?

Nicolás dio un paso al frente. Clara continuó con los pies fijos en el suelo y actitud desafiante. Más le hubiera valido rendirse, como hicieron los tercios de Flandes tras la batalla de Heiligerlee.

Él la sujetó por la cintura antes de añadir:

—¿Necesitas una respuesta? —murmuró junto a su boca al apretarla contra sí.

No, Clara no necesitaba una contestación, lo que necesitaba

era recordar. Rememorar lo que le había hecho, invocar a lo que había sentido cuando él la había abandonado; lo que necesitaba era un poco de juicio y mucha cordura para no volver a cometer el mayor error de su vida; lo que necesitaba era mucho dominio para no dejarse llevar por los sentimientos; era no tenerlo tan cerca; era olvidarlo, no verlo más, que no la tocara con sus largas manos, que no la mirara con aquellos ojos azules, que no le hablara con aquella voz, que no la besara.

Lo que necesitaba...

Nicolás subió por sus brazos y le acarició la piel de los codos. Luego, tras un breve inciso, descendió poco a poco de nuevo. Notar el calor de su acelerada respiración contra su cuello le anunció lo que con seguridad vendría después. Las manos de Clara se soltaron una de la otra y cayeron laxas, sin fuerza, a lo largo de su cuerpo. Él aprovechó para enredar los dedos entre los suyos y acercarla a él. Clara temblaba, pero no se resistió. Él tampoco; no se resistió a mirarla a los ojos y observar el brillo del deseo en ellos. Porque era deseo lo que las pupilas de Clara dejaban entrever.

Se separó un instante, solo lo suficiente para confirmar lo que ya sabía; que se perdería en el abismo de su mirada sin pensarlo ni un instante. A punto estuvo de hacerlo, de olvidarse de sí mismo, de fundirse con ella como el agua de un torrente en la confluencia con el río, pero se controló. Quería que ella fuera la que se arriesgara, la que diera el primer paso.

Paseó los labios por sus pestañas y recorrió su cara, sin tocarla, sin rozarla, tan lejos y, sin embargo, tan cerca que hasta sentía cómo se le erizaba la piel allí por donde pasaba.

Clara pensó que no lo soportaría más, que en cualquier momento se desharía bajo su caricia. Lo deseaba tanto que dolía. No podía moverse, la tenía hechizada.

En algún momento que Clara no recordaba, debió de cerrar los ojos porque él susurró:

—Enséñame tu alma.

Y Clara se dejó mecer por aquel susurro. No quería que se callara, que el sonido que surgía de su garganta no se apagara nunca, que nunca finalizara.

—Ábrelos —insistió él de nuevo—. Mírame.

Fue la cadencia de su voz lo que la obligó a obedecerle. Y fue la sonrisa que encontró lo que la obligó a besarle.

Aún le temblaban los labios cuando los posó sobre él, aún, y aún le temblaba la mente.

Pero en el momento en el que sintió la tibieza de su boca, ya no quiso detenerse. Se liberó de las manos de Nicolás, que todavía retenían las suyas, recorrió los músculos de su espalda y lo apretó contra sí.

Sin embargo, ahora que había conseguido que reaccionara, Nicolás decidió continuar con el juego.

Se alejó de ella y sonrió cuando lo miró incrédula. Pero cuando Clara lo sujetó por la nuca y lo arrastró hacia ella, dejó de reírse y dejó de imaginar. Se amoldó a su boca y se rindió a las sensaciones.

Clara era suave, tierna, impaciente, intensa, exigente. Era fascinante. Le pedía todo de sí. Él se lo entregaba y ella lo aceptaba con avaricia. Le ofreció su anhelo, le regaló sus deseos y le cedió sus ilusiones. Y, sin darse cuenta, le entregó su alma.

El beso se fue dulcificando poco a poco, segundo a segundo. Y, cuando se separaron, en la cara de Nicolás se dibujaba una tonta sonrisa. Depositó un último beso, que ella recibió con ansia. Su rostro se volvió aún más risueño. No pudo contenerse; aprisionó su labio inferior y le dio un ligero mordisco que dejó a Clara con las mejillas sonrosadas, las piernas débiles y el cuerpo ardiente. A punto estaba de responder a la tentación y acariciarlo de nuevo cuando se escuchó un fuerte golpe al otro lado de la puerta de entrada.

—¡Fernando! —exclamó ella al tiempo que se apartaba de él.

Todavía tuvo tiempo de atusarse el cabello y de estirarse la ropa antes de salir de la cocina y abrir la puerta.

Atravesó el taller más despacio que nunca para intentar recobrar la serenidad perdida. Preocupada por que su enloquecido corazón recobrara el sosiego, no vio la expresión del sastre. Si lo hubiera hecho, si lo hubiera mirado, no habría tenido duda de que el señor Luis conocía a la perfección qué había sucedido en su cocina. Y que lo aprobaba.

Todos se comportaron con cortesía. El sastre presentó a Nicolás como a un amigo y a Fernando de LaGavia como a su arrendatario. Ambos se saludaron con una inclinación de cabeza. Cualquiera que los observara en aquel momento pensaría que era la primera vez que se veían, nadie hubiera imaginado las veces que se habían encontrado y se habían mirado con inquina.

La cena fue de lo más agradable para el sastre. Nicolás habló de su pasión: de canto, de la grafía de las notas, de los coros de polifonía y de los de monofónicos, de los instrumentos, de las distintas capillas musicales en las que se dividían los músicos de la corte española... Habló de todo menos de cómo lo habían expulsado y de por qué se encontraba en la calle sin un lugar donde dormir. Por un instante, en medio de la conversación, sus ojos se encontraron con los del sastre. El cantor pensó que este lo iba a delatar, pero el señor Luis se limitó a hacer un comentario que animó aún más su discurso.

Fernando de LaGavia se mostró cauto y silencioso. Escuchaba lo que Nicolás decía y preguntaba de vez en cuando. Si Clara hubiera tenido que describir el estado de ánimo del secretario, sin duda lo habría tachado de atraído e interesado por la conversación de Nicolás.

Y si alguien le hubiera preguntado por el suyo propio, no habría sabido qué decir. Confundida habría sido la primera palabra que se le hubiera ocurrido, prendada, la segunda y asustada, la tercera. Y en verdad lo estaba, y mucho. Estaba confundida por cómo había aparecido Nicolás de nuevo en su vida. Estaba prendada porque era sentirlo cerca y olvidarse de respirar. Y estaba asustada porque le daba pavor pensar siquiera en lo que iba a suceder a partir de entonces. Se negaba a depender de nuevo de sus caricias, no soportaría que la dejara otra vez a un lado en cuanto consiguiera lo que buscaba. ¡Qué tonta había sido cuando, en Valsaín, aseguró a Justa que su relación con él no era más que un juego para ella! La realidad era que en el momento en que lo encontraba se le metía de nuevo en la sangre, hasta el punto de depender de él como los árboles de la savia. Solo deseaba que llegara el final de la cena, que se despidiera y volviera a desaparecer. Al menos sus propios pensamientos le darían un respiro. Hasta el día siguiente, cuando el recuerdo de sus besos y de sus abrazos regresara.

Los hombres vaciaron los platos. El ruido de la cuchara contra el cuenco indicó que ya poco quedaba del caldo que les había servido. Clara se levantó y comenzó a recoger los cacharros.

Los tres hombres se volvieron hacia ella y permanecieron en silencio. Y la incomodidad se instaló en ella.

Alargó todo lo que pudo la limpieza de los platos y los cubiertos; los lavó, los dejó escurrir, los secó y los volvió a colocar en el aparador de donde los había sacado. Descolgó la olla de las cadenas y la colocó en el trébede, que siempre tenía ante el fuego, y limpió la mesa. Cuando cogió la escoba y comenzó a barrer el suelo, quedó patente que las seis piernas que había debajo de la mesa molestaban.

El secretario fue el primero en notarlo.

—Creo que es la hora de marcharse —dijo sin dejar de mirar a Nicolás.

Este hizo como si el comentario no fuera con él.

—Tenéis razón, mañana tendréis que afrontar un nuevo día. Atender las peticiones de los villanos debe de ser agotador. Además, Clara querrá ver la cocina libre de estorbos —añadió el sastre.

—¿Os acompaño a vuestra alcoba? —se ofreció el inquilino, que se levantó solícito y asió al sastre por un brazo.

Pero este agitó una mano al aire y se soltó.

—No, no. Yo me quedaré un rato más.

Fernando de LaGavia ya estaba en pie y no pudo volver a sentarse. Si lo hacía, corría el peligro de desairar a Clara y, sobre todo, de hacer el ridículo ante los otros dos hombres.

—Que descanséis —añadió el tenor, por si el secretario no tenía muy claro qué se esperaba de él.

Este se marchó con las mejillas rojas de ira. Aquellos dos hombres lo habían hecho pasar por un patán.

Nadie dijo nada durante un buen rato. Nicolás y el sastre miraban a Clara mientras trajinaba por la cocina, y esta se ponía cada vez más nerviosa ante la inspección a la que la sometían.

Se escucharon las pisadas de Fernando por las escaleras y sus pasos en la alcoba que ocupaba. Después, la casa quedó en calma, solo rasgada por el arañar de las ramas del tamujo sobre el piso. ¿Cuántas veces había limpiado por el mismo sitio? Al fin, todo dejó de moverse, todo menos las manos de Clara, las piernas de Nicolás que se cruzaban y descruzaban a cada instante, las brasas que crepitaban aún en el hogar y los ojos del sastre que saltaban sin cesar del rostro de Clara al de Nicolás.

—Creo que yo también me retiraré. El joven se queda. Prepara unas cuantas mantas para él. —Se volvió hacia Nicolás sin esperar respuesta—. ¿Dónde tienes tus pertenencias?

—Se quedaron fuera, al pie de uno de los árboles.

—Una imprudencia. En esta villa no todo el mundo tiene respeto por la propiedad ajena.

¡Vaya si lo sabía, como que esa era la razón de que se viera sin techo y sin dinero!

Se levantó deprisa, ansioso por recoger las cosas de la calle y regresar cuanto antes. Puso buen cuidado en no hacer ruido al abrir la puerta de la casa. Cualquier cosa con tal de no dar al «señor De LaGavia» una excusa para volver a aparecer por allí.

Clara esperó a que Nicolás se ausentara antes de hablar.

—¿Qué es lo que pretendéis?

Estaba indignada por cómo se estaba comportando el sastre, molesta por su injerencia y sus insinuaciones. Sabía lo que intentaba y no estaba dispuesta a que se entrometiera en su vida. Ya lo había hecho su verdadera tía durante los años en los que había vivido bajo su vigilancia y no lo iba a hacer ahora el hombre para el que trabajaba.

Pero la cólera de Clara no afectó al sastre, sino que lo divirtió. Se limitó a mirarla con aire inocente. «A menudo uno no ve lo que la vida le presenta ante los ojos y necesita que alguien se lo aclare.» ¡Ojalá le hubiera ocurrido a él en el pasado!

—No pretenderás que el joven pase la noche al raso.

—Que lo haga en su propia cama, esa por la que paga sus buenos reales. ¿O es que también le vais a cobrar por el alojamiento? —le espetó Clara, ajena a la situación real de Nicolás.

El sastre soltó una carcajada. Estaba en el buen camino. Así que sabía dónde se suponía que paraba el músico. Se interesaba por lo que le sucedía. Su amiga, supuso, la mantenía bien informada. «Aunque a veces las noticias no siempre llegan a su destino.»

16

Nicolás se despertó de repente. Se había dormido. A pesar de todo. Ni siquiera había sido consciente de haber cerrado los ojos.

La casa estaba en calma, o, al menos, eso parecía puesto que los ronquidos del sastre no dejarían oír los festejos de la entrada del rey en la villa el día de su coronación, ni aunque las cornetas, las chirimías y los sacabuches de los músicos de las Caballerizas Reales tronaran a la puerta de la sastrería. Se volvió de cara a la pared y se cubrió con la frazada que Clara había sacado para él del fondo del arcón del taller. Otro grueso lienzo, hecho a base de retales de tela, doblados y unidos entre sí, lo protegía de la frialdad del suelo. No era el lecho más cómodo que había tenido, pero descansar bajo el mismo techo que ella bien merecía el sacrificio.

Otro sonido atronador interrumpió sus pensamientos. Se incorporó un poco y agitó al hombre que dormía en la cama, a los pies de la cual intentaba conciliar el sueño. Funcionó. Retomó el hilo de sus reflexiones cuando el sonido de la respiración del sastre descendió de intensidad. Sin embargo, la paz duró poco. El señor Luis volvió a moverse, se quedó boca arriba y el concierto comenzó de nuevo. «Tendría que avisar a Molina de que en esta casa se encuentra el mejor bajo del imperio.»

Enterró la cabeza debajo de la manta y se apretó las orejas. Ni por esas. Esperó, se levantó y volvió a mover al hombre. Una y otra vez. Y siempre con el mismo resultado. Cuando parecía que todo se calmaba, un estruendo atronador rompía el silencio. Y otra vez a levantarse y otra vez a agitarlo y otra vez a acostarse y otra vez a desvelarse. No aguantaba más. Tenía que salir de allí o al día siguiente le detendrían por ahogar a aquel hombre con sus propias manos.

Cogió la manta y el lienzo que lo protegía del suelo y salió de la habitación. En cuanto entró en el taller y cerró la puerta de la alcoba, la quietud sustituyó al bullicio. Rodeó la gran mesa de trabajo para acercarse hasta el otro lado de la habitación.

Fue entonces cuando se dio cuenta de dónde procedía la claridad que iluminaba sus pasos. Recorrió las paredes del taller hasta localizar el jergón que buscaba. Estaba vacío.

Se acercó a la puerta de la cocina para confirmar lo que ya sabía. De espaldas a él, Clara cosía, sentada junto a la mesa.

«Va a acabar con sus ojos», fue lo primero que le pasó por la cabeza y, después, que nunca antes había visto una imagen tan perfecta.

La trenza, que normalmente mantenía cubierta y recogida, le colgaba ahora medio deshecha por la espalda. Toda una invitación.

Clara estaba cansada, mental y físicamente. Si hubiera tenido otra opción, no se habría quedado a cortar y a sobrehilar las piezas aquella noche. Claro que tampoco habría podido dormir, con Nicolás a menos de diez pasos de ella.

¿Cómo se había el sastre comportado de aquella manera? Si casi lo había metido en su cama, sin cuestionarse siquiera qué era lo que ella opinaba. ¿A qué venía aquello de que se quedara a dormir? Ella lo había dejado muy claro, quería que se marchara. Pero no había servido de nada. Menos mal que Fernando no se había enterado de la última ocurrencia del señor Luis. Aunque como Nicolás no madrugara al día siguiente y se fuera a primera hora, el secreto no duraría mucho.

No era tonta. Sabía interpretar los indicios de un hombre y comprendía que el escribiente se interesaba por ella. ¿A qué si no venía que la acompañara a los repartos y a las pruebas siempre que podía? ¿Por qué desde hacía un tiempo salía de la Junta antes que nunca y cenaba con ellos? Lo sabía y lo aceptaba. Consentía sus avances y los alentaba. Sentirse rechazada era duro y saber que la persona en la que has puesto tus ilusiones te abandona a tu suerte, mucho más. Por eso, se había concedido una segunda oportunidad, por eso y porque creía que Fernando no se desentendería de ella nunca, como había hecho Nicolás.

Por eso se había permitido aceptar sus atenciones. Hasta que había encontrado a Nicolás tirado en la calle y las entrañas se le habían encogido. Hasta que la había rozado y el corazón se le había desbocado. Hasta que la había abrazado. En ese momento supo que para ella no habría más abrazos que aquellos ni más besos ni más susurros que los suyos, que nunca nadie volvería a tocarla sin que en su mente se recortara la figura de Nicolás.

Lo necesitaba. Y lo odiaba, lo aborrecía por hacerle sentirse así. Lo odiaba. Y lo necesitaba.

Desde que salió de palacio y llegó a la sastrería, su único deseo había sido trabajar. Ese era su propósito, ese y no otro. Hasta que aparecieron aquellas notas en la pared.

Lo odiaba.

Mentira, ¿por qué se engañaba a sí misma? En realidad, lo deseaba. En realidad, lo amaba.

La aguja se le clavó en la yema del dedo índice, pero Clara la sintió en medio del pecho. Se llevó la mano a la boca. Iba siendo hora de alejar los espectros e intentar dormir las horas que quedaban hasta el amanecer. Las calzas ya estaban preparadas y Miguel no sospecharía cuando se las diera para coser. Que el sastre supuestamente trabajara un rato después de que él se marchaba no le causaba la menor de las preocupaciones.

Posó la tela sobre la mesa. Estaba agotada. Se llevó una mano al hombro izquierdo y comenzó a masajeárselo. Desde hacía un par de días, le dolía al finalizar la faena. Echó la cabeza hacia atrás y estiró la cintura. Se levantó y se acercó a una de las grandes tinajas, donde almacenaban el agua que trasportaban desde la fuente de la plaza del Alamillo. Quitó la tapa de madera de una de ellas y la colocó sobre la otra. Ni se molestó en coger un vaso. Formó una escudilla con las manos y bebió.

Nicolás no se pudo contener y deslizó los dedos por su cintura. Notó el estómago de Clara encogerse.

—No temas —le susurró inclinado sobre su espalda.

Al escuchar su voz los músculos de Clara se distendieron. Nicolás alejó el miedo al rechazo y respiró más relajado.

Clara no se movió. Con las manos apoyadas en la boca de la vasija, se tomó tiempo antes de responder a las caricias. Nicolás la sentía respirar profundamente. Su pecho se movía arriba y abajo mientras él destruía sus defensas con un sinfín de tiernos besos en la base de la nuca. La sintió reflexionar y la sintió estremecerse. Supo que claudicaba cuando dejó caer la cabeza hacia delante y exhaló un hondo suspiro.

Derrotada por sí misma.

Clara tomó aire y tomó una decisión. Y entonces se dio la vuelta y se dejó envolver entre sus brazos.

Nicolás no pudo verle la cara. La lámpara grande seguía sobre la mesa, a su espalda, y el candil de garabato, un pequeño recipiente que colgaba de la pared en una de las esquinas, no conseguía disipar las sombras del rostro de Clara.

Si lo hubiera hecho, si la hubiera visto, se habría encontrado con el rostro de una Clara convencida, con la expresión de una mujer decidida, con una mujer que dejaba a un lado los miedos personales y atendía a sus deseos más íntimos.

Si lo hubiera hecho, si la hubiera mirado, habría notado la cara de una mujer enamorada.

No, Nicolás no le vio la cara, pero sintió el momento en el que ella se pegó a él, ansiosa, con urgencia, casi con violencia; el instante en el que tomó lo que la boca de Nicolás le ofrecía. Besó sus labios, buscó su lengua, le acompañó en el viaje. Lamió sus labios, probó su lengua, se unió a él. Mordió sus labios, bailó con su lengua, se dejó llevar.

Enterró las manos entre su pelo y lo besó. Lo besó hasta que lo sintió sonreír debajo de sus labios y un cosquilleo le subió desde el centro del pecho.

—¿Qué sucede?

—No recuerdo que antes te comportaras de forma tan osada —aseguró Nicolás. Estaba feliz.

—Quizá porque no era fácil traspasar la barrera de la que te rodeabas.

—¿Y ahora?

—Algo la ha desmoronado.

Nicolás no pudo contener la sorpresa. Nunca hubiera imaginado aquella respuesta. Quizá tenía razón.

Ella lo besó de nuevo.

—No dejas de sorprenderme —confesó cuando finalizó el tórrido beso.

—A estas alturas, ¿no esperarás encontrar una delicada mujercita?

Él negó con la cabeza.

—A estas alturas, sé exactamente lo que busco —contestó con la voz ronca por el deseo—. Y conozco a la perfección lo que encuentro.

No hubo más palabras. Nicolás se quedó atrapado en la piel de su garganta, que asomaba por la camisa medio abierta. Pero Clara necesitaba más, más de él, que le recorriera el cuello entero, que le abriera el vestido y la cubriera con sus caricias.

Fue ella la que se desabrochó los botones. Nicolás rio de nuevo. Nadie podría decir nunca que la mujer que suspiraba entre sus brazos no era decidida.

Su piel era fina y delicada. Más suave cuanto más descendía. Se detuvo un instante al llegar al inicio de los senos. «Deliciosa», pensó frotando la áspera barbilla contra su tez. La turgencia de sus pechos, que la cotilla elevaba aún más, le facilitó el avance. Dio gracias al cielo y a las exigencias de la moda. Recorrió con la punta de la lengua el valle de su interior para después soplar sobre la humedad. No le pasó inadvertido el estremecimiento de Clara, y menos aún el sonido que se escapó de su garganta. Detuvo las caricias solo por el capricho de volver a escucharle otro gemido de placer.

Que no tardó en llegar en forma de ruego.

—No te detengas —suspiró ella mientras movía su cuerpo para unir sus caderas a las de él.

Nicolás no tenía ninguna intención de pararse, lo único que quería era tocarla por entero, perderse entre sus piernas, alcanzar la gloria a su lado y verla gozar junto a él. De un tirón, le soltó las cuerdas de la falda y, de un tirón, le sacó la camisa. Pero de nada le sirvió. Maldijo ahora las exigencias de la moda. Para poder tocarla aún tendría que desembarazarse del resto de la ropa.

—¿Por qué diablos lleváis todos estos ropajes? —farfulló a la vez que luchaba por soltar los botones de la misma pieza que hacía unos segundos le había parecido tan deliciosa.

—Para que os resulte más difícil —se rio ella, que le apartó las manos y continuó ella misma con la tarea.

Difícil era para él, pero más lo fue para ella ya que los dedos de Nicolás quedaron disponibles para posarse en otra parte de su cuerpo. Él fue incapaz de contenerse. El faldellín no resultó ser una barrera y Clara enseguida sintió las caricias en la parte exterior de sus piernas. Pero las manos no se detuvieron allí y comenzaron a ascender.

Nunca habría imaginado que el placer se extendiera por todo el cuerpo al mismo tiempo. Y nunca, que fuera como si la sangre se licuara, como si se derritiera por dentro, como si fuera nieve al contacto con el sol. Eso era lo que sentía, lo que él provocaba en ella.

Aceleró ansioso la faena y se desembarazó de la cotilla. Y cuando esta cayó al suelo, la camisa terminó de abrirse. Los pechos buscaron las caricias prometidas y se asomaron por el borde de la tela.

Nicolás no esperó más y los tomó en sus manos. Clara contuvo el aliento cuando él comenzó a masajearlos, y lo contuvo aún más cuando atrapó los pezones y los apretó con fuerza. Nunca hubiera pensado que el dolor podía contener tanto placer. Se inclinó hacia atrás y los dejó expuestos al apetito de Nicolás. Pero él, sin embargo, no tenía intención de probarlos, no antes de...

Metió una mano en la tinaja y la mantuvo sumergida unos instantes, y mientras arrasó su boca. De nuevo. Una y mil veces, sin saciarse nunca.

Clara no estaba preparada para lo que llegó después. Dio un respingo cuando él puso la mano helada sobre uno de sus pechos.

—¿Pero...?

—Chsss —musitó él lamiéndole el lóbulo de la oreja y sin dejar de mover los dedos sobre el pezón, que se puso duro, henchido.

Después, bajó la cabeza hasta él y lo mordió con delicadeza. Oleadas de gozo alcanzaron a Clara en lo más hondo. Estuvo a punto de gritar, sin embargo, se contuvo en el último instante y apretó los dientes para no hacerlo. Nicolás pasó a su otro pecho y repitió la tortura. Clara estuvo a punto de caer, pero se soltó de los hombros de Nicolás, estiró los brazos hacia atrás para apoyarse en el borde de la tinaja y cerró los ojos. Por un momento. Hasta que notó cómo la mano de Nicolás descendía por debajo de su vientre.

Entonces los abrió, los abrió y detuvo su mano.

—No.

Nicolás le mordió el hombro.

—Confía en mí —susurró y clavó su mirada en ella. Ella se quedó en silencio—. ¿Lo harás?

A Clara le perdieron sus ojos. De nuevo. Y su voz.

—Sí —musitó y aflojó la presión de sus dedos.

Nicolás aprovechó para enredarlos con los suyos. Con la otra mano, recorrió el perfil de su costado hasta llegar de nuevo a su pecho. Depositó un suave beso sobre él. El vello de Clara se erizó en aquel punto cuando el calor de sus labios, ahora ausentes, dejó paso al frescor de la noche.

—Espera. Ven. Hace frío.

Nada fue lo que tardó en recoger la manta y el lienzo que había traído con él. Y nada lo que le costó estirarlos en el suelo, al lado de las brasas.

Con una gran sonrisa pintada en los labios, extendió el brazo invitándola a seguirle. Clara aceptó sin dudar.

—Creo que nos sobra esto —murmuró ella cuando estuvo a su lado y tiró de la camisa de Nicolás hacia arriba. Él terminó de sacársela por la cabeza.

—Y yo creo que también nos sobra esto. —De un tirón, la camisa de Clara descendió hasta la cintura—. Y esto —añadió haciendo que la prenda se deslizara hasta el suelo arrastrando con ella el faldellín.

Estaba preciosa. «Ni la más delicada de las melodías podría hacerle sombra.»

Era imponente. «Ni el más lujoso de los bordados podría igualar su apostura.»

Aquella era la primera vez que un hombre la veía desnuda y, sin embargo, lo que ante otros ojos hubiera sentido como un ultraje, ante los de Nicolás era un deleite.

Aquella era la primera vez que la veía desnuda y, sin embargo, conocía a la perfección las líneas de su cuerpo.

Clara enterró los temores bajo varias paladas de tierra y salvó el pequeño espacio que los separaba. Le abrió los brazos y se apoyó en él. Los senos de Clara rozaron el pecho de Nicolás. Poco a poco, fue adaptando el resto de la silueta a la suya. Al acercar su vientre notó palpitar su urgencia. Sonrió. Nada como vivir cerca de la naturaleza para saber cómo se comportan los humanos.

—¿No decías que hacía frío? —preguntó con voz divertida mientras lo obligaba a agacharse con ella.

El abrigo de la manta les facilitó la intimidad que necesitaban.

Estar debajo de él era aún más incitante que estar al lado. Si de pie, a Clara le había parecido que sentir las yemas de sus dedos en su piel era lo mejor que le había pasado nunca, notar la presión de todo su cuerpo sobre ella era lo más provocador, y mecerse junto a él, lo más vivificante. Las anteriores caricias se convirtieron en juegos infantiles en comparación con los húmedos y sofocantes besos que compartieron entonces. Abrió las piernas por instinto y Nicolás se acomodó en ella. Él abandonó su rostro y comenzó a bajar por su cuerpo sin dejar de mirarla a los ojos. Le lamió el cuello; Clara intentó detenerlo sujetándolo por los hombros, pero Nicolás se lo impidió inmovilizándole las manos. Se deleitó con sus pezones y dejó resbalar la boca por el vientre. Clara se retorció de gozo. Llenó el hueco de su ombligo con la lengua; Clara consiguió soltarse y hundió las manos en su pelo, para animarle a seguir. Él besó el borde de su ensortijado vello y, cuando alcanzó su objetivo, Clara ya estaba dispuesta. Húmeda y abierta para él.

Sin embargo, Nicolás sintió la rigidez de los músculos de su estómago según se acercaba al centro de su ser. Sonrió. Nunca lo confesaría, pero estaba muerta de miedo.

Y Nicolás no quería aquello. No quería que cuando al fin sus cuerpos se hicieran uno, ella estuviera más preocupada por el dolor que por alcanzar la cima del placer junto a él. La quería en el mismo sitio, en el mismo rincón, en el mismo cielo que él. Así que, sin pensárselo dos veces y sin previo aviso, cambió de destino.

Siguió, continuó bajando; hasta situar su cabeza entre sus piernas, hasta colocar su boca donde quería. Y siguió, continuó besándole los labios, los otros. Alargó sus caricias hasta que las caderas de Clara se elevaron del suelo. Y persistió, hasta que la vio aferrarse a la tela sobre la que yacían y apretarla con fuerza. Y aún después, insistió. Con la lengua, moviéndola en círculos, deprisa, más deprisa, mucho más deprisa. Lamiendo, soplando, besando, libando, sorbiendo. Una y otra vez, y otra más. Hasta que Clara alzó las caderas apuntando hacia el cielo y él hundió los dedos en su interior, en su humedad, en su esencia.

La vio agitarse, la vio temblar, la vio estremecerse, y cuando al fin dejó de agitarse y el reposo regresó a ella, trepó de nuevo por su figura y la cubrió con su cuerpo. Cogió la manta, que se había resbalado a un lado, y se tapó a su vez.

—¿Satisfecha? —preguntó Nicolás unos segundos después mientras disfrutaba escuchando su acelerado corazón.

Clara aún tardó en contestar.

—Me temo que bastante más que el músico —respondió ella con voz somnolienta.

Él, como respuesta, se escurrió a un lado y colocó un brazo debajo de su cabeza para que estuviera más cómoda.

—Niek, mi nombre es Niek Probost —dijo él mientras le besaba la punta de su nariz.

Clara consiguió abrir los ojos a duras penas y dibujó una ligera sonrisa.

—Encantada de conocerte, Niek Probost —contestó y se acurrucó entre sus brazos.

Nicolás la abrazó con ternura y esperó a que se durmiera del todo, y, después, siguió esperando. Aquella era la primera vez que en aquella misma situación no buscaba su propio desahogo.

Y entonces supo que estaba perdido, consciente de que fuera lo que fuese lo que le pidiera aquella mujer, él la obedecería.

Cuando ella se durmió en sus brazos, él aún tardó mucho tiempo en hacerlo. Deseaba paladear con lentitud lo que había sucedido entre ellos.

Le fascinó verla descansar. Se recreó en los movimientos involuntarios de sus pestañas, en su pausada respiración y en sus huidizos suspiros. Se embelesó por la piel de su cuello, por sus largos dedos y las hebras de su pelo.

No pudo contenerse y le entregó la canción. Aquella que había escrito para ella, la misma que decoraba la fachada de la sastrería. Ordenó las notas, les puso voz y cantó a su oído. Para ella, solo para ella. Repitió la canción una y otra vez, decenas, cientos de veces, hasta que el cansancio se hizo un hueco entre ambos y Niek apoyó la mejilla sobre la cabeza de Clara y se abandonó al sueño con total placidez.

Le despertó un sonido procedente del interior de la casa. Por un instante, imaginó que aún estaba acostado sobre el colchón de plumas que Bonmarché había hecho instalar para él, pero en cuanto intentó darse la vuelta para volver a dormirse, el calor del cuerpo de Clara lo devolvió a la realidad, a la delirante certeza de que había pasado la noche con ella, y a la otra, estaba desnudo y había compartido cama y caricias con una mujer soltera. No quiso pensar en la situación en la que aquello los ponía a ambos. Se levantó con cuidado para no despertarla. A toda prisa, cogió del suelo su camisa y se la puso antes de que nadie lo viera. No se resistió a recoger los vestidos de Clara y a dejárselos cuidadosamente doblados a su lado.

Escuchó ruidos de pasos sobre su cabeza.

Eran de Fernando de LaGavia, el secretario. Un engreído con porte de erudito y salmodia de ilustrado. Menos mal que aún le quedaba el día entero antes de volver a verle. El sastre le había contado la noche anterior que, en ocasiones, aparecía con un atado de papeles debajo del brazo y se pasaba las horas sin despegar la vista de ellos. Con un poco de suerte, ese día se traía trabajo a casa, se encerraba en su cuarto y no lo volvía a ver.

Con lentitud, llegó hasta la puerta y se asomó con precaución. Nada. Ni un ruido ni una sospecha de presencia humana. Atravesaría el taller y volvería al cuarto del sastre, seguro que este aún no se había despertado y nadie se enteraría. Y si lo hacía, si le descubría entrando en la estancia, siempre podía alegar que había «cosas» que no eran fáciles de controlar. El sastre no insistiría ante la mención de las necesidades de toda persona.

Todo salió como había imaginado. Nadie lo descubrió. Era demasiado temprano. Aún tuvo tiempo de escuchar durante un rato los últimos ronquidos del señor Luis.

—Aquí tenéis.

Clara dejó de tararear para atender a la señora de Brañas. La bolsa de monedas que esta dejó sobre el mostrador pesaba más que en otras ocasiones.

—¿Tan pronto?

—Los últimos pañuelos se vendieron a los dos días, el cuello de encaje al día siguiente y, además, os traigo un encargo —anunció la mujer con sequedad.

La conversación de Clara con la dueña de la mercería más conocida de la ciudad se vio interrumpida por la entrada de la señora Agustina en la tienda. La acompañaba una joven y otra mujer mayor, bastante entrada en carnes, que la joven no había visto las veces que la había visitado en su domicilio.

Clara hizo un gesto a la viuda de Brañas. Esta afirmó con la cabeza y se sentó al lado del sastre a esperar. Ella sabía mejor que nadie que lo primero era lo primero y, en una tienda, lo primero era el cliente.

—Señora Agustina. ¿Qué os trae por aquí?

Una nueva pareja traspasó la entrada de la sastrería y se colocó detrás de las mujeres.

Clara los recibió con otra sonrisa.

—Ahora mismo estoy —dijo a los recién llegados. Se dirigió de nuevo a la señora Agustina—. ¿Qué se os ofrece? —preguntó con complaciente solicitud.

—Se desenvuelve como nadie —comentó la viuda al sastre—. Habéis tenido mucha suerte con vuestra sobrina. Parece que no haya nacido más que para la costura y para esto.

Este permanecía en silencio sin apartar la mirada de la joven. Aquella mañana Clara estaba extrañamente contenta. Era la primera vez que la escuchaba cantar. En general, no era una muchacha huraña, pero sí seria, a veces hasta demasiado, aunque aquel día había dejado la seriedad pegada a las mantas de la cama. Se preguntó qué parte de su carácter se había forjado debido a la falta de una madre, debido a la falta de un padre, debido a su ausencia.

—No podría pasar sin ella.

Aquello era una advertencia. El señor Luis no era tonto y sabía que los ojos de la viuda se llenaban de codicia cuando miraba trabajar a Clara.

Las noticias corrían por la villa como la pólvora seca y habían llegado hasta la plaza; la viuda de Brañas no tardaría mucho en romper las relaciones con la familia de su marido y se establecería por cuenta propia. En realidad, por cuenta de José Salgado, un triste viudo que regentaba una triste tienda de hilaturas dos calles por detrás de la plaza del Arrabal. El sastre no tenía duda de que el nombre de Clara era el primero que aparecía en la mente de la mujer como ayudante para su nuevo negocio.

La viuda le echó una mirada de entendimiento. Pocas palabras, pero comprendidas. Le había llegado la advertencia.

Ambos apartaron la mirada el uno del otro y se volvieron de nuevo hacia la joven, que había desplegado sobre la mesa una pieza de tela que la clienta palpaba con sumo interés.

Aún la siguieron durante un rato, mientras Clara se acercaba a la calle para que la mujer, francamente reacia a tomar una decisión, pudiera examinar con detenimiento el color, la textura y el cuerpo del tejido. Y la continuaron mirando mientras atendía al resto, y todavía más cuando recogía todo lo que había sacado y volvía a colocarlo en su lugar, después de que los clientes se hubieran marchado y hubieran dejado el encargo de que la esperaban en su casa al día siguiente para la sesión de toma de medidas.

Clara cantaba. Distraída en su propio cometido, tarareaba una melodía. Llevaba con la misma tonada todo el día, desde que había despertado, sola, en el mismo lugar en el que había hecho el amor con Niek unas horas antes. La somnolencia todavía caía sobre ella como la bruma matutina y las palabras y la música ya danzaban en su cerebro. Y ahí seguía, sin saber de dónde ni cómo había entrado en ella, repitiendo aquellas palabras una y otra vez. *«In cordis* —decían—, *in cordis.»*

Nicolás lo sabía, sabía de dónde procedía la melodía. De él. Y sabía lo que significaban las palabras.

«In cordis.»

«En el corazón.»

Nicolás sacó la escribanía y las últimas hojas de papel que le quedaban, de las que había podido sustraer del palacio, y se apropió de la mesa de la cocina. Se acomodó a la rutina del negocio y comenzó a componer.

Horas más tarde, ya se intuía la llegada del mediodía y allí continuaba, escribiendo y escuchando, transcribiendo las notas inventadas y tantas veces rememoradas aquella noche, dejándose llevar por su creación y por las conversaciones ajenas que se escuchaban más allá de la puerta, y concentrándose en diferenciar sus palabras de las del resto.

Las voces de los clientes se sucedían sin parar y solo callaban para que Clara explicara, ofreciera, aclarara, decidiera, mostrara o propusiera. Por primera vez desde que la conocía, fue consciente de que no era la simple costurera que había creído hasta entonces, que no era una mera ayudante, sino que formaba parte del negocio. El sastre confiaba en ella y le permitía llevar la tienda casi sin su intervención. De vez en cuando, y forzado por una consulta de ella, el dueño contestaba a alguna cuestión que le planteaba. Y siempre avalaba lo que Clara había decidido.

Según fue pasando la mañana, las visitas de los clientes comenzaron a espaciarse hasta casi desaparecer.

—Señor Luis, voy adentro, a ver si consigo poner la olla al fuego.

Y en el mismo instante en el que ella lo decía, se volvió a escuchar la puerta.

—¿Qué hacéis vos por aquí a estas horas? —La voz del sastre tenía un deje de inquietud.

El cantor levantó la cabeza y atendió a lo que ocurría en la estancia contigua. ¿Qué sucedía?

—Clara —era el secretario—, ¿podéis salir un momento?

Fernando de LaGavia. ¿Por qué había vuelto tan pronto?

Nicolás esperó escuchar el sonido del pie derecho del sastre arrastrándose por el suelo y el nervioso golpeteo del bastón contra el suelo, pero se encontró con el silencio más absoluto, solo roto por el choque de la madera contra el marco. Clara y el secretario habían salido de la tienda. ¿Qué tenía que decirle aquel estirado en secreto?

Nicolás aguzó el oído para nada, se levantó con sigilo y se asomó al taller, sin éxito.

No sabía por qué, pero intuyó que lo que aquel hombre estuviera explicándole a Clara no le iba a beneficiar a él de ninguna manera.

17

—¿Qué hace ese tipo aquí? —preguntó cuando Clara entró de nuevo en la casa y en la cocina.

El sonido del agua sobre la olla se detuvo y el músico vio vacilar la mano que inclinaba la alcuza.

—Lo mismo que el resto: espera la comida —contestó ella y continuó con su labor sin darse la vuelta ni mirarlo.

—No debería estar.

—Vive en esta casa.

—Nunca llega hasta la noche, el sastre lo dijo ayer.

—Pues hoy ha hecho una excepción y ha venido.

—Y ¿por qué si puede saberse? Te habrá dado alguna explicación para justificar este cambio en su rutina.

Clara se detuvo y tomó aire. Lo que fuera con tal de que él no notara lo que le habían afectado las palabras del secretario. No quería sacar el tema, no estaba preparada aún para pedirle explicaciones, no tenía valor suficiente para escuchar la respuesta.

—Tenía menos trabajo y ha podido salir antes.

—Habrá sido por hacer honor al invitado —afirmó irónico, refiriéndose a él mismo.

Clara dio un respingo.

—Habrá sido —musitó con voz queda.

Nicolás la vio balancear la cazuela, colocarla sobre las ascuas encendidas y moverse hasta el arcón. Sacó un plato cubierto con un paño y lo puso encima de la mesa.

Clara cortaba las cebollas con firmeza y sin ningún cuidado. Los trozos, que tenían la suerte de no caerse al suelo por el impulso, se esparcían por la superficie de la mesa. Nicolás tuvo que apartar la escribanía y los papeles y hacerlos a un lado para que no le arruinara el trabajo de toda la mañana.

No había duda de que, fuera lo que fuese lo que le había dicho el engreído aquel, la había puesto de mal humor, de muy mal humor.

—¿Cuánto tiempo se supone que se va a quedar aquí? —preguntó él, conteniendo el picor de ojos provocado por los vapores de la cebolla.

—¿Aquí?

—En esta casa.

—Nadie lo sabe. La carga de aposento obliga al señor Luis a aceptarlo.

—¿Y no puede pedir que le cambien de inquilino?

Fue la primera vez desde que había hablado con el secretario que Clara le miró a los ojos. Se pasó el dorso de la mano por la frente antes de hablar.

—¿Y por qué iba a hacerlo? Fernando es un buen hombre y no da problemas. ¿Por qué iba a desear que viniera otra persona de la que no tiene ninguna referencia?

—Parece que hablas por boca propia en vez de ajena.

Se escuchó el golpe del cuchillo sobre la madera. Clara se limpió las manos en el faldar que se había puesto sobre la ropa y se enfrentó a él.

—¿Y qué si lo hago? ¿Es acaso peor que otra persona? Créeme si te digo que la falsedad no es una de sus vilezas. Al contrario que en otros. —Clara dejó caer las últimas palabras con lentitud—. Al contrario que en ti.

Nicolás se dio cuenta de que había sido acusado, juzgado y declarado culpable sin ni siquiera haberse enterado. Y había llegado la hora de defenderse.

Dejó la escribanía sobre el banco y en dos zancadas, y sin previo aviso, la cogió por la cintura y la pegó a él. Clara intentó zafarse de entre sus brazos y lo empujó, pero él la sostuvo con fuerza, casi con furia.

—¿Cuáles son los cargos que ha vertido sobre mí? ¿Te ha enseñado las pruebas con las que los refrenda? —La cólera de los ojos de Clara le dijo que había dado en el clavo. El escribiente había estado curioseando por Dios sabía qué lugares hasta toparse con lo que buscaba—. ¿Te ha contado acaso que no soy de fiar? —Clara negó con la cabeza—. ¿Que acepto dinero a cambio de no hacer nada? —De nuevo un movimiento negativo—. ¿Que pongo mi nombre a composiciones que no son mías? ¿Que, como el mayor ladrón del reino, me apropio de los pliegos en los que escribo la música? —Y como viera que Clara seguía rechazando las cuestiones que le planteaba, gritó—: ¿Cuál es entonces mi culpa?

—¿Es cierto que te han echado de la pensión en la que parabas?

Nicolás se sorprendió tanto que la soltó. Y Clara aprovechó para dar un paso atrás y alejarse.

Era cierto, estaba furiosa; con el mundo, por la crueldad con la que la trataba; con ella misma, por ser tan cándida; pero sobre todo con él, por la infinita crueldad con la que la llenaba de ilusiones solo para patearlas después. Estaba furiosa, y lo peor de todo, estaba excitada. Y lo odiaba. Prefería sentirse humillada y vacía por dentro que notar aquella arrebatadora sensación cercana al delirio. De lo primero sabía cómo defenderse, de lo segundo, no.

—¿Ese es mi delito? ¿No tener con qué hacer frente a mis deudas? Te habrá dicho también que me han echado de la posada y que tuve que descolgarme por una ventana para conseguir llevarme mis pertenencias.

Pero Clara ya no le escuchaba. Intentaba digerir lo que la respuesta a su pregunta significaba para ella. Se había acercado a ella con la única intención de ponerse a cobijo, en busca de un techo que lo resguardara del cielo raso y unas paredes que lo protegieran del frío. Y si de paso se podía colar dentro de su cama, mucho mejor. «Solo buscaba un lugar donde dormir y yo se lo he ofrecido.»

Así de simple. Nicolás no estaba allí porque la amaba, estaba porque no tenía otro lugar adonde ir.

—Así que es verdad que te has quedado sin nada —musitó sin dejar de mirarlo—. Por eso has venido a mí.

Nicolás no podía apartar los ojos de ella, no lo podía creer, seguía sin confiar en él, continuaba creyendo que era el mismo tipo que la abandonó en la puerta de palacio. Nada de lo que había hecho había cambiado la opinión que tenía de él.

—Nunca imaginé que me guardaras tanta inquina.

—No tienes dinero.

El comentario descolocó completamente a Nicolás.

—¿Es eso lo que te preocupa, saber cuántos reales guardo en la bolsa?

Clara apenas podía pensar. ¿No se resumía a eso? Él estaba allí porque no tenía otro sitio adonde ir, porque no podía pagarse otro lugar.

—Sí.

—Así que solo te mueve el interés.

Clara acusó el golpe como si se tratara del impacto de una piedra. Se aprovechaba de ella y encima se tomaba la libertad de insultarla.

Lo abofeteó. Lo golpeó con todas sus fuerzas y con todo su ser. Por cobarde, por utilizarla, por destruirla. El rostro de Nicolás ni se inmutó. Solo la mancha roja que asomó en su mejilla y un palpitante escozor fueron las señales de lo que acababa de suceder entre ellos.

—Ni se te ocurra sospecharlo siquiera —le amenazó ella antes de darse la vuelta.

¿Era desprecio lo que su voz dejaba ver? Si creía que lo único que merecía era su menosprecio, no iba a ser él el que la sacara de su error. Nicolás salvó la distancia que los separaba y la sujetó por los brazos.

—¿Fue por eso por lo que anoche accediste a mis avances? ¿Lo fue? ¿Saber que tenía la faltriquera llena te estimulaba mucho más que mis propias caricias? ¿Lo hacía? ¡Contesta! —le gritó.

Clara no pudo hablar, ni pudo soltarse ni volver a golpearlo ni pudo evitar que él tomara su boca y la besara con ensañamiento.

El ruido del bastón del sastre acercándose a la cocina puso fin al asalto. Nicolás salió de la estancia con la rapidez de un alazán salvaje durante la huida. Solo que él no se podía escapar de sí mismo.

—Miguel, quedas pendiente del maestro.

—¿Os marcháis? —preguntó el sastre al ver que Clara se cubría con el manto, se echaba la capucha sobre el cabello y cogía las prendas que había doblado cuidadosamente un rato antes.

—A la señora Agustina le dará un desmayo si no le entregamos hoy mismo las camisas y no quiero que tenga ni una sola excusa para aflojar los reales que nos debe.

—Llevaos al chico. No está bien que os paseéis por la villa sin compañía —sugirió el hombre.

—Tiene que terminar la faena. Mañana regresan los clientes de esta mañana y habrá que tener prendidos los cuartos del jubón que han encargado.

—En ese caso, id con Dios. Me pondré ahora mismo con el muchacho y lo terminaremos entre los dos.

Clara sabía que su mano derecha aún no sujetaba las cosas con la seguridad necesaria, era por ello por lo que prefería hacer ese tipo de cosas a solas, pero el negocio era el negocio y cuando no había más remedio...

—No me demoraré demasiado. Si necesitáis algo...

—Se lo pediré a ese par de galanes que se disputan vuestras sonrisas —sugirió el sastre con tono divertido.

Pero Clara no estaba para ese tipo de bromas.

—Señor Luis...

—Idos, idos, muchacha, que ya me callo.

Clara se marchó y el sastre calló, pero no por mucho tiempo. Tan pronto como la joven salvó las escaleras de la plaza y llegó a la calle, el hombre se dirigió a la cocina.

Nicolás estaba en la misma posición, en el mismo lugar y delante de los mismos utensilios de trabajo que aquella mañana, sin embargo, se limitaba a mirarlos. Elevó la vista, vio al dueño de la casa entrar en la estancia y la volvió a fijar en el papel vacío.

—¿Se os ha terminado la inspiración? Cuando estabais lejos de aquí, cualquier paisano que pasara por la calle y viera la fachada de la tienda habría pensado que erais de lo más ocurrente y ahora, que la tenéis más cerca, se os acaban las ideas.

El sastre lo observaba de pie, con las dos manos apoyadas sobre el bastón, situado delante de él.

—Eso es porque esa gente no conoce los cambios de humor de la fuente de inspiración. Vos la habéis visto esta mañana, acallaba el trino de los pájaros con su alegría. Y luego...

—Os ha soltado una sonora bofetada.

—Os habéis enterado.

—Imposible no hacerlo. Aunque no la hubiera escuchado, habría sido fácil adivinar la causa de la rojez que adornaba la mitad de vuestra cara.

Nicolás movió la cabeza.

—Vuestro inquilino ha tenido algo que ver. Todo ha comenzado cuando él la ha llamado a un aparte. Llevo toda la tarde intentando tomar la decisión de subir y exigirle explicaciones.

—No creo que eso arregle las cosas con Clara.

—Lo sé, por eso no lo he hecho. ¡Maldito genio!

El sastre soltó una carcajada.

—Desde luego que no lo ha heredado de su madre. Ella era una mujer dulce y paciente. —Se perdió en sus propias ensoñaciones—. Nunca escuché a Piedad alzar la voz. Ha sido su tía Socorro la que ha conseguido agriarle el carácter. No debí dejarla en sus manos. Tenía que haber ido a buscarla mucho antes.

Nicolás estaba desconcertado.

—¿La conocisteis? A la familia de Clara, me refiero. ¿Sois de Segovia?

El hombre lanzó un hondo suspiro.

—Acompañadme —le ordenó y salió de la habitación con paso lento, sin esperar a que el cantor lo siguiera.

Se sentaron en el banco de la plaza. El sastre se dejó caer con pesadez y apoyó la barbilla en las manos que sostenían el cayado. El músico intuyó que estaba a punto de escuchar algo importante, aunque ignoraba el alcance.

—Mi nombre es Luis Román, sastre. Nací en la ciudad de Segovia, en ella crecí y en ella me casé. Piedad fue la mujer que siempre quise. En cuanto tuve ocasión, pedí su mano y nos unimos en matrimonio. Las cosas iban bien, yo era ayudante de uno de los sastres más reconocidos de la villa y, sin duda alguna, el más generoso de todos. No nos sobraba el dinero, pero comíamos todos los días, que era más de lo que algunos de nuestros vecinos, trabajadores de otros talleres textiles de la villa, hacían. Éramos felices. —Y como si las palabras que iba a pronunciar le insuflaran una fuerza desconocida, se incorporó y se volvió a Nicolás—. Clara es hija mía.

Largos minutos de silencio siguieron a la confesión. Nicolás estaba confundido. E irritado.

El sastre acababa de declarar que era el padre de Clara y ¿aquella era toda la explicación que iba a darle? De ninguna manera iba a dejar que se guardara el resto para sí.

—¿Qué hizo que las cosas cambiaran?

—Mi propia ambición. No os imagináis hasta dónde puede llegar una persona cuando se apodera de ella la avidez de la gloria.

Sí, lo sabía. Nicolás lo sabía muy bien. Y lo sufría. En sus propias carnes.

—A cometer las mayores necedades —confesó.

—Como abandonar a su mujer encinta para ir en busca de la tierra prometida.

A Nicolás se le revolvieron las entrañas cuando imaginó lo que había sucedido después. Sin embargo, calló. Él no era el más indicado para juzgar a otro por ese motivo. Y menos a un hombre que parecía realmente arrepentido.

—¿Cómo sucedió?

—Un tratante de lana, con el que tenía cierta amistad, pasó por nuestra casa. Procedía de Toledo. La corte estaba asentada allí. —Nicolás lo sabía puesto que había vivido en la ciudad hasta nueve años antes—. Todo eran parabienes para la ciudad, para los cientos de negocios que florecían a su vera y para la riqueza que se manejaba. Cuando partió al día siguiente, el veneno ya corría por mis venas. Me marché un mes más tarde. Era joven y despreocupado, un inconsciente que no imaginaba que aquellos sueños solo eran las quimeras absurdas de un insensato. Nunca más volví a verlas.

—¿No regresó a buscarlas ni se preocupó por el hijo que estaba por nacer?

El sastre parpadeó un par de veces antes de continuar.

—Llegó el tiempo del nacimiento de mi retoño y no había logrado ser más que un vulgar ayudante; el que barría el suelo y cosía los botones a las prendas que otros confeccionaban. Sobrevivía a base de un mendrugo de pan diario y dormía rodeado de ratas, sobre las piezas más burdas que el tramposo del sastre para el que servía mercadeaba a espaldas del alguacil del distrito. La vergüenza de confesar que no era más que un desgraciado me pesaba demasiado. Mentí a Piedad. Acudí a un escribano y mandé una carta en la que le anunciaba que el presente comenzaba a sonreírme, que estaba buscando una casa en la que vivir y que pronto los reclamaría a mi lado.

—Y eso fue todo —comentó Nicolás con tono ácido.

—No tuve estómago para que aquellas cuatro líneas fueran todo lo que recibieran de mí y decidí enviar un presente. Como no tenía los tres reales que me pidieron por el retrato, tuve que vender el raído manto con el que había salido de mi casa y que se había convertido en mi único abrigo. Lo mandé todo con un mercader. Segovia es uno de los centros textiles y detenerse en la ciudad era, y sigue siendo, de obligado cumplimiento. El hombre aseguró que estaba encantado de hacerme el favor. Partió con la recomendación de que por nada del mundo contara a mi familia la verdad.

—Enviasteis una imagen vuestra y os lavasteis la conciencia.

—Ellas nunca contestaron —continuó el sastre sin atender a Nicolás—. Yo sabía que estarían bien, que no les faltaría nada. Socorro no era una mujer amable, pero sí piadosa, muy religiosa, y su misericordia cristiana no le permitiría abandonarlos a su suerte. Mi cuñado no estaba en mala situación, trabajaba para el gremio supervisando la producción de las piezas de tela, y era un buen hombre.

A Nicolás se le hizo un nudo en la garganta. Aquella historia le sonaba demasiado. Demasiadas connotaciones personales. A pesar de que cuando lo sacaron de Flandes y lo llevaron a España tenía dos padres y cuatro hermanos, él también era huérfano. Como Clara.

Se aclaró la garganta antes de hablar.

—A veces... tener un pedazo de carne en el plato no es lo más importante —fue capaz de decir con la voz rota.

El sastre ni se enteró de la emoción con la que hablaba el joven que tenía a su lado.

—Después fue tarde para todo —siguió el señor Luis—. Habían pasado doce años. Un día encontré en una taberna, situada al lado de la Puerta de la Bisagra, al hijo de un vecino de mi cuñada, que había sido llamado a huestes y estaba concentrado a menos de cinco millas de Toledo. El muchacho no se acordaba de mí, pero yo lo reconocí al instante. Era el vivo retrato de su padre. No le dije quién era y le invité a beber. Fue él el que me dijo que mi mujer había muerto y que tenía una hija. ¡La de veces que me he arrepentido de encontrarle!

Nicolás había conseguido serenarse. Se concentró en seguir la conversación del sastre y enterrar sus sentimientos en el mismo sitio en el que los llevaba guardados desde hacía casi quince años.

—¿Por qué?

—Hacía poco tiempo que había conseguido el título de sastre y el gremio me había asignado un taller propio. Cuando lo hallé, estaba a punto de partir a buscar a mi familia.

—¿Y por qué no lo hicisteis?

El sastre lanzó un gemido.

—Piedad había muerto —repitió—. La noticia me empujó a un pozo oscuro. La culpabilidad me pesaba sobremanera. No dormía, no comía, no salía de casa. Me sentía responsable de la muerte de mi mujer y no hacía más que preguntarme qué iba a hacer yo con una muchacha para la que era un desconocido. ¿Cómo la iba a sacar de su mundo para obligarla a vivir con un extraño?

Nicolás tragó saliva. Justo al contrario de lo que hicieron

con él, que lo arrancaron de su familia, que lo separaron de su casa, que lo alejaron de su calle, de su ciudad, de su país, que lo obligaron a compartir techo, comida y vida con desconocidos, que lo condenaron a sobrevivir a base de disciplina, de instrucciones y de esfuerzo, que lo abocaron a continuar sin que echara en falta una sonrisa, una caricia o un poco de ternura.

Se levantó de un brinco y se alejó del sastre unos pasos. Parpadeó varias veces antes de pasarse el índice por debajo de los ojos con disimulo. Se limpió la humedad en la tela de los greguescos.

—Así que decidisteis no hacer nada —instigó al sastre sin volverse.

—Pensé que era lo mejor para ella.

El desasosiego de Nicolás había vuelto a remitir, así pues se dio la vuelta, dispuesto a seguir con la conversación.

—¿Y seguís pensándolo ahora?

—Después de lo que le dijo a su amiga aquel día..., no.

El sastre hablaba para sí, pero Nicolás quería conocer los detalles.

—¿Cómo la encontrasteis?

Aquello trajo al sastre de nuevo de vuelta.

—Fue un milagro. Ella llegó hasta aquí. El chico estaba enfermo y yo necesitaba un ayudante para terminar la labor que tenía que entregar al día siguiente.

—¿Lo sabe ella? ¿Sabe quién sois en realidad?

Aquello alteró al señor Luis. Se incorporó con dificultad y sujetó al músico por la pechera de la camisa.

—No. Y vos vais a asegurarme que no se lo diréis.

Nicolás le separó la mano de su ropa.

—No os preocupéis. Pero sabéis que no podréis mantenerlo siempre en secreto. ¿Lo habéis pensado?

—¿Y qué creéis que hago todos los días, a todas horas, desde que lo sé? —El sastre había posado la mano sobre la de Nicolás y la apretaba con suavidad—. Prometedme que estaréis junto a ella cuando se entere.

Nicolás se quedó igual de sorprendido que cuando el sastre lo había invitado a pernoctar en su casa.

—¿Por qué?

—Porque necesitará alguien con quien desahogarse.

—Después de lo sucedido hace unas horas, no estoy seguro de que sea mi hombro el que pretenda ni mi consuelo el que solicite.

—Será. Confiad en mí.

—¿Por qué yo?

—Es mi hija —comentó el sastre como si aquellas tres palabras lo explicaran todo—. Y quiero que sea feliz.

¿Por qué había salido de la sastrería de esa manera, huyendo como un animal herido? Necesitaba alejarse de allí. Así que inventó una excusa, tomó la rúa hacia la calle Mayor y se marchó. Tuvo suerte. La mitad de los habitantes de la villa habían tenido la misma idea que él. Fue un alivio mezclarse con la multitud de desconocidos. Las relaciones personales demasiado cercanas no eran lo suyo. Ni siquiera con Clara hablaba de sí mismo.

Nicolás se apartó a un lado para no chocar contra un aguador y sus dos borricos.

Hasta entonces, era Joos el único que le conocía realmente y el único que lo trababa como un igual. Desde siempre había sido así, desde que a ambos los metieron en la misma carreta en Cortrique y habían hecho aquel duro e interminable viaje hasta España. Solo él conocía los miedos nocturnos que le aterraban de niño, solo él sabía de las pesadillas que lo obligaban a permanecer despierto durante horas, solo a él le había enseñado las marcas en el cuerpo que la disciplina del maestro de latín le imponía cuando se empeñaba en no contestar por el nuevo nombre que le habían impuesto, y solo él comprendía lo que le había costado adaptarse. Pero había cambiado, él mismo se había obligado a hacerlo. Si le hubieran preguntado hacía unos días qué era aquello de lo que más se enorgullecía, habría dicho que de ser el que era, de haber acabado con el niño temeroso que llegó a aquella tierra para convertirse en el hombre resuelto que era ahora. Eso habría sido hacía unos días, ahora no.

La Puerta del Sol estaba inusualmente despejada, pero él ni se enteró. Dejó atrás la calle Ancha, rodeó a las personas que hacían cola en la fuente, esquivó los puestos de frutas y verduras y se metió por una de las calles laterales, sin dejar de dar vueltas a lo que pasaba por su mente.

De él decían que era un hombre decidido, él mismo lo había creído toda la vida, sin embargo, ya no estaba seguro. La conversación con el sastre le había alterado en extremo. Aquel hombre y su actitud hacia la hija recobrada habían hecho que sus dudas, sus temores y sus recuerdos afloraran y se quedaran flotando en la superficie de su alma como el plumón de un pajarillo sobre el agua. ¿Cómo iba a hacer para que regresaran a las profundidades de nuevo?

Maldijo el momento en el que salió del alcázar sin despedirse de Joos. Había que ser muy cretino para apartar al único amigo que había tenido. Hasta eso había resuelto mal. El gran cantor de la corte, el que aspiraba a convertirse en el principal músico del imperio, ¿en qué se había convertido? En un fracasado. ¿Qué tenía? Nada. En unos días, había perdido el oficio, el techo que lo cobijaba, los reales para subsistir, no estaba seguro de qué le sucedía con la mujer que amaba y ahora, además, tenía que lidiar con los espectros del pasado. ¿Qué más le podía pasar?

Se detuvo. Cuando salió del taller, no sabía adónde se dirigía, pero ahora lo tenía claro. Estaba delante del corral de comedias. Y estaba abierto después de una semana. Por fin.

Al menos, tenía el futuro asegurado.

Empujó la puerta, que se abrió con un crujido. Alguien había apilado los bancos a un lado del corral. El suelo no hacía mucho que lo habían limpiado; todavía se marcaban en la tierra las gotas de agua que habían esparcido antes de barrerlo. Por lo demás, estaba vacío y no se oían voces, ni las de las mujeres de las casas colindantes. Un golpe en lo alto le obligó a mirar a la fachada del patio vecino. La mayoría de las ventanas permanecían cerradas. Imposible saber quién le había visto entrar.

Nicolás estaba seguro de que Cristóbal de la Puente estaba dentro. Todas las veces que había ido a entregar trabajo lo había encontrado. Tenía la seguridad de que no abandonaba la supervisión de sus comedias en manos extrañas.

Solamente tuvo que recorrer unos cuantos pasos para confirmar sus sospechas. Los gemidos procedían de detrás del escenario. Recordó entonces el comentario que le había hecho el niño —el endiablado niño que le había tendido la trampa— a las puertas del corral días antes. La representanta principal tenía un amante. Y no era muy difícil saber quién era la parte masculina. Se escucharon de nuevo unas risas bulliciosas y el sonido de la tela al rozarse, después unos pasos acelerados sobre la madera, que se paraban de repente, y, luego, una nueva carcajada.

La situación le arrancó una sonrisa. Al menos, había alguien que disfrutaba. Si las circunstancias hubieran sido diferentes, se habría dado la vuelta y se habría marchado. Todos los amantes tenían derecho a la intimidad. Pero las cosas no estaban para esperar más. Era el viernes de la semana de Pascua, el primer día que el teatro abría desde el viernes de Dolores y no lo volvería a hacer hasta el lunes siguiente. ¿Qué eran dos días más para un hombre que tiene toda la vida por delante? Nada si tiene algo para llevarse a la boca. Pero ese no era su caso.

Sacó el rollo de papeles del zurrón, subió al escenario de un salto, se plantó ante la cortina que separaba la escena pública de la privada y pateó el tablado. Hasta un sordo habría escuchado los golpes.

Y los que estaban detrás no lo eran.

Las risas cesaron de pronto. Esperó un tiempo que consideró suficiente como para que las ropas regresaran a su lugar y el tocado fuera recompuesto y golpeó de nuevo las tablas del escenario.

—¿Quién va? —se escuchó desde dentro.

Cristóbal de la Puente no parecía muy contento.

—Vuestro músico principal —contestó.

Esperó a que el empresario diera el siguiente paso.

—Aguardad un momento. Esperad junto a la entrada.

El empresario no tardó en aparecer. Sin cuera, sin jubón y

con la camisa desabrochada parecía que lo acababan de sacar de la alcoba. Ni se había molestado en disimular la labor que lo entretenía detrás del escenario.

—¿Que os trae por aquí? —le preguntó el hombre de mala gana—. No sois bien recibido.

—Perdonad si en algo he alterado vuestro quehacer. Os traigo las últimas partituras —le indicó extendiendo la mano.

Por la forma brusca en la que el hombre se las quitó, estaba claro que sí, que lo había interrumpido. Y que no le hacía ninguna gracia.

—No las esperaba hasta las semanas próximas —gruñó.

—Lo sé, pero un imprevisto me ha permitido finalizar con ellas antes del tiempo estipulado.

—No os aguardaba —repitió el empresario.

—Sé que no era lo pactado, pero hay un asunto que quiero tratar con vos.

—Ya os he dicho que no es el momento.

Nicolás hizo como si no le hubiera escuchado.

—Se trata de la forma en la que convinimos el pago. No puedo esperar al estreno de la comedia —decidió sincerarse—. He perdido mi trabajo. Si fuerais tan amable de adelantarme parte de la deuda, os compensaría con otras composiciones.

El empresario le devolvió los papeles.

—No me voy a quedar con vuestra música. No volváis por aquí.

Se dio la vuelta y se marchó. Nicolás lo alcanzó en medio del patio y lo obligó a mirarle a la cara.

—¿Qué estáis diciendo? No podéis hacerme esto, no podéis poner fin a nuestro acuerdo.

—Acabo de hacerlo.

—Al menos, explicadme qué es lo que ha cambiado desde la última vez que estuve aquí.

—Os habéis quedado sin vuestros apoyos. Esa es vuestra culpa.

Nicolás soltó las partituras, que aún tenía entre las manos, lo asió por la pechera y lo acercó a él. El hombre era mucho más voluminoso, pero lo movió con facilidad.

—¡Mal hijo de...! ¿Vais a contarme por qué faltáis a la palabra que me habéis dado?

Pero el hombre no estaba dispuesto a dejarse amedrentar por alguien al que doblaba en edad y experiencia. El empujón terminó con Nicolás sentado en el suelo.

—¿Es así como tratasteis al que os dio la embajada de salir de palacio? ¿Es así como os comportabais con vuestro maestro? —Lo señaló con el índice—. En ese caso no me extraña que estéis en una situación difícil. Os aconsejo que controléis vuestros ataques de ira.

La advertencia llegó demasiado tarde. Nicolás ya se había levantado y cargaba contra él. Ambos aterrizaron en el suelo. Para desgracia del empresario, al cantor le resultó muy fácil hacerlo rodar y ponerse sobre él.

Al hombre lo salvaron sus ojos. Oscuros como las piedras, Nicolás vio en ellos su propio reflejo. El reflejo de uno de los jinetes del apocalipsis, con el puño levantado a punto de dejarlo caer sobre su víctima.

Lo salvaron sus ojos y el grito de la mujer.

—¡Soltad a Cristóbal!

Nicolás liberó a su adversario, se dejó caer a un lado y se tumbó en el suelo. El empresario se levantó con rapidez.

—¡Salid de aquí antes de que haga venir a los alguaciles del distrito! ¡Y llevaos esto con vos! —Y de una patada lanzó los pliegos de papel, que seguían en el suelo, contra el cuerpo del músico.

Los tazones chocaban entre sí más de lo necesario. Clara lo sabía, pero no hacía nada para remediarlo. Tenía los nervios a flor de piel. Sentía las miradas de los tres hombres clavadas en su espalda mientras ella restregaba los cacharros con un trapo una y otra vez. La energía con la que los dejaba dentro de la jofaina hacía que las gotas salpicaran su ropa. Tendría que dejar el mandil al lado de la chimenea para que se secara con el calor de las brasas.

—Ha sido un día agotador.

Clara se dio la vuelta y miró al grupo. El sastre se dirigía a los otros dos inquilinos de la casa.

—Agotador —contestó Fernando.

—Agotador —respondió Nicolás.

Ella no dijo nada, pero sin duda había sido un día duro. Si duro se podía llamar a saber que de nuevo te has dejado engañar; si duro se podía llamar a descubrir que, hagas lo que hagas y digas lo que digas, estás obligada a repetir los mismos errores una y otra vez; si duro se podía llamar a saber que tú eres la noticia favorita de los mentideros de la villa; si duro se podía llamar a decidir expulsar de tu vida al hombre que amas. «Sí, sin duda, ha sido un día duro», pensó mientras metía de nuevo las manos en el agua y seguía con su labor.

El ruido de las patas del banco al rozar contra el suelo y el golpe del bastón le indicó que el sastre se había levantado. Un extraño cosquilleo le subió hasta el pecho. Inspiró para coger aire. Sabía que tenía que hacerlo, sabía que tenía que enfrentarse a él, al señor Luis. Y a Nicolás. Necesitaba que este se marchara cuanto antes. Por el bien de su propio equilibrio, por el bien del negocio y por el bien de su relación con el sastre. Ella no podía seguir así, deseándolo a cada momento, ansiando su cercanía y anhelando sus caricias. Con él lejos de ella se olvidaría de todo. De él, de su voz, de sus manos, de su cuerpo, de la emoción al escucharlo, de la alegría al sentirlo y del deseo al tocarlo. Lo conseguiría. Y si no lo hacía, y si no lo olvidaba, al menos relegaría su recuerdo a un rincón hasta conseguir que pensar en él no fuera más que un pálpito de su corazón.

Hasta había pensado en desaparecer, en poner leguas por medio, en marcharse a otro lugar, en dejar de verlo. Llegar hasta Segovia no sería difícil. La ciudad no estaba lejos y Madrid comerciaba con poblaciones a muchas leguas de distancia. Desde que el rey había instalado la corte en ella, no había dejado de crecer y la villa necesitaba proveer a sus habitantes de lo imprescindible. Encontraría algún comerciante que iba y venía a Segovia con frecuencia al que poder sumarse para el viaje.

Pero pronto cambió de parecer.

Nicolás tenía que marcharse. La clientela desaparecería en cuanto llegara a sus oídos que una mujer soltera vivía con tres hombres. Lo del señor Luis era justificable, al fin y al cabo era su «tío», estaba enfermo y necesitaba ayuda. Lo de Fernando era explicable. Era una imposición de la corona, una obligación de la carga de aposento y, ahí, nadie tenía nada que decir. Pero lo de Nicolás no tenía disculpa posible.

Clara había planteado al sastre la cuestión aquella misma tarde y este le había asegurado que nadie excepto él estaba en la calle cuando Nicolás apareció. La mañana la había pasado dentro de la casa, en la cocina, y ningún cliente se había enterado de que estaba. Pero no tenía ni idea de lo que había hecho por la tarde. Cuando ella se marchó, él todavía estaba en la casa, pero a su vuelta, había desaparecido. Nadie sabía cómo ni adónde se había ido. Al preguntar por él, Miguel la había mirado con la cara de aversión que siempre ponía cuando se dirigía a ella, y el sastre se había limitado a encogerse de hombros. «El chico tendrá algo que hacer», había dicho.

Sí, claro que tenía, Clara lo sabía; aprovecharse, engañarla con promesas vacías, con susurros apasionados y con el tacto de su piel. Había llegado hasta ella solo porque no tenía otro sitio adonde ir. ¡Cómo podía haber sido tan necia!

—¡Muchacha! Tened cuidado con los cacharros, a este paso terminaréis con todos.

—Perdonadme —farfulló en voz baja mientras frotaba el desconchón que acababa de hacer en uno de los platos.

—Señor De LaGavia, se os ve fatigado. Seguro que estáis deseando subir a descansar.

Clara se quedó paralizada. ¡De nuevo el sastre con sus alcahueterías!

Cogió un paño húmedo y se volvió con toda rapidez. Su tía decía que limpiar acercaba a la pureza divina. Clara no lo tenía tan claro, pero lo que sí sabía era que haría lo que fuera con tal de no quedarse a solas con Nicolás.

—No me parece a mí que el señor De LaGavia parezca agotado —comentó mientras restregaba la superficie alrededor de la cual se sentaban los hombres.

Pero el sastre estaba decidido a que su hija y su enamorado acabaran con las diferencias que los separaban.

—Os aseguro —se dirigió al secretario— que debajo de los ojos os han aparecido dos manchas oscuras. Será mejor que subáis a descansar. El Estado os necesita en las mejores condiciones. —Y como Fernando de LaGavia no parecía muy receptivo a sus sugerencias, añadió—: Yo también me retiro. Si sois tan amable... —Elevó un brazo y se quedó a la espera de que el secretario reaccionara. Y este tuvo que hacerlo. Al fin y al cabo, era un hombre correcto.

Y en unos instantes, Clara se quedó sola con Nicolás. Con él y con sus temores.

—¿Puedes dejar de limpiar?

No le quedó más remedio que obedecerlo, la mano de Nicolás atrapaba la suya.

—Tengo que terminar.

Pero él no lo veía de esa manera. Le quitó el trapo y lo arrojó sobre la pila de los cacharros a medio aclarar. Comenzó a acariciarle la palma de la mano.

—Siempre trabajando con las manos. ¿Cómo consigues que sigan tan suaves? —murmuró él antes de depositar un beso en el dorso de su muñeca.

Todas las terminaciones nerviosas de Clara se reavivaron en ese momento. Cerró los ojos y estuvo a punto de ronronear. Para sosegarse, se obligó a centrarse en la pregunta.

—Las froto con limón al final de la jornada. Me lo enseñó mi madre.

Él le cogió la otra mano y la pasó por su mejilla. Raspaba. Y Clara deseó que fuera otra parte de su piel la que se rozara contra su cara.

—Un consejo de lo más útil —susurró Nicolás.

Clara se dejó cautivar por su voz. Y por su mirada.

Nicolás tiró de ella y la obligó a sentarse en la banqueta que el sastre había dejado vacía. Deslizó una mano por su cuello hasta la nuca. Un torrente de minúsculos guijarros descendió por la columna de Clara. Él acercó el rostro y la besó detrás de la oreja. Y poco a poco se acercó a su boca, dejando tras de sí un camino de caricias. Recorrió la línea de sus labios con la punta de la lengua. Clara temblaba. El afán de que uniera la boca con la suya y entrara en ella era inmenso. Pero Nicolás no lo hizo. Se paseó por la línea de su mandíbula, atrapó el lóbulo de su oreja y lo mordisqueó a placer. La cogió por la cintura y se arrimó hasta pegarse a ella. Ninguno escuchó el chirriar del banco contra el suelo de piedra.

Nicolás no dejaba de mover sus manos. Por el cuello, por los hombros, por el final de la espalda, por el talle, por el estómago, por los pechos. Y los labios, Nicolás no dejaba de mover los labios. Por la boca, por el cuello, por el hueco de la garganta, por el valle de los pechos; y por su ladera. De un rápido movimiento, liberó uno de los senos y se inclinó hasta él. Clara se echó hacia atrás en un gesto inconsciente.

Él lo lamió, lo mordió, lo succionó. Lo recorrió con la lengua, lo probó, aspiró su aroma. Se dejó envolver con su fragancia. Y después, pasó al otro. Lo encontró duro, turgente, sensible, listo para él. Controló la apetencia de deslizar los dedos entre sus piernas y confirmar que estaba húmeda, esperándole. Tenían tiempo. Toda la noche. Todas las horas. Todas las del mundo. En realidad, tenían toda la vida. Y aquel feliz pensamiento lo incitó a actuar de forma más pausada. Prolongaría su agonía todo lo que pudiera. Quería que lo deseara, que lo codiciara, no a otro cuerpo, no al placer, sino a él, a Niek. Que fuera a él al que ambicionara, que fuera a él al que necesitara, que fuera su nombre el que susurrara, el que gimiera, el que gritara. Quería que le pidiera que la envolviera con sus brazos, que le rogara que la cubriera con su cuerpo, que le implorara que entrara dentro de ella. Y él quería hacerlo, nada ambicionada más. Todo lo habría entregado por aquel momento, por aquel instante. Si hubiera seguido en palacio, si hubiera triunfado, habría dejado el coro, habría dejado la Capilla Musical, habría dejado la música, habría dejado la corte. Todo lo habría abandonado. Todo. Por ella.

—Mírame —le reclamó.

Clara prendió los ojos en él; los ojos y el corazón. Por apenas un instante.

Un fuerte golpe que procedía del piso superior, los hizo saltar de su asiento. El sonido hizo caer a Clara en la realidad y se levantó de un salto.

—No, no, no. No va a volver a suceder. No lo voy a permitir —resumió agitada mientras se apresuraba a atarse la camisa con torpeza.

Permanecía alejada para protegerse de lo que fuera que él intentara. Clara sabía que, a poco que lo dejara, volvería a embaucarla, como había hecho hacía un segundo, como había hecho la noche anterior, como había hecho siempre. Y después, volvería a abandonarla, como había hecho en palacio.

Y no lo iba a soportar. Prefería cargar con una enorme cicatriz en medio del cuerpo que con pequeñas heridas, abiertas y sangrantes. Prefería soportar la decisión de echarle de su lado a esperar que él se marchara cada vez que encontrara un nuevo aliciente en otra parte. Aunque para ello tuviera que transformar su corazón en el pedernal más duro de la sierra segoviana.

—¿Qué es lo que ha pasado? —preguntó, confundido aún por la explosión de Clara.

Ella se estiraba la falda para recomponerse el vestido.

—Puedes quedarte esta noche, pero mañana al amanecer recoges tus cosas y te marchas.

Nicolás no podía creer lo que estaba sucediendo.

—Si es miedo a que nos descubran, no creo que el envarado del secretario baje. Ayer no lo hizo, pero si prefieres que...

—¿No me has escuchado? Te estoy diciendo que lo que sucedió ayer y lo que ha estado a punto de ocurrir hoy no va a volver a pasar.

—Yo te quiero.

—No.

—Clara... te aseguro que...

—No, tú no me quieres, tú no quieres a nadie. Solo te quieres a ti mismo. Tú estás enamorado de tu propia persona. Te conozco, conozco a la gente que, como tú, solo piensa en sí misma.

Tú eres un superviviente nato. Y como tal, harás lo que fuera por salir victorioso.

—No tienes ningún derecho a hablar en esos términos.

—¿No? ¿Acaso no lo he sufrido en mis propias carnes? ¿Acaso no fui yo a la que echaron del alcázar ante tus ojos? Ni siquiera me miraste. Soy consciente de que en ese momento perdiste el interés por mí.

—Entonces, ¿qué es lo que hago aquí, ahora?

Clara repitió todo lo que le había dicho el secretario.

—¿Vas a negarme que te encuentras en la calle, que no tienes ni cama ni reales y que, si no fuera por esta casa, pasarías las noches durmiendo entre inmundicias y los días rebuscando en el vertedero de Lavapiés como las hordas de mendigos que pueblan la villa? Espero que no tengas la desvergüenza de decirme ahora que has venido por mí.

El rostro de Nicolás se tornó lívido. Tenía los ojos abiertos, los puños cerrados y las mandíbulas rígidas.

—Cierto es todo lo que dices. Estoy sin dinero, sin casa y sin trabajo. Pero ninguna de ellas es razón suficiente para que yo me encuentre aquí y mucho menos para desearte como te deseo.

Clara contuvo el dolor que se le instaló en el estómago con aquellas palabras. Nicolás parecía sincero, pero ya no podía borrar lo que terminaba de decir. Además, había tomado una decisión y la mantendría, costara lo que costase.

—El deseo no tiene nada que ver con el amor —dijo, y se esforzó por creerlo.

Los ardientes ojos de Nicolás se transformaron en coléricos.

—Dices que me conoces, pero en realidad no es cierto. No sabes nada de mí. No tienes ni idea de lo que pienso ni de lo que siento. Me atribuyes crueldades que nunca he cometido. Dices que te abandoné, pero no creo que nada hubiera podido yo hacer, ahora que sé cuál era mi situación en realidad. No admites que te quiera y, sin embargo, ahí fuera tienes las pruebas, pintadas sobre la fachada de esta casa, para que todo el mundo pueda ver el anhelo que me inunda al verte. Me acusas de engañarte y ni siquiera me das ocasión de defenderme. Me crees tan brutal como para servirme de ti, de tu cuerpo, de tus sentimientos y no das crédito a mis palabras cuando lo niego. Te confieso que te quiero y pisoteas mis promesas. Te expreso mi pasión y la arrojas al estercolero.

»No, Clara, no sabes nada de mí. Ni tampoco de ti. Exiges a las personas cosas que tú no estás dispuesta a ofrecer; les pides lealtad, pero nunca depositas tu confianza en ellas; buscas tu seguridad por encima de tus sentimientos; estableces prejuicios y no permites explicaciones; tomas decisiones sin tener en cuenta sus justificaciones; sospechas de todos, levantas barreras y nunca, nunca, te abandonas en sus manos; te proteges a todas horas de lo que os hizo tu padre. Sí, sé lo que os sucedió a tu madre y a ti. Te podías haber convertido en una mujer reservada, pero no, cuando te conocí eras apasionada y vital, pero ahora...

»No, no sabes nada de mí. Yo creía saberlo de ti, pero acabo de darme cuenta de que no, de que yo tampoco te conocía, de que no eres la mujer que yo creía —finalizó y en cuatro zancadas llegó hasta la puerta y desapareció de su vista.

Clara estaba sin palabras, y sin aliento. Se dejó caer en el asiento con las manos en el regazo. Intentaba asimilar lo que Nicolás acababa de decir de ella. Y de él.

Ella erigía muros y él abría puertas. Ella era una desconfiada y él la quería. Ella era una suspicaz y él la deseaba. Ella era una egoísta y él la amaba.

Apenas fue consciente de que alguien retiraba el madero que atrancaba la puerta de la casa. El chirrido de las bisagras, sin embargo, la sacó de su estupor. El fuerte portazo hizo tambalearse los cimientos de la casa.

Y de su existencia.

Él era el hombre al que amaba. Y ella acababa de expulsarlo de su vida.

Tambaleante, cogió el trapo de encima de la mesa y se acercó a la palangana en la que todavía yacían los cacharros de la cena a medio fregar. Metió las manos dentro y comenzó a restregarlos con fuerza. Un plato, dos, tres, cuatro; una cuchara, otra, una tercera, la cuarta; un vaso, otro y otro y otro más. Uno a uno fue sacándolos de la tina y colocándolos sobre la repisa para que se secaran. Y, cuando tuvo toda la labor echa, volvió a meter la tela en el agua, apoyó las manos en los costados de la jofaina, dejó caer la cabeza y dio rienda suelta al llanto que contenía desde que Nicolás la había dejado.

18

Había salido de la sastrería como alma que lleva el diablo y había estado más de dos horas caminando, hasta que no le había quedado más remedio que buscar cobijo. Terminó más abajo de la plaza de la Cebada, al lado de la salida hacia Toledo. Aquella era una zona de tabernas. Después de revisar varias de las cantinas, se decidió por la menos concurrida. No tenía la cabeza como para escuchar las voces, los gritos, los cánticos y las groserías de viajantes y borrachos. Prefería la compañía de los desdichados como él, que se recreaban en su propio infortunio.

Puso el zurrón a sus pies y se colocó al lado de la puerta, por si se daba el caso y tenía que salir corriendo. No sabía cómo iba a pagar lo que fuera que tomara.

La frescura de la noche y el «paseo» hasta allí le habían despejado la cabeza. La ira del principio había dado paso al enojo, pero después se había ido dulcificando.

Se arrepentía de lo que le había dicho. ¿Cómo había podido ser tan duro con ella? En realidad, la entendía. Clara no confiaba en nadie y tenía sus razones. Había sufrido el desamparo de su padre; a pesar de ser una niña, había tenido que ejercer de consuelo para su madre; para liberarse del dominio de su tía había abandonado su ciudad y su gente; y, después, la habían echado de palacio y había tenido que sobrevivir sola en una ciudad desconocida. Y ahora aparecía él, que se había desentendido de ella cuando más lo necesitaba, sin un lugar donde caerse muerto, le decía que la quería y esperaba que se desmayara entre sus brazos. ¿Qué pretendía? Otra mujer lo hubiera hecho, pero no ella, no Clara Román. Y como no lo hacía, se le revolvía la soberbia, la insultaba y la humillaba. Cuando había sido eso precisamente lo que la había atraído de ella; su independencia, su valentía, su carácter y su entereza. ¿Cómo se podía ser tan cretino?

Porque sus palabras, cuando lo había acusado de estar con ella únicamente por interés, le habían enardecido más de lo razonable. Quizá porque en gran parte estaba en lo cierto. Aquella había sido la causa por la que él estaba en su casa.

Se había marchado, sí. Había vuelto a abandonarla, sí. Pero esta vez no sería igual. Porque iba a aparecer de nuevo ante ella, eso sí, no con las manos vacías, no. Cuando llegara el momento de volver a encontrarla, quería tenerlas llenas, colmadas de bienes y repletas de canciones. Se acercaría a ella, la abrazaría y le diría «he venido a por ti.»

Clara no lo sabía aún, pero iba a hacer que cayesen todas sus barreras y que confiara en él.

Y para eso necesitaba dinero, con urgencia. Miró de reojo al resto de los hombres de la taberna como si alguna de aquellas tristes personas, que comían en silencio, tuviera la clave para conseguirlo. «Desde luego no es aquí donde lo voy a encontrar», se dijo dando otro trago a la jarra de vino aguado que le habían puesto delante.

—¿Es usted músico? —le preguntó una voz cortante.

El dueño del lugar, un hombre orondo y desaliñado al que le faltaban los dos dientes delanteros, señalaba el zurrón que yacía a sus pies.

Nicolás miró los papeles que sobresalían de la bolsa.

—Eso parece.

—¡Hijo! —gritó el hombre hacia el fondo del oscuro local—. ¡Trae el instrumento!

«El instrumento» era una fantástica vihuela que le acercó un muchacho con pinta de gañán.

Nicolás la cogió de sus mugrientas manos, la acomodó sobre su cuerpo y rasgó las cuerdas. Sonaba a la perfección.

—¿De quién es?

—Ayer la dejó un hombre como pago.

Nicolás sonrió para sí. Así que había otros que estaban igual que él.

—Pues sabed que es un instrumento excepcional —le informó devolviendo la vihuela a su nuevo propietario.

Pero el hombre no la aceptó.

—Tocad —fue su respuesta antes de seguir con sus quehaceres.

Nicolás miró a su alrededor. El resto de los hombres habían dejado de comer y de beber y tenían los ojos fijos en él.

Nicolás volvió a abrazar el instrumento y comenzó a tocar. Antes de que la noche finalizara, aquellos paisanos se enterarían de quién era Nicolás Probost.

—Os ruego que no insistáis más. Ya os he repetido que la compañía está completa.

—Puedo enseñaros algunos de mis trabajos —se apresuró a decir Nicolás, sacando la partitura que había escrito para Clara—. Si me lo permitís, os puedo mostrar...

—No, no será necesario —le detuvo el hombre, que volvía ya la puerta del teatro—. No insistáis, no dudo de vuestra habilidad. Pero me temo que, si es cierto que sois quien decís, no lo vais a tener fácil para que nadie os confíe la música de una representación.

—Estoy seguro de que conocéis a alguien a quien le pueda servir alguna de mis aptitudes.

—Os daré un consejo. La villa no es un buen lugar para que mostréis vuestra valía. Demasiado cerca de vuestra antigua «ocupación» y de vuestros enemigos —indicó haciendo un gesto hacia el este, donde se alzaba la residencia del monarca—. Ya me comprendéis.

Lo hacía. Todo el mundo en Madrid sabía que Nicolás Probost había sido expulsado de palacio. A ojos de la villa y de la corte era un fracasado. Y así se sentía. Pero no por lo que ellos pensaban, no por lo que el hombre que tenía delante imaginaba.

El éxito, la importancia, el triunfo, la celebridad, nada de aquello le importaba ya. Nada, excepto meter a la bolsa unos maravedíes para comer y dormir aquella noche, y para seguir adelante; solo lo suficiente para presentarse un día ante Clara con la conciencia tranquila y la seguridad de poder rebatir las acusaciones que le había lanzado y a las que no había podido contestar, porque eran ciertas.

—No os molestéis en bloquear la puerta. —Pero como el hombre hiciera amago de hacerlo, añadió—: Os prometo que me marcharé.

«De nuevo en medio de la calle.» De nuevo ante un muro sin salidas.

Cuatro habían sido las opciones que se le habían cerrado antes de abrirse. En la Cofradía de la Pasión le habían dicho que todas las representaciones estaban canceladas porque el patio del Hospital, donde se montaba el corral de comedias, necesitaba una reforma urgente. El elenco de músicos de la Cofradía de la Soledad ya estaba completo y no aceptaban a nadie más. La compañía del corral de la calle Sol era una empresa familiar, y el músico principal era el mismo que llevaba las contrataciones. Su única opción era el corral de Valdivielso.

Y acababan de rechazarlo. Con mejores modales de lo que había hecho Cristóbal de la Puente, eso sí, pero con el mismo resultado; seguía sin trabajo. No tenía ni idea del tiempo que el dueño de la posada en la que paraba seguiría aceptando darle cama y comida a cambio de animar las veladas a los clientes. Al menos, la noche anterior había conseguido dormir con un techo sobre la cabeza. «Por el momento», se dijo mientras dejaba atrás el bullicio del centro de la villa y comenzaba a bajar la calle.

Antes de que se diera cuenta se encontró de nuevo ante el teatro del que lo habían expulsado días antes. Y entró.

No tenía idea de regresar e implorar para que le devolvieran su antiguo trabajo. Pero allí estaba de nuevo, caminando entre las galerías, pasando entre los graderíos, observando las ventanas vecinales, acercándose al escenario. Y escuchando conversaciones ajenas.

Esta vez eran dos hombres los que hablaban. Eran voces conocidas, cercanas. El de la voz más grave era sin duda el empresario, pero ¿y el otro? Reconoció la voz, pero no identificó al dueño. Era alguien con quien Nicolás había tratado más de una vez. ¿Pero quién?

No tuvo que esperar mucho para averiguarlo. La conversación terminó en el mismo instante en que puso el pie en la primera de las escaleras del escenario. El ser más despreciable del universo salió de detrás de la cortina y lo miró con suficiencia.

—¿A quién tenemos aquí? ¡Al gran Nicolás Probost!

—Tomás Sánchez. ¿Has venido también a apoderarte de mi trabajo? —preguntó Nicolás, salvando el último escalón y poniéndose a la altura del músico.

—Pues sí. El señor De la Puente ha tenido a bien contratarme para que arregle lo que tú no has sabido finalizar.

—Sabes que eso no es cierto. Será más bien «lo que tú no me has dejado finalizar».

El músico soltó una carcajada hiriente.

—¡El cantor está ofendido! Se siente agraviado porque otro termina su trabajo.

Nicolás apretó las muelas e inspiró hasta el fondo de sus pulmones.

—Agraviado no es la palabra correcta y arreglar tampoco.

Tomás Sánchez ignoró el comentario y continuó con el ataque.

—¿Has encontrado ya en qué ocupar tu tiempo libre? ¿No? ¿Ni siquiera te han contratado de profesor de música para unas mocosas malcriadas?

—Mi vida no te incumbe. ¿O acaso vas a ofrecerme algo?

La sonrisa de Tomás Sánchez se amplió aún más.

—Podría ser. ¿Puedes decirme dónde paras? Es por si se me amontonan las peticiones y necesito que alguien transcriba mis creaciones, ahora que Molina me ha encargado la música de la misa del Corpus Christi.

—No eres más que un maldito conspirador y un vulgar ladrón —siseó Nicolás cada vez más colérico.

La sonrisa burlona desapareció de la cara del músico.

—Y tú no eres más que un fracasado —le espetó.

Aquellas fueron las palabras mágicas, las que hicieron avanzar a Nicolás y cargar contra su oponente con todas sus fuerzas.

Arrancaron la cortina limpiamente.

Juntos entraron en la estancia y juntos arrastraron la mesa, la silla, al empresario y los papeles que atendía.

El estruendo del tornado que destruyó la habitación fue lo último que escuchó Nicolás. El resto quedó acallado por la rabia y por el odio.

Y a partir de entonces se limitó a golpear. Con los puños, con los pies, con las manos. Con fuerza, quería machacar al hombre que tenía delante, ese que era el culpable de que lo hubiera perdido todo. Quería borrarle la cara, quitárselo de en medio, que desapareciera de la faz de la tierra, que mordiera el polvo del camino como él hacía.

Y a partir de entonces, se limitó a recibir. Notaba los golpes, los impactos del otro contra su cara, el dolor del pecho, las patadas en su espalda. Caía, se levantaba, golpeaba y volvía a encajar otro mazazo. Volvía a caer y volvía a levantarse y volvía a golpear. Al aire, contra la carne. Sentía el dolor y, aun así, no se detuvo, continuó golpeando y golpeando y golpeando, y recibiendo, recibiendo y recibiendo... Oía crujir los huesos, pero había perdido la noción de si eran los suyos o los del otro.

Clara introducía la aguja en la tela, estiraba la hebra, volvía a pinchar, otro estirón, de nuevo una puntada, estirón, puntada, estirón, puntada, estirón, movía la tela, vuelta a pinchar, estirón de nuevo, puntada. Una y otra vez, docenas, cientos de veces; docenas, cientos de minutos; concentrada en la labor, con la mente vacía, sin pensar en nada más. Solo los pudientes podían permitirse el lujo de dar rienda suelta a los sentimientos, de encerrarse en la alcoba y gritar, de acostarse y esconderse del mundo, de llorar, de gemir, de doblarse de pena. Ella no, ella tenía que levantarse todas las mañanas, adecentar la casa, preparar el almuerzo, sonreír, compartir las conversaciones, organizar el trabajo y atender a los clientes. Y así llevaba dos días, aguantando el dolor por dentro, soportando la angustia de no estar con él, controlando los sentidos, anhelando las caricias y recordando su voz.

Daba gracias al cielo porque ni Miguel ni el señor Luis hacían ningún comentario al respecto. Para Miguel, lo que le sucediera a Clara tenía la misma importancia que las preocupaciones de una mosca, y el señor Luis, a pesar de la participación que había tenido en todo el asunto, era lo bastante discreto como para no preguntar cuál era la razón por la que Nicolás había abandonado la casa de repente.

Lo peor eran las noches. Demasiadas horas, demasiado silencio. En aquellas eternas horas era cuando la mente le jugaba una mala pasada y rescataba para ella las imágenes más sensibles, las más tiernas, las más alegres, las más sencillas, las más confusas. Y lo veía como era, como él le había explicado que era; a menudo, soberbio; a veces, brutal; algunas, egoísta; pero, casi siempre alegre, seguro, efusivo, tierno.

Una exclamación a su derecha sacó a Clara de sus pensamientos. El sastre, que ya se había recuperado lo suficiente como para atender muchas de las obligaciones del negocio, se chupaba el dedo índice de la mano izquierda.

—Os habéis pinchado. Ya os he advertido de que tuvierais cuidado.

—La aguja se ha roto. Haced el favor de pasarme una de las vuestras.

Clara prendió la suya en la tela que tenía entre las manos, cogió la cesta del suelo y se la colocó en el regazo. El acerico había quedado enterrado por los lazos, las cintas, los hilos y los retales que guardaba en ella.

—Un momento, a ver si consigo encontrarlo.

Lo descubrió en cuanto levantó las madejas de colores.

No era la almohadilla, no. No eran las agujas, no. Era un trozo de papel, un simple papel con cuatro notas y cuatro palabras.

No fueron las notas sino las palabras las que le atraparon el corazón y lo estrujaron hasta que le dolió, las que le secaron los pulmones hasta dejarla sin respiración, las que le rompieron la garganta hasta apagarle la voz. Fueron las palabras, las que Nicolás le había dicho sin ella saberlo, las que le había cantado, las que le había susurrado al oído aquella noche y le había repetido tantas veces que su cerebro dormido las había aprendido. Fueron las palabras, las que ella no había querido escuchar, a las que había preferido no atender. Fueron las palabras las que le gritaron lo que ella misma no se había atrevido a pronunciar.

«Apud amore in cordis.»

«Con amor en el corazón.»

El llanto surgió como un arroyo silencioso. Las lágrimas corrían por sus mejillas, libres, sin hacer nada por detenerlas.

—¿La encontráis? —preguntó el sastre. Ella se limitó a negar con la cabeza, sin apartar la vista del papel al que se aferraba. La tinta se había mojado y comenzaba a correrse. El texto aparecía ya nublado, como su entendimiento—. Muchacha, ¿qué os...? ¡Miguel! Id a la fuente y rellena las cántaras de la cocina.

—Pero si ayer...

—¡Obedeced al instante!

Y lo siguiente que Clara notó fue que la rodeaban unos brazos y la apretaban para darle el consuelo que no merecía. Se resistió al principio. Hacía muchos años, desde la muerte de su madre, que nadie la mecía entre los brazos. Pero pronto no tuvo fuerza ni para rechazar aquel cariño.

—Llora, llora todo lo que puedas, saca ese pesar que te oprime —murmuraba el sastre con la mejilla apoyada en su pelo—. Es mejor así, llora. Da rienda suelta a la angustia. Las penas guardadas no son buenas. Llora, chiquilla, llora.

Clara se aferró a él y lloró. Como nunca lo había hecho antes. Los sollozos contenidos se desprendieron del centro de su pecho y se escabulleron de su control. Y lloró. Con toda su alma. Dejó escapar toda la amargura, todo el dolor, todos los fracasos. Dejó escapar todos los errores.

El señor Luis continuó estrechándola aún después de que su respiración se tranquilizara. Sin embargo, ella se quedó quieta, con la cabeza apoyada en aquel pecho que le transmitía serenidad.

—¿Más tranquila?

—Sí —murmuró con un hilo de voz.

El sastre le apretó una mano y fue ese contacto lo que la devolvió a la realidad.

Se irguió y se separó de él con las mejillas encendidas, avergonzada por la debilidad demostrada. Pero el señor Luis aún le retuvo una mano.

—Perdonadme. No sé cómo ha podido suceder —se disculpó ella mientras se secaba los ojos con la mano libre.

—Uno nunca piensa que se va a romper hasta que sucede. Se cree muy fuerte, aprieta los dientes, respira lo más hondo que puede, borra los recuerdos, se olvida del pasado, se concentra en el presente y sigue adelante. El primer paso es el más difícil, el segundo duele menos y, a partir del tercero, se hace de forma automática. Pero, de repente, aparece algo, puede ser una cara, una voz o las formas de las nubes en una tarde de verano, lo que sea, pero te remueve por dentro, hace que los recuerdos vuelvan a ti, te obliga a regresar al pasado y, entonces, las carnes se te abren y una oleada de dolor te inunda los sentidos.

Clara había dejado a un lado su congoja y estaba completamente concentrada en las palabras del hombre.

—¿Os pasó a vos?

El sastre amagó una sonrisa y continuó.

—Y lo peor es saber que fuera lo fuese lo que hubieras podido hacer, ya no es posible. Lo que te mata es ser consciente de que has perdido la partida, de que alguien desconocido se ha quedado con lo que abandonaste en su momento, que tú mismo dejaste que el tiempo te robara lo que era tuyo. —Le acarició la mejilla—. Pero no te preocupes, lo vuestro aún tiene solución.

Ella negó.

—No lo entendéis. Lo eché de la casa. Dije de él... cosas horribles, cosas que no pensaba. Vos no lo conocéis, no me perdonará.

—Volverá, mi niña —continuó el sastre con voz tranquilizadora—, regresará. Lo he visto mirarte.

Clara levantó la cabeza que había vuelto a bajar.

—Todos los hombres miran a las mujeres.

—Ninguno lo hace de ese modo a menos que...

—¿De qué modo?

—Como si quisiera pasar contigo el resto de la vida, como si quisiera hacerte cosquillas con la mirada, como si esperara escuchar tu risa. Se le nublan los ojos cuando los dirige a ti.

—Cuando lo conocí en Segovia —explicó Clara, sin darse cuenta de que era la primera vez que le contaba algún dato de su vida—, decían de él que había enamorado a más de una dama de la corte. Nadie me asegura que yo no he sido para él una más.

«La corte. Se conocían de palacio.»

—No —afirmó el sastre—, nadie que no sea él te lo puede asegurar y nadie, ni siquiera él, te lo puede hacer creer. Se trata de un asunto de confianza. Pero si eso que hay pintado en la fachada de la sastrería no sacude tu interior, si la música que ese joven te ha regalado no te encoge el alma, si el hecho de que haya hecho pública su adoración por ti no te conmueve, creo que lo mejor que puedes hacer es enjugarte las lágrimas, arrojar al fuego lo que estrujas con tanta fuerza y terminar el deshilado de la camisa.

Clara bajó la vista hasta el trozo de papel, lo puso sobre la falda y comenzó a estirarlo con cuidado.

La elección estaba hecha.

—Es una lástima que a veces la razón elija un camino distinto al del alma. No es fácil, ¿sabes? Sé de lo que hablo, yo lo hice, también. —Al sastre le temblaba la voz—. Dejé que la cabeza dispusiera de mi vida y aún estoy arrepintiéndome. Uno nunca termina de pagar una cosa así.

La tristeza que dejaban entrever aquellas palabras despertó la curiosidad de Clara.

—¿Vos también os separasteis de una mujer?

—Peor aún. Lo que yo hice es de esas cosas que no se perdonan.

Clara deseó no haber sido tan indiscreta. ¿Y si lo que el señor Luis le contaba, no le agradaba? ¿Con qué ojos lo iba a mirar a partir de entonces?

—No creo que lo que hicierais fuera tan terrible —se atrevió a decir.

—Desentenderse de la familia no es algo que se pueda perdonar. Yo, al menos, no lo hago.

El dolor que se le instaló en el pecho a Clara le indicó que no ahondara más en aquella conversación.

Tardó en contestar.

—Estoy segura de que tendríais una buena razón para hacerlo —respondió al fin, temerosa e inquieta ante la respuesta del hombre.

—Las tabernas están llenas de hombres que partieron con el pretexto de buscar una vida mejor para los suyos.

—Vos no sois un borracho —lo defendió. Le tocó una mano para transmitirle consuelo—. Sois un buen hombre al que probablemente la vida le ha llevado por caminos distintos de los que imaginaba.

Los ojos del sastre se llenaron de esperanza, y esta le dio el valor que necesitaba.

—Me marché de... de mi pueblo ilusionado. Mi mujer me acababa de decir que estaba encinta. —Clara se removió en el asiento, inquieta—. Decidí que era el mejor momento para labrarme un futuro mejor para mí y para mi nueva familia. Nueve meses serían más que suficientes para establecerme. Las cosas irían bien y haría llamar a mi mujer antes de que mi hijo naciera. Y yo sería la persona más feliz del mundo.

El hombre esperó a ver la reacción de la muchacha.

—¿Y qué sucedió?

—Las oportunidades nunca se presentaron a mi puerta. Durante muchos años, tuve suerte de poder sobrevivir. Después, cuando las cosas mejoraron, había transcurrido tanto tiempo que se hizo imperioso alcanzar una buena posición antes de volver a dar señales de vida. La idea de tener las manos llenas cuando apareciera ante mi mujer era lo único que estaba presente en mi vida cada día al despertarme. Pasaron doce años antes de plantearme ir a buscarla, clavarme de rodillas en el suelo y rezar para que siguiera siendo la mujer adorable que yo había abandonado.

—¿¡Doce años!? —Clara estaba visiblemente alterada—. ¿Y vuestro hijo? ¿Nunca os preguntasteis qué sería de él?

El corazón del sastre comenzó a trotar enloquecido. Ya era demasiado tarde para dar marcha atrás. Nunca había sido jugador, pero ahora estaba dispuesto a arriesgar todo a un único naipe; la recuperaría o la perdería para siempre.

—Corría el año mil quinientos sesenta cuando me llegaron nuevas de mi casa. Pie... mi mujer había fallecido hacía ya cinco meses.

—Así que recibíais noticias de ellos.

El tono de la voz de Clara no dejaba lugar a dudas de que aquella frase era una acusación.

—No, no, no. Fue la única vez y fue una casualidad. En Toledo, encontré a una persona que conocía a mi familia en Segovia.

Clara no quería escuchar nada más. Las piezas acababan de encajar. Las fechas, la historia, los lugares. Demasiados recuerdos, demasiadas coincidencias. Intentó apartar la mano, pero el sastre se lo impidió.

—¿Y vuestro hijo? —preguntó ella con la voz estrangulada—. ¿También había muerto?

—No. Un familiar había recogido a la niña.

La agitada respiración de Clara se escuchaba a la perfección.

—¿Y por qué no fuisteis a buscarla? —murmuró después de tragarse la congoja que se le había subido a la garganta.

—La noticia me empujó a un pozo oscuro. A partir de ese momento, ya no pude entender nada más. Nada que no fuera que mi mujer había muerto y que mi hija era una jovencita. ¡Una hija! Después de años de imaginar un heredero varón. La necesidad de escapar se apoderó de mí. Mil preguntas taladraban mi cerebro. ¿Cómo iba a tratar a una muchacha a punto de convertirse en una doncella casadera? ¿Cómo me presentaría ante una chiquilla para decirle «yo soy tu padre, en unos años te entregaré a otro hombre». ¿Cómo? Mi mujer había muerto y mi hijo era una hija. Y yo, un desconocido para ella. Era demasiado. No podía afrontarlo. Pensé que la mejor alternativa sería no hacer nada.

Clara consiguió desasirse y se levantó de un salto. Se acercó hasta el asiento que solía ocupar Miguel y, de espaldas al sastre y de forma nerviosa, comenzó a plegar el tejido que el chico había dejado abandonado de cualquier manera antes de salir a por agua.

—La niña no tuvo ninguna alternativa —musitó con un hilo de voz.

—Mi cuñada se había hecho cargo de la muchacha. Era una mujer de recursos. Pensé que estaría mejor con ella.

Clara terminó de doblar la tela y se acercó a la ventana rodeándose con los brazos. El sastre no pudo ver las lágrimas que corrían por sus mejillas.

—¿Os habéis preguntado alguna vez qué era lo que aquella niña deseaba, qué era aquello por lo que rogó al cielo cada minuto de su existencia durante años? —preguntó con la voz rota por el dolor.

El sastre se levantó y fue hacia ella con paso inestable. Había llegado el momento. El momento ansiado desde que supo que Clara era su hija. Con delicadeza, puso una mano en su hombro.

—Hija, yo...

Ella se revolvió con furia desatada.

—¡Lo único que pedía aquella niña era que fuerais a buscarla y la abrazarais!

—Hija —murmuró el sastre—, pensé que era lo mejor para ti.

—¡No me llaméis así! No quiero escuchar esa palabra de vuestra boca. Vos hicisteis de mí una desgraciada, me dejasteis en manos de mi aborrecible tía, rompisteis mis esperanzas. Os odié, ¿me oís? Os odié con toda mi alma cuando me di cuenta de que, por más que me asomara a la puerta cada vez que escuchaba el ruido de una carreta, nunca seríais vos. Y después, os olvidé —mintió.

El señor Luis contenía el desconsuelo que provocaban en él aquellas palabras. Había imaginado cuál sería su reacción, pero no había imaginado que su furia le doliera tanto, ni tan hondo. Un rato antes había decidido que, si ella no le aceptaba y se alejaba de él, lo asumiría y pagaría por sus errores. Pero no, ahora no, la había tenido entre sus brazos y la había consolado. Y no pensaba renunciar a hacerlo en el futuro. Demasiados años solo, demasiados años sin ella, sin sus besos y sin sus abrazos, sin su alegría y sin su ira. Demasiados años sin su compañía. Aquel lance no lo iba a perder.

Resuelto, se acercó a ella y la estrechó de nuevo, como había hecho un rato antes. Pero él aún no había recuperado la fuerza ni el equilibrio necesario y Clara se escapó de su abrazo. Y de su presencia.

Cuando Miguel regresó un rato después con las cántaras llenas, encontró la labor abandonada sobre la silla y un trozo de papel en el suelo. Desde la alcoba, se escuchaba el llanto desgarrado del sastre. No había ni rastro de Clara.

En la cara del muchacho se abrió una amplia sonrisa que dejó ver sus aún inmaculados dientes.

Clara se dirigió directa al centro de la villa. Estaría llena de gente. Eso era lo que necesitaba, perderse entre los vendedores, entre los compradores, entre el gentío. No quería estar sola, quería oír otras voces, atender otras palabras y dejar de escuchar sus propios pensamientos. La palabra «padre» le retumbaba en la cabeza y le palpitaba en las sienes. La frase «pensé que era lo mejor para ti» la doblaba en dos cada vez que la recordaba. Volvió a sentirse frágil, volvió a sentirse niña.

Se tapó la boca y abrió mucho los ojos en un intento de contener el llanto. Adelantó a dos mujeres y las empujó sin querer. Ellas le gritaron un improperio y Clara ni se enteró. Siguió caminando todo lo deprisa que pudo, pero, antes de llegar a la calle Mayor, la imagen de Nicolás se le apareció de repente y se tambaleó. Apoyó una mano en el muro de la casa por la que pasaba y se rompió por dentro. Los sollozos se le escaparon entre los dedos. Se arrimó a la pared y dejó escurrir la espalda hasta quedarse sentada. Encogió las piernas, metió la cabeza entre la falda y dijo adiós a su contención.

Lloró. Todo lo que pudo, todo lo que supo.

No se enteró cuando una mujer y su hijo pasaron a su lado y la miraron con desinterés, ni cuando dos jóvenes, muy atildados, se pararon divertidos ante ella, ni advirtió las señas de un niño a su madre mientras que esta intentaba que siguiera caminando, ni escuchó el titilar de una moneda que cayó a sus pies, ni los cuchicheos del resto de la gente que la vio.

Clara solo lloraba. Lloró, lloró y lloró. Hasta que se vació por dentro.

Cuando los sollozos dieron paso a los hipidos y fue capaz de levantar la cabeza, reparó en el interés que despertaba y se levantó a toda prisa. Aún se limpiaba las lágrimas de los ojos cuando dobló la esquina de la calle Mayor.

Esta rebosaba de actividad. Pasó por delante de plateros, bordadores, tintoreros, herradores y cuchilleros. Se chocó con pobres y ricos, con viejos y jóvenes, con mozas afanosas y ancianas desocupadas, con tullidos y con pilluelos vagabundos. Pero Clara ni vio ni sintió a nadie. Hasta que llegó a las puertas del convento de San Felipe el Real y se detuvo.

El convento se alzaba sobre una grada, construida para solventar el desnivel del terreno. Y esa plataforma se había convertido en el lugar de donde salían todas las noticias, los rumores, las mentiras y las invenciones de los cuentistas de la villa. Como el resto de los días, el graderío estaba lleno. Los grupos de literatos en busca de inspiración se mezclaban con los de los tercios desocupados que, procedentes de Flandes e Italia, se vanagloriaban de sus hazañas, inventadas en su mayoría. Por debajo de la balconada, donde los curiosos no perdían nada de lo que sucedía a su alrededor, unas galerías acogían las covachuelas donde se vendían todo tipo de mercaderías, con mucho éxito a tenor de la cantidad de gente que pasaba por allí.

Pero fue otra cosa lo que llamó su atención. Al otro lado de la calle, había unas niñas sentadas al lado de un portal. Sabía cuál era el oficio de las personas que vivían en aquella casa, puesto que era una de las más famosas mancebías de la villa. Las niñas estaban sucias, despeinadas, y sus vestidos llenos de agujeros. Se quedó allí bastante tiempo sin dejar de mirarlas. No hablaban, no jugaban, simplemente dejaban pasar el tiempo. Y se preguntó si sus madres estarían recuperando el sueño perdido la noche anterior para ganar unas monedas.

Las damas y sus dueñas sorteaban ese lado de la fachada y se alejaban de ellas. Los hombres, en cambio, las miraban abiertamente. Algunos les decían cosas a las que las niñas no respondían, ni siquiera levantaban los ojos del suelo. Otros hasta las sonreían. Alguno podría pensar que aquel gesto indicaba simpatía, sin embargo, ella estaba segura de que lo que se reflejaba en los ojos de aquellos hombres al ver sus cuerpecillos desvalidos era lujuria.

Se estremeció ante la seguridad del futuro que esperaba a aquellas inocentes. Se quedó allí, de pie, empujada por los viandantes, observando a las chiquillas hasta que una mujer gorda, y con edad suficiente para ser la bisabuela de ambas, las obligó a entrar en el burdel.

Las campanas de la iglesia de los Agustinianos comenzaron a sonar, anunciando el rezo del Regina Coeli. Y Clara dirigió sus pasos hacia el único templo que había visitado desde que había llegado a la villa. Santa María de los Ángeles le ofrecería algo de la paz que necesitaba, o, al menos, encontraría la cara amable de Consuelo, la religiosa que le había dado cobijo en su primera noche fuera del alcázar. Se entristeció cuando pensó en la monja. Había llegado a tomarle un gran afecto. Apenas era una chiquilla y ya soportaba el peso de conocer su destino. Clara no creía equivocarse si decía que aquella vida de silencio, de oraciones y de austeridad no estaba hecha para una persona tan jovial como ella.

La iglesia estaba más oscura que nunca. La mayoría de las velas, que los domingos iluminaban los tres cuerpos del altar mayor, estaban ahora apagadas y el retablo se fundía con la oscuridad.

No había mucha gente. Las mujeres estaban ante el altar y los hombres, al final del templo.

Se quedó de pie, al lado de una columna, al abrigo de las tinieblas. La campanilla de los monaguillos anunció la aparición del sacerdote.

No muy lejos de donde estaba se colocó otra mujer con su criada. Se cubrió aún más la cabeza con la toquilla, que se había echado encima antes de salir de la casa de... «su padre».

Una punzada le atravesó el pecho. Clara evitó respirar y se unió a la letanía. «Alégrate —decía el cántico—, porque el que llevaste en tu seno, ha resucitado.» Alégrate, porque tu hijo perdido... Alégrate, por tu hijo. Alégrate... tu hijo... Alégrate.

Y ella se sintió desfallecer. Las lágrimas volvieron a asomar a sus ojos.

Después de tantos años, acababa de encontrar a su padre.

19

—Te he visto llegar y he venido a saludarte ahora que ha finalizado el rezo. —Consuelo había aparecido por detrás de ella—. Clara, ¿estás bien?

—Sí... creo que sí —musitó esta a la vez que sentía cómo se tambaleaba.

La monja la sujetó por la cintura y la condujo hacia los reclinatorios, que las familias más notables tenían reservados. La obligó a sentarse en uno de ellos y se agachó a su lado.

—¿Te encuentras mejor? Tienes muy mala cara y estás helada —advirtió al cogerle de las manos.

—No es nada. Un pequeño mareo. Ya se me está pasando.

Consuelo le escudriñó el rostro.

—Pues a juzgar por lo hinchados que tienes los párpados, has hecho algo más que marearte. —La monjita acercó otra de las sillas y se sentó a su lado—. ¿Qué sucede?

Clara vio la preocupación de la religiosa y no pudo resistirse. Lanzó un suspiro antes de hablar.

—Después de más de veinte años, he encontrado a mi padre.

—Y es un mal hombre.

—¡No! ¿Cómo imaginas algo así?

—Por tu semblante. No pareces una persona que se haya reencontrado con su progenitor, más bien alguien que lo ha perdido.

—No lo entiendes.

—Explícamelo entonces.

Clara se lo contó.

—Y eso es todo —finalizó.

—Es decir, no solo lo has hallado al cabo de tantos años sino que tienes la fortuna de trabajar con él, de vivir en su casa y de que él te quiera —resumió la monja.

Clara se quedó perpleja. Aquella no era la visión que había querido transmitirle.

—Ese no es el problema. ¿Por qué no volvió cuando...?

Consuelo le apretó las manos y ella se detuvo.

—Sí, Clara, esa es precisamente la cuestión, solo que no te has parado a meditarlo. Lo has encontrado y te quiere, eso es lo único que importa.

—No sé si...

—¿No te has preguntado nunca qué hago aquí? Yo, que me gusta tanto el sol, que disfruto tanto con el campo y con el piar de los pájaros por las mañanas.

—Varias veces —reconoció Clara—. Siempre que te veo —confesó.

Consuelo se acomodó en el asiento y comenzó:

—Nací en Arévalo, de nombre María Cornejo, en una de las familias más notables de la villa puesto que mi abuelo fue Alcalde de Corte de la ciudad. Mi madre no tenía más de quince años cuando dio a luz. Al parecer, fue un parto difícil. Yo no venía sola. Fui la primera en salir, mi hermano lo hizo horas después. Yo era rolliza y fuerte, él, pequeño y débil. No aguantó la noche. Dicen que yo lo maté, que me alimenté de él en el vientre de mi madre hasta agotarlo por completo.

—Pero ¿quién...? —se levantó Clara colérica.

Consuelo la obligó a sentarse de nuevo.

—Mi madre no volvió a mirarme.

—¿Y tu padre?

—Mi padre, bueno, supongo que hizo lo que hace el resto de los hombres, yo era una mujer y se desentendió de mí. No he conocido otros abrazos que los de las amas de cría y las criadas. A algunas hasta las quise como si fueran mi propia madre y ellas a mí, pero todas, por una u otra razón, desaparecieron de mi lado. —A Clara le dieron ganas de abrazar a la muchacha y consolarla, pero la alegría de su voz le indicó que no estaba triste—. Durante muchos años, centré todos mis esfuerzos en recuperar a mi progenitora, hasta que vi que todo era en vano. Ella me odiaba y no soportaba tenerme cerca. A partir de ese momento, solo viví para torturarla. Nada hacía de lo que se suponía que debía. Salía y entraba cuando quería; me escapaba; olvidaba la costura; no comía. Cualquier cosa con tal de que las quejas sobre mi comportamiento llegaran hasta ella. Me solazaba escuchar sus gritos y sus discusiones con mi padre por mi causa. Pero llegó un momento en que aquellas chiquilladas infantiles no fueron suficientes. Hasta ellas habían dejado de afectarla. Así que hice aquello que sabía que llamaría la atención de ambos, de mis padres y del resto de la comarca. Seduje a uno de los mozos de la cámara de mi padre y me fugué con él. —Clara dio un respingo—. No llegamos muy lejos. Una de las chicas de la cocina nos vio asaltar la alacena y al final del día estábamos de vuelta.

—¿Y qué ocurrió?

—Nadie me ha dado nunca noticia de él. Al día siguiente, yo estaba a las puertas del convento que las franciscanas tienen en la ciudad de Ávila.

—¿Cuánto tiempo hace que sucedió?

—Más de dos años.

—Todavía vuestros padres pueden arrepentirse y venir a buscaros.

—No, no lo entendéis. Aquí soy feliz. He encontrado a un padre que me quiere —dijo al tiempo que miraba a la cruz de plata colocada sobre el altar—, un padre bueno, que perdona todas mis faltas, un padre que me acompaña a todas horas, que me consuela y me da fuerzas, que no permite que desfallezca y que vela mis desvelos.

—Pero eres demasiado joven para seguir aquí el resto de tu vida.

—También he encontrado a una madre, a muchas madres —rectificó— y a algunas abuelas. Yo soy la alegría de este convento, ellas lo saben y me lo agradecen. A veces, la superiora censura mi comportamiento, pero las palabras del resto compensan las recriminaciones. Además, está la gente, los pobres, los necesitados. Y también estáis tú y Justa. Aquí me siento querida. Y eso es lo único que pido.

Clara estaba consternada, pero las lágrimas que estaba a punto de verter no eran de pena, sino de emoción; de emoción por la delicada muchacha que se escondía debajo de la toca y de emoción por ella, por lo que significaban las palabras de Consuelo. Tragó saliva antes de hablar.

—Lo que me quieres decir...

—Lo que quiero que comprendas es lo afortunada que eres. Tu madre siempre te quiso, siempre viviste entre amor, el que te profesaba a ti y el que tenía por tu padre. Y ahora, que es cuando más necesitas su apoyo, lo tienes a él. —La alusión de que tenía otra preocupación, que no le había contado a la religiosa, pero que esta había supuesto, dejó perpleja a Clara—. Creo que tú no eres de las mujeres que se hacen a un lado cuando se le ponen delante los problemas, no lo hagas tampoco esta vez, no dejes que tu terquedad nuble tu juicio. «Perdonar» es la palabra más hermosa del mundo. Úsala.

Clara abandonó el templo un rato más tarde y salió al exterior con los ojos más hinchados que a su llegada. Consuelo estaba en lo cierto; «perdonar» era una palabra bonita y fácil de pronunciar.

Pero demasiado difícil de utilizar.

Empujar la puerta no sirvió de nada. Alguien la había bloqueado desde dentro. Clara recordó las palabras de Consuelo; perdonar era lo único que importaba. Levantó el brazo y cerró el puño.

Tuvo que golpear varias veces antes de que la madera se separara una rendija del marco.

—¿Por qué has cerrado? ¿Por qué tardas tanto?

El muchacho estaba lívido y su rostro se torció en un gesto de repulsión. Clara empujó puesto que el chiquillo no parecía estar dispuesto a abrir.

—¿Y el señor Luis? —le preguntó cuando entró en el taller.

Miguel se había quedado mudo, como si hubiera visto un espectro. Aún tardó un rato en contestar.

—Está en la alcoba. Él me dijo que cerrara, no quería que entraran clientes. No lo he visto desde que volví de la fuente.

Clara se ciñó el chal, nerviosa, y echó una rápida ojeada hacia la habitación del sastre. No se escuchaba ningún ruido. Decidió retrasar la conversación.

—Voy a hacer la comida. —Le pareció que el chico dudaba qué hacer a continuación y lo apremió—: Retoma tu trabajo que aún falta un rato antes de que puedas llevarte algo a la boca.

A esa hora ya era imposible poner el guiso de legumbres que había pensado por la mañana. Echó un vistazo a la marmita de barro en la que había echado las habas a remojo la tarde anterior. Tendrían que esperar a mejor ocasión.

Sobre uno de los toneles, en el que guardaban las cebollas y el resto de los tubérculos lejos de los dientes de los ratones, había un pedazo de pan cubierto por un paño húmedo. Tendría que valer con una sopa de migas.

Abanicó el fuego con la mano, sopló con suavidad e introdujo unas ramas para avivarlo. Después, vertió agua en la olla que colgaba sobre él y se dispuso a picar el ajo y el pan.

El sastre estaba enfermo, pero no era sordo. Clara no había hecho más que quitarle la capa exterior a la cebolla cuando escuchó los golpes de su bastón, mucho más ágiles que en otras ocasiones.

Notó que se paraba en la entrada, sin atreverse a cruzar el umbral de la cocina. ¿Era un suspiro de alivio lo que había oído?

—Rapaz —le escuchó decir—, ¿cómo llevas la faena? Tendrás que repetir estas puntadas, han quedado demasiado flojas y no quiero reclamaciones de los clientes. —Miguel farfulló algo que Clara no consiguió entender—. No seas gandul. Tienes tiempo antes de sentarte delante de la pitanza —le conminó el sastre.

Su padre estaba contento, se le notaba en el regocijo de la voz. Clara no sabía lo que le iba a decir, pero de lo que estaba segura era de que la aceptaría de nuevo a su lado.

Seccionó el tubérculo en dos con ánimos renovados.

El chiquillo se levantó de la mesa nada más terminar de comer, tal y como hacía siempre. El sastre solía hacer lo propio, ya que la costumbre de la siesta era sagrada para él. Pero aquel día no, aquel día era distinto. Tenía que recuperar los últimos años de su vida antes de que llegara la hora de atender la tienda.

—Deja eso y siéntate conmigo —suplicó a Clara, que seguía trasteando por la cocina.

«Su hija» —¡porque era su hija, su propia hija!— lo miró con desasosiego, pero él la sonrió para tranquilizarla.

—Tenéis razón —dijo ella al fin—, es absurdo dejarlo para más adelante.

Pero sí, lo hicieron, lo dejaron para un rato más tarde, para el día siguiente, para la semana próxima, para el mes vecino. Lo dejaron para siempre. Porque en el momento en el que Clara ocupó el asiento junto al sastre y este le cogió de las manos ya no pudieron hablar.

Los ojos del señor Luis se enturbiaron cuando ella se dejó coger, se inundaron cuando ella apretó sus dedos para corresponder el gesto de cariño, y dejó escapar las lágrimas cuando ella lo sonrió. Ya todo estaba bien, ya todo era correcto. Dios le había concedido el único deseo que le había pedido una y mil veces. El Señor podía venir a buscarlo, ya se podía morir tranquilo.

—No lloréis —le rogó Clara mientras luchaba por controlar la opresión del pecho.

Inspiró hondo para calmarse. No quería volver a llorar.

Y, sin embargo, lo hizo. Dejó salir las emociones, los recuerdos y la confusión. Las lágrimas volvieron a escapar de su control y se unieron a las de su padre, sosegadas, discretas, eternas.

Ninguno de los dos supo el tiempo que estuvieron cogidos de la mano, mirándose a los ojos y sonriendo. El resto del mundo se había parado a su alrededor, solo fueron ellos dos, un padre y una hija, que se contaban en silencio lo que hace sufrir la ausencia.

Clara saltó de la banqueta cuando se escucharon unos fuertes golpes en la puerta.

—¡Benditos clientes! —masculló el sastre.

Ella se deshizo del delantal a toda prisa y lo arrojó sobre la mesa. La tela se quedó colgando por fuera de la superficie.

—¡Un momento! —elevó la voz antes de pasarse la mano por el pelo y entrelazar un mechón que se le había soltado de la trenza.

Al otro lado de la puerta, había dos hombres. Serios, enjutos, vestidos de negro, con gorgueras inmaculadas y las espadas colgadas de la cintura. Uno de ellos, el más joven, el de la barba menos poblada, se quitó la gorra. El que habló, no.

—¿Sois vos la mujer que trabaja en este lugar y que responde por el nombre de Clara?

Ella dio un paso atrás.

—Sí. ¿Qué se os ofrece?

—Por orden de la autoridad, se os conmina a que nos acompañéis —dijo el hombre por toda explicación.

El sastre apareció detrás de ella visiblemente alterado.

—¿Qué sucede, qué significa esto? ¿Qué hacen aquí los alguaciles de la villa?

—¡Carcelero! —Nicolás comenzó a sacudir los barrotes de la celda—. ¡Carcelero!

—¡Cállate de una vez! —le gritó uno de los presos desde la otra punta del corredor—. ¡Estoy harto de tus gritos!

—¡No pienso hacerlo hasta que atiendan mi llamada! —Nicolás esperó unos segundos—. ¡Carcelero! —volvió a chillar al no obtener respuesta.

Pero lo interrumpieron unas risas procedentes de otro calabozo, que Nicolás no conseguía ver.

—¡Los dos días que llevamos aquí encerrados han merecido la pena solo por escuchar al gran Nicolás Probost gritar como lo haría un cochino a punto de ser sacrificado!

Las palabras, los murmullos y el resto de los ruidos que llegaban de otras celdas desaparecieron. Todos los que estaban encerrados allí estaban deseando que los dos señoritos, que habían entrado los días anteriores, se enzarzaran en otra de aquellas batallas dialécticas tan divertidas.

—¡Cierra tu sucia boca, Tomás Sánchez! ¡Si no fuera por la inquina que me tienes, nada de esto habría sucedido!

Se escucharon algunos pateos de apoyo.

—¡Yo más bien diría que si no fuera por tu soberbia, tu situación sería otra!

Fuertes risas y unos pitos acompañaron las palabras del músico.

Nicolás soltó una risotada.

—¡No pensarás echarme a mí la culpa de tus malas artes y las de Molina!

Palabras de protesta indicaron a los que hacían ruido que se callaran. De nuevo se hizo el silencio.

—¡Deberías haberte comportado con el maestro de una forma más humilde!

—¡Te dejo a ti la potestad de bajar la cabeza y humillarte ante los poderosos! —contestó Nicolás con desprecio.

Desprecio que no tuvo ningún efecto en el ánimo del músico porque este volvió a reírse a carcajadas. Y lo acompañaron varios aplausos que Tomás Sánchez tuvo que aplacar a base de silbidos de advertencia.

—¡Te sigue perdiendo tu arrogancia! ¡Ese ha sido siempre tu problema!

Pero Nicolás se había aburrido de aquella conversación.

—¡Carcelero! ¡Carcelero!

—¡Maldita sea tu figura y maldita la de tu progenitora! —gritó una voz en medio del pasillo—. ¡Aquí me tienes! ¿Qué tienes que decirme?

Ninguno de los «invitados» a aquel lugar hizo el más mínimo ruido, demasiado conscientes de las consecuencias que traía enfadar a los guardianes. Sin embargo, Nicolás estaba contento. Llevaba más de un día intentando llamar la atención y al fin lo había conseguido.

—Necesito papel y pluma.

Las carcajadas del hombre resonaron en todo el corredor.

—Lo que necesitas es pasar aquí dentro una buena temporada. A ver si aprendes a ser un buen ciudadano, tú y todos esos gandules que se alimentan de las arcas del estado. ¿Todavía te atreves a pedir nada? —El guardia lo miró fijamente—. Agradece a la ciudad que te tenga oculto bajo este techo hasta que se te quiten esos moratones de la cara.

Nicolás aprovechó para despejar una curiosidad que tenía desde que los aguaciles que habían acudido a la llamada de Cristóbal de la Puente lo habían separado de Tomas Sánchez.

—¿Qué aspecto tiene él?

—No salió mejor parado. Todavía no le he visto mover el brazo derecho.

Nicolás no se molestó en disimular la sonrisa. Así que el músico estaría una buena temporada sin poder tocar.

—¿Qué estáis chismorreando? —gritó Tomás Sánchez desde su celda.

—¡A ti qué te importa! —La contestación de Nicolás llegó acompañada de numerosas muestras de diversión por parte del resto de los presos del corredor—. Necesito papel, pluma y tinta.

—No.

Nicolás se asió a los barrotes con fuerza y metió la cara en medio de ellos.

—Voy a pasar aquí una buena temporada y mi única culpa es haber dado una paliza a un tipo que me ha robado el trabajo, la casa y el prestigio. Soy músico y lo único que quiero es aprovechar el tiempo que la justicia tenga a bien mantenerme encerrado.

—¿De dónde voy a sacar todo eso?

—Mis cosas. Estaban entre mis cosas.

Rezó para que ningún secretario, alguacil, guardia o quien fuera que había tenido a mano sus pertenencias hubiera sacado ventaja de ellas.

El carcelero tardó unos segundos en contestar.

—Lo que sea con tal de que tú y todos los demás os calléis de una vez.

Nicolás retrocedió en la celda y se tumbó sobre el jergón de paja, que ocupaba una parte del suelo. Se miró los nudillos de la mano derecha. Seguían desollados, pero mejoraban a ojos vista. Una fina costra comenzaba a cubrir las heridas. Se tocó la cara. La nariz le dolía como demonios. Tendría que esperar a que remitiera la hinchazón para saber exactamente con qué aspecto le quedaría. Si se la había roto, más ancha y aplastada. No debía de ser nada grave, al fin y al cabo, podía respirar.

¿Qué diría Clara si lo viera en aquel estado? Dejó de preocuparse por su apariencia en el momento en el que la imagen de ella se le coló en los pensamientos.

Clara.

«No eres la mujer que yo pensaba», le había dicho. Y no lo era; las horas pasadas en su casa, en su cama, le habían hecho darse cuenta de ello. No era la mujer intrépida que había conocido en Valsaín ni tampoco la que había idealizado después y para la que había compuesto la melodía. Clara no era desenvuelta y despreocupada ni encantadora y sensible. No, no era nada de ello y lo era todo a la vez.

Lo cierto era que no sabía cómo era ni le importaba. Era una mujer, con sus errores y sus aciertos, con sus verdades y sus mentiras, con sus secretos y con sus silencios. No era más que una simple mujer.

Pero era la mujer que quería a su lado, a la que quería abrazar y que lo apretara muy fuerte, que quería oír reír, a la que quería acariciar, tocar y besar. Era aquella en la que quería entrar y a la que quería mirar, con la que quería compartir los silencios y los gritos, los buenos y los malos momentos, la lluvia y el sol. A la que quería ver trabajar y para la que quería componer. Era la mujer que le inspiraba las mejores ideas y también las peores. Era la mujer con la que quería compartir el resto de su maldita existencia.

La tonadilla de la canción que había escrito para ella regresó y comenzó a tararearla. ¿Qué diablos estaría haciendo el guardián que no volvía? Esperaba que se diera prisa en encontrar sus cosas y se las trajera de una buena vez. En su cabeza guardaba los siguientes acordes, que repetía una y otra vez para no olvidar, necesitaba plasmarlos en la partitura y seguir adelante.

—¡Probost! ¿Aún no se te han quitado las ganas de cantar? Sería mejor que comenzaras a pensar en otra cosa que te sirviera para ganarte el jornal.

—¡Pues por lo que me han dicho, tú vas a tener que aprender a tocar con la mano izquierda! ¡A ver qué dice Molina de eso!

La respuesta fue el silencio más absoluto y luego las risas más humillantes.

Nicolás colocó un brazo debajo de su cabeza a modo de almohada y, sin dejar de sonreír, comenzó a cantar de nuevo.

—¡Ya estás aquí! ¿Lo has encontrado? ¿Qué te ha dicho? ¿Sabe algo? ¿Va a venir? ¿Qué puede hacer? ¡Por el Señor, Miguel, dime algo!

—No me han dejado pasar. El gentío era enorme. Se lo tuve que gritar a un hombre que apuntó mi nombre y a quién buscaba.

—Pero... ¡le dirías al menos que era urgente!

—Sí, sí. Le expliqué lo que quería de él, tal y como vos me mandasteis.

—Y ¿te han dicho cuándo le van a dar el mensaje?

El muchacho se encogió de hombros.

—Allí todo el mundo grita y nadie dice nada —sentenció.

—Sal de nuevo —le exhortó el señor Luis. El sastre ni se dio cuenta del gesto de desagrado de su ayudante—. Vete al convento de las franciscanas que está en la plaza de Santo Domingo y busca a... la madre Consuelo. Cuéntale lo ocurrido y dile que avise a... Justa se llama su amiga. Tú no la conoces, pero acude allí todos los domingos. Vive en palacio, igual ella puede localizar al señor De LaGavia. ¡Deja eso que tienes entre manos y date prisa!

El padre de Clara lo vio salvar los dos escalones de un salto y salir a toda prisa en dirección a la calle Mayor, pero no reparó en que, en cuanto el chico desapareció de su vista, disminuyó el paso, se metió las manos en los pantalones y empezó a silbar.

Iría, claro que lo haría. Cumpliría con el recado. Siempre lo hacía. Solo que aquella vez no se daría tanta prisa como acostumbraba. Al fin y al cabo se trataba de sacar de la cárcel a la entrometida y mandona mujer que le había robado las atenciones del maestro. ¿Qué prisa había? Por él que se quedara allí dentro el resto de la semana, o mejor, el resto del mes, o del año. Tenía gracia que fuera él el que estuviera recorriéndose la ciudad para intentar sacarla del agujero donde el alguacil la hubiera metido, cuando la habían detenido gracias a él.

Consuelo sabía que doña Leonor estaba dentro. Ella misma le había abierto la puerta y había avisado a la superiora. Pensó en Clara y en lo mal que lo estaría pasando en la cárcel. Y prefirió no imaginar lo que le podía estar sucediendo.

Llamó con decisión. Nadie contestó. De sobra sabía que a la mayor autoridad del convento no le gustaba que le interrumpieran. Sin embargo, se tenía que arriesgar. Golpeó de nuevo.

La puerta se abrió. Un ceño fruncido le dio la bienvenida.

Consuelo bajó la cabeza en señal de obediencia. Aunque si le pedía que se marchara, no pensaba hacerlo, no sin hablar con la fundadora del convento, que se encontraba dentro de aquella estancia.

—Hija, ¿qué deseabais?

—Con vuestra venia, ¿podríais decirme si doña Leonor sigue aquí? —preguntó estirando el cuello para que la mujer que estaba dentro la viera.

La superiora se puso ante ella para ocultarla de su invitada.

—¿Quién la busca?

—Yo misma. Recién ha llegado un mozo con un recado que es preciso que le dé.

—No creo que se trate de nada grave, decídmelo a mí y yo se lo haré saber.

El peor de los temores de Consuelo se hizo realidad. La superiora del convento de Santa María de los Ángeles cuidaba celosamente que no existiera relación entre la fundadora y el resto de las religiosas.

—Es algo importante que debo tratar con ella en persona.

La superiora le echó una mirada de reprobación y Consuelo supo que pasaría en la portería los siguientes días y sus correspondientes noches.

Por suerte, doña Leonor era una mujer curiosa.

—¿Qué sucede? —preguntó desde el fondo de la estancia—. ¿Cuál es el problema, madre Rosario?

La superiora se hizo a un lado. Consuelo entró en la habitación decidida, aunque muy asustada. Al fin y al cabo iba a pedir a la antigua aya del heredero del trono de todas las Españas que hiciera de correveidile para ella.

—No, no y no. Ya estuviste fuera de palacio ayer. Ese era el día que se te ha asignado para que veas a tu hermana. Aunque todavía no me has explicado cómo conseguiste que tus demandas llegaran hasta la reina.

«Y eso es algo que no me va a perdonar», pensó Justa.

—Por favor, os lo suplico. Es un asunto muy importante. A mi hermana le ha ocurrido una desgracia —mintió.

Doña Inés saltó de la cama, en la que se había echado un rato a descansar, a pesar de que el dolor de cabeza no le había desaparecido del todo. Las lecturas y las oraciones de la reina resultaban a veces insoportables. ¡Eran tan aburridas! Justa era una de las personas con las que podía combatir el hastío de las tardes y ahora pretendía marcharse y dejarla sola.

—Estoy segura de que todo el linaje de los Vargas se estará volcando en tu hermana. No te preocupes, seguro que no es más que una indisposición pasajera. ¿No estará encinta? —A Justa se le escapó un suspiro cuando vio que la imaginación y la lengua de doña Inés volvían a tomar alas—. ¡Un niño! Ya me gustaría a mí tener a una personita solo para mí. Claro que para eso el rey tendría que buscar el candidato perfecto. ¿Crees que no lo estará haciendo ya? Tengo que hablar con mi señora de esto. Seguro que la reina conoce las pretensiones del emperador, igual hasta es ella la que se lo ha sugerido. —Llegó a la puerta que comunicaba la alcoba con el saloncito de las damas de la reina y se volvió—. Tendré que decir a Catalina que me ayude a elegir —musitó en el momento en el que puso la mano sobre el pomo de la puerta.

—¡Si me dejáis llegarme hasta la casa de los Vargas, podré daros noticia de quién entra y quién sale de allí!

Por supuesto que no era cierto, pero ya se inventaría algo que contar. De hecho, no pensaba pasar cerca de la casa de su hermana, aunque si lo hiciera, no tenía nada claro que le abrieran la puerta. Al fin y al cabo, ella no era más que una criada, de la corte, pero criada; y el suegro de su hermana, un hombre implacable.

Doña Inés se había dado la vuelta y miraba a Justa pensativa. La tentación era demasiado fuerte. Ella se alimentaba de murmuraciones, más desde que estaba en Madrid. La vida en el alcázar podía ser muy tediosa cuando no era posible salir de las habitaciones de las damas. Y ella no había pisado una calle desde la escapada en Segovia, en la que conocieron a la costurera. Justa, en cambio, había tenido mucha suerte y lo hacía cada dos domingos para encontrarse con su hermana.

—En ese caso, igual podría...

—¿Solicitar un salvoconducto? Por favor —rogó Justa con las manos unidas—, no os arrepentiréis. Para mí es muy importante. Os prometo que no haré uso de mis permisos y me quedaré a vuestro lado durante todo el mes.

Una hora más tarde, bajaba a todo correr las escaleras que descendían hasta el Patio de la Reina. Giró a la izquierda. Solo tenía que recorrer la galería hasta la salida y correr a la casa del sastre para enterarse de lo que le había sucedido a Clara.

El recado que le habían llevado desde las dependencias de la antigua institutriz del fallecido infante don Carlos no era muy explícito. La chica no era muy habladora. Con un «Clara Román está detenida» había liquidado el asunto. Por más preguntas que le había hecho, no había conseguido sacarle ninguna respuesta, aparte de un encogimiento de hombros para cada una de ellas.

Le había faltado tiempo para buscar a Joos y contárselo. Este había intentando tranquilizarla, pero no lo había conseguido. Él era un hombre y no lo entendía. Clara estaba sola; el sastre, que parecía tenerla en gran estima, estaba medio impedido. «También está Niek», había dicho Joos. Sí, pero ¿dónde? Por lo que le había podido sacar a Clara en su visita el día anterior, había estado en la sastrería y se había marchado. En realidad, ella lo había echado cuando había descubierto que solo estaba allí por necesidad. Y el caso era que Joos estaba convencido de que Nicolás buscaba en Clara algo más que refugio, que sentía por ella algo más que aprecio. ¿Por qué las relaciones entre dos personas podían ser tan complicadas con lo fácil que era mirarse a los ojos y decirse «te quiero, no puedo vivir sin ti» como hacían Joos y ella?

Alguien agarró a Justa de la cintura por detrás y la empujó hasta el lado oculto de una columna del patio.

—¿Dónde va esta hermosura con tanta prisa? —susurró una voz en su oído.

Justa se dio la vuelta y echó las manos al cuello de su raptor, sin poder reprimir una risita.

—¡Déjame, tengo prisa! —musitó y depositó un rápido beso en los labios del ministril.

—No vas a salir sola.

—Ya lo hemos hablado antes. No me convencerás de que me quede. Ella es mi amiga y no tiene a quién acudir.

—¿Y qué crees que conseguirás tú?

—Por de pronto, enterarme de qué le ha sucedido.

—¿Y después?

—Ver de qué la acusan y qué podemos hacer.

—¿Acudirás a casa de tu hermana?

—Sí, si hace falta. Es la única persona que conozco que tiene posibles. Ella o su familia, me da igual.

Joos elevó la ceja izquierda, en un gesto que Justa conocía muy bien.

—Tiene gracia que digas eso precisamente en el lugar en el que estamos.

Ella miró hacia arriba y admiró la grandiosidad del edificio.

—No te engañes. A veces pienso que esto no es más que una cárcel de oro, el lugar donde los poderosos juegan con la existencia de los habitantes del país. —Aunque era el único sitio en el que quería estar, en el mismo lugar en el que se encontraba él. Lo besó de nuevo.

—Tengo prisa. Me marcho.

Pero Joos la retuvo contra él.

—No te voy a dejar sola —repitió.

—¿Y cómo vas a salir de aquí? Porque te advierto que no vas a poder detenerme.

En la cara del músico se pintó aquella sonrisa infantil, que a Justa tanto le gustaba, a la vez que agitaba una nota a la altura de sus ojos.

—Es lo que tiene tener a mano papel y pluma —explicó con cara inocente.

Ella se echó la mano a la boca para contener la risa.

—¡La has falsificado!

—¿Quién yo? ¿No sabes que soy el músico más formal de la Casa de Borgoña?

Justa lo volvió a besar. Esta vez, Joos respondió con entusiasmo.

—Has cambiado —aseguró Justa con los ojos brillantes.

—Tú me has hecho cambiar.

Y Justa se dejó conducir hacia la salida del palacio con la cara arrebolada y el corazón alegre.

20

—Poned vuestro nombre aquí —le indicó el sotoalcalde al hombre que tenía delante.

Este le miró con cara de asco.

—¿Podrá salir ahora?

—Este permiso —aclaró el segundo responsable de la cárcel— os permite hacer con el preso lo que queráis.

La orden era clara. «Se solicita la inmediata liberación del individuo conocido como Tomás Sánchez y se otorga la potestad a Pedro de Molina para que proceda en nuestro nombre.»

Molina se enorgulleció de sí mismo. El sello de la corona española abría todas las puertas. Y lo mejor era que nadie preguntaba quién lo había puesto allí. Era lo bueno de conocer la nefanda inclinación del mayordomo mayor, que podía conseguir lo que quisiera de él. Aquella era la segunda vez que usaba el conocimiento del apetito del hombre por la suave piel de los niños cantores. Tenía gracia. Con la primera había conseguido hacer desaparecer a su primer teniente de cantorcicos y con la siguiente había ido a rescatar al segundo. Aunque quitarse de en medio a aquel que le había hecho sombra en palacio había sido mucho más gratificante que recuperar al bravucón de Tomás Sánchez. Tendría que advertirle que aquella era la última vez que ponía su nombre en entredicho por salvarle el pellejo; otro problema más y se encargaría de hacerlo desaparecer de la corte, como había hecho con Nicolás Probost.

—¿Tendré que esperar mucho tiempo? —preguntó con gesto de repugnancia y sin dejar de examinar los oscuros rincones de la habitación.

El sotoalcalde cerró el libro de golpe.

—Traedlo —ordenó a uno de los soldados que esperaban junto a la puerta—. ¿Qué hacemos con el otro?

—Con el «otro» puede hacer la corona lo que quiera, como si lo manda a los galeones una temporada.

—¿Por una paliza callejera? —rio—. Como impusieran la pena de galeras a todos los que pasan por aquí por liarse a golpes en plena calle, la Armada de Ultramar tardaría en llegar a España solo seis meses en vez de un año. Si no fuera porque a estos los denunció el señor De la Puente, ya estarían fuera con una veintena de azotes en el cuerpo. Pero ya veis, ni tiempo para usar el látigo hemos tenido. No hace ni cuarenta días que se abrió el edificio y ya tenemos todas las «habitaciones» ocupadas.

El maestro de la Real Capilla calló lo que opinaba de la mugrienta sala a la que le habían conducido y se dedicó a algo que probablemente le iba a resultar más útil en el futuro.

Un escudo de oro apareció entre sus dedos. Molina se inclinó sobre la mesa y aproximó la cara al responsable de la cárcel.

—Aseguraos de que recibe esos golpes de los que habláis.

Cualquiera que no hubiera estado atento al movimiento de las manos de los hombres, habría pensado que lo único que habían intercambiado eran unas palabras.

—Estaos tranquilo —dijo el guardia mientras pensaba que con un poco de suerte recibiría otra moneda como aquella para hacer lo contrario de lo que pedía aquel individuo.

No hubo tiempo a más porque la puerta que daba acceso al corredor se abrió de repente y Tomás Sánchez apareció por ella. Entró de un empujón que le dio el guardia que lo había ido a buscar.

El músico traía el labio partido y una ceja ensangrentada. Se sujetaba el brazo derecho a la altura del codo. No había mucha luz, pero Molina no estaba ciego. Y por la posición de la extremidad y la cara de dolor del músico no era difícil imaginar la gravedad del daño.

—Sabía que vendríais a buscarme —declaró el preso con franca alegría.

El maestro hizo un gesto de despedida y se dirigió a la salida.

—¡Estúpido! —siseó cuando pasó a su lado.

En la calle lloviznaba. Caminaban pegados a la fachada del edificio. Molina iba delante, Tomás Sánchez, detrás. Doblaron la esquina sin mirar y se chocaron con una pareja que se cubría con un manto.

—¿Acaso no miráis por dónde camináis?

—¡Maestro!

—¿Quieres hacer el favor de socorrerme? —gritó Molina a Joos a la vez que intentaba levantarse con la ayuda del bastón.

—Perdonadme la imprudencia, pero íbamos apresurados.

—Y ciegos —gruñó mientras se sacudía la capa—. ¿Qué haces fuera de palacio?

La cara de Joos se puso rígida. Miró a Justa de reojo, pero esta no conseguía encontrar una excusa creíble por más que lo intentaba.

—Ha acudido a ti, claro.

Joos se volvió hacia Tomás Sánchez, al que ni siquiera había visto hasta entonces. Colocó a Justa a su espalda y lo miró con firmeza.

—¿Qué te ha pasado? —le preguntó sin dejar de mirarle las heridas.

—¿No lo sabes? Pensé que el fullero de tu amigo te lo habría contado. ¿Cuál es la excusa que te ha dado para estar ahí?

—¿De quién estás hablando?

—Del «gran Nicolás.» ¿De quién si no?

Joos estaba confuso. Él había ido allí a por Clara y se enteraba de que también estaba su amigo.

—¿Me estás diciendo que Niek está ahí dentro? —señaló hacia los muros de la prisión.

—Pregunta a cualquiera, todos le conocen. —Escupió al suelo para que quedara patente su aversión por el mencionado—. Desde que nos metieron hace dos días, no ha dejado de gritar. No es más que un cobarde.

Que a Clara y a Nicolás no les habían detenido juntos estaba claro. Habían pasado por la sastrería y el señor Luis solo les había hablado de ella. Les había contado lo poco que sabía. No tenía ni idea de por qué se la habían llevado, pero había sido aquella misma tarde. Y Nicolás, al parecer, llevaba ya detenido varios días.

El hombre había insistido en ir con ellos, pero Justa lo había convencido de que se quedara en la casa. Ellos se enterarían de todo y, en cuanto lo hicieran, acudirían a contárselo lo más rápido posible. Estaba tan excitado que hasta había perdido la coherencia y hablaba de Clara como de su propia hija. Así que entre Justa y él —el muchacho no había servido de ninguna ayuda puesto que se había quedado en una esquina como si lo que estaba pasando no le incumbiera lo más mínimo— lo habían persuadido para que se tomara una tisana y descansara un rato. Con suerte, Fernando de LaGavia habría recibido el recado que el señor Luis le había enviado con el ayudante y acudiría presto a la sastrería.

Un par de hombres pasaron a su lado y dijeron algo sobre la estupidez de quedarse charlando debajo de la lluvia.

—Vámonos —ordenó Molina a Tomás Sánchez—. Contigo ya hablaré después —le dijo a Joos.

No parecía una amenaza, lo era. Joos lo sabía. Y lo mejor era que ya no lo temía. Sin decir una palabra, cogió a Justa de la mano y se dirigió hacia la cárcel ignorando la advertencia.

La puerta de la cárcel estaba cerrada. A cal y canto. Joos y Justa se refugiaron bajo el bloque de piedra que formaba el dintel de la enorme puerta.

—¿Qué vamos a hacer ahora? —preguntó él mientras ella se quitaba el manto y procedía a sacudirlo.

Justa lo miró extrañada.

—Hacer lo que hemos venido a hacer.

—¿Y Nicolás? Ya lo has oído, también está ahí dentro.

—Tenemos que saber qué ha sucedido con Clara.

—¿Piensas despreocuparte de él?

—No me aturdas, Joos. Él es un hombre. Lo primero es preguntar por Clara y luego ya veremos.

—¿Estás insinuando que no vas a mover un dedo por él?

—Pues ahora que lo pienso, igual no le viene mal pasar una temporada bajo este techo.

—No lo estás diciendo en serio.

—No estoy de broma si eso es lo que piensas. Ya te conté lo que había hecho a Clara. Le vendrá bien sentirse solo, completamente solo. Así aprenderá cuál es la consecuencia de utilizar a los demás.

—Hablas como la más puritana de las beatas.

—¿Y qué quieres que piense? Él —añadió señalando a lo que fuera que hubiera en el interior de aquel edificio— ha lastimado a mi amiga. Ha jugado y se ha reído de ella, la ha enamorado y le ha hecho creer que la amaba solo por conseguir cobijo, porque necesitaba casa y comida.

Joos negó con la cabeza.

—No es así. Y tú lo sabes. Él no le haría eso a Clara.

—Es tu amigo, no el mío. Tú eres el que lo conoce, pero yo solo creo en lo que veo. Y si herir a Clara no es lo que desea, lo oculta muy bien, porque eso es precisamente lo que consigue.

—No seas injusta. Dices eso porque estás asustada por lo que le está sucediendo a tu amiga.

—Sí, has acertado; estoy asustada y mucho. Y no, no lo digo por eso, lo digo porque es cierto. Porque...

Un carraspeo a su lado hizo callar a Justa. Un hombre alto y serio esperaba junto a ellos para traspasar las puertas ante las que discutían. Por la seriedad de su cara y los papeles que llevaba entre los brazos se sabía que formaba parte de la potente maquinaria del imperio español. Los miraba con cierta antipatía. Estaba claro que le molestaban.

Joos se hizo a un lado y arrastró a Justa con él. El hombre se olvidó de ellos en cuanto los perdió de vista. Golpeó la madera con seguridad.

La puerta se abrió del todo cuando dijo el lugar en el que trabajaba. Justa aprovechó el momento y se coló tras él.

Pero un fuerte tirón la volvió a sacar fuera. Vio cómo el guardia que abría la puerta le echaba una mirada inquisitiva antes de cerrársela en las narices.

—Entonces, ¿qué vamos a hacer? —volvió a insistir Joos.

Justa se volvió hecha una furia.

—¡Entrar si es que dejas de discutir!

El exabrupto sacó a Joos de sus casillas. Maldito fuera el día en que aquella cabezota se había cruzado en su camino.

—¡Yo no estoy discutiendo!

Un nuevo carraspeo les advirtió de que, fuera lo que fuese lo que estaban haciendo, se enteraría toda la ciudadanía al completo.

Esta vez eran un hombre y una mujer. Como el hombre anterior, llamaron. Y como la vez anterior, la puerta se abrió. Y Justa aprovechó el momento para colarse dentro. Con éxito. Ella iba a buscar a Clara y que aquel «musicucho» hiciera lo que quisiera con su amigo.

El ministril, por supuesto, hizo lo mismo que ella: entrar.

El vestíbulo era frío y oscuro. Los faroles colgados de las paredes apenas conseguían que la gente supiera por dónde andaba. Justa se preguntó cómo serían las celdas si aquello, que era la zona más pública, era así. Se estremeció de espanto, del temor de no poder hacer nada por Clara.

La mujer que había entrado delante de ella llevaba una gran cesta con varios bultos cubiertos por un paño. Los guardias parecían atraídos por el olor a pan caliente. La mujer dejó la canasta en el suelo con mucha parsimonia, cogió uno de los paquetes y lo tendió al que había abierto la puerta. Luego hizo lo mismo con el otro. Ambos cogieron los presentes lo más rápido que pudieron y estos desaparecieron dentro de sus mantos.

Justa se arrepintió de la prisa que había tenido para llegar allí. Algo le decía que aquellos guardias habrían recibido mejor su «generosidad» que sus buenas intenciones.

La pareja preguntó por un hombre y los vigilantes señalaron una galería que se abría a la derecha de la puerta.

Ella no se lo pensó dos veces y dio el nombre de Clara. Con un poco de suerte, todavía estaban de buen humor por las dádivas recibidas. Le señalaron el pasillo contrario al que habían indicado al matrimonio anterior.

La galería de la izquierda parecía más oscura y tenebrosa que la de la derecha.

Se adentró en ella, sin mirar si el pretendiente que le había caído en suerte la seguía. Tenía perfectamente claras las razones por las que se encontraba allí y rescatar a Nicolás no era ninguna de ellas.

El corredor llegaba hasta la esquina del edificio y giraba a la derecha. Aún no veía lo que había a la vuelta, pero podía escuchar las voces de un hombre y de una mujer.

—Os repito lo que ya os he dicho antes. Soy Fernando de LaGavia, secretario del jurista Gonzalo Gálvez, perteneciente a la Junta de Población, Agricultura y Comercio y quiero saber qué cargos son lo que se le imputan a la detenida. Clara Román es su nombre.

Justa aceleró el paso cuando escuchó el nombre de su amiga.

El hombre era el mismo que había entrado en la cárcel mientras ella y Joos discutían en la calle y que los había mirado con jactancia. Sabía quién era. No lo había visto nunca, pero conocía su nombre y su profesión. A la perfección. No en vano, Clara le había confesado que a veces preferiría terminar con un hombre sereno y atento como Fernando que con uno cautivador pero complicado como Nicolás.

—¿Sabéis cómo se encuentra? —se apresuró a preguntar en cuanto llegó a su lado.

Fernando de LaGavia se volvió hacia ella, la miró con aire de superioridad y regresó a la discusión.

Hablaba con una religiosa, que se encontraba detrás de una mesa situada en medio del pasillo.

—¿Por quién preguntáis? —dijo la mujer dirigiéndose a Justa.

—Por Clara Román. Soy una amiga —aclaró sin apartar la mirada del hombre.

—No se da información a nadie que no sea de su familia. Podéis volveros por donde habéis llegado —le espetó la religiosa.

—Pero... —intentó decir ella.

—Pero sí a la familia y a los representantes de la ley —anunció Fernando de LaGavia muy ufano, obligando así a la mujer a atenderlo de nuevo.

La disputa comenzó otra vez y Justa quedó relegada a un segundo plano. Esta observaba el desarrollo de la controversia y esperaba el momento de volver a intervenir. En seguida intuyó quién tenía las de ganar. Fernando de LaGavia hablaba con gran soltura y pronto dejó a la religiosa sin argumentos.

—Esto se sale de lo normal. No traéis una orden —insistió la monja cuando vio que había consumido todos los razonamientos.

—¿«Necesitáis» un mandamiento real? Voy a buscarlo. En una hora lo tendréis aquí. Aunque, por otra parte, sería una tontería, puesto que lo único que ganaréis es que os interrumpa la cena y no alcancéis a rezar Vísperas. Pero si vos lo preferís de ese modo...

El secretario se dio la vuelta para marcharse.

La triquiñuela del amanuense dio resultado.

—¡Esperaos! Llamaré al sotoalcalde —dijo apresurada la religiosa y desapareció por el pasillo a su espalda.

Justa aprovechó el momento que se quedaron solos para hablar.

—Soy Justa Griñán, amiga de...

—Sé quién sois —contestó él sin dejar de mirar al frente—. Visitáis la sastrería varios domingos al mes. Os he reconocido por la voz —añadió antes de que Justa pudiera decir nada más.

Recordó las confidencias que Clara y ella se hacían los domingos cuando pensaban que se quedaban solas en la sastrería y se preguntó si aquel hombre se interesaría por algo más que por sus voces. Tendría que advertir a Clara de que guardaba un curioso en su casa.

—¿Sabéis cómo está?

Fue la primera vez que Fernando de LaGavia le prestó atención. Y Justa vio en sus ojos la verdadera causa por la que él se encontraba allí. Y no se trataba de ningún favor hacia el sastre sino hacia sí mismo.

—Dicen que bien. No lleva más que unas horas. Me han asegurado que se encuentra lejos de la compañía de ladronas, vagabundas y mujeres de mala vida. Hay que conseguir que no pase la noche aquí dentro.

—¿Por qué la han traído?

—Aún no lo sé. Es lo que intento averiguar.

—Debe de ser un malentendido.

Unos pasos enérgicos resonaron en el corredor. Abandonaron la conversación y se centraron en la figura que se aproximaba. Fernando de LaGavia se relajó cuando vio que no se trataba de la religiosa. Aquel hombre tenía aspecto de hablar su mismo lenguaje.

El recién llegado se limitó a quedarse parado al otro lado de la mesa con los puños apoyados en las caderas y el semblante impertérrito.

El secretario dio un tirón y se desprendió de un pequeño bulto que Justa no había visto y que llevaba oculto bajo la capa. La bolsa golpeó la madera con un ruido metálico, pero la mano del secretario continuó pegada a ella. Si Justa había dudado sobre si conseguiría averiguar lo que le había sucedido a Clara, ahora lo hacía sobre si saldría de allí. El inquilino del sastre intentaba comprar al responsable de la prisión. Y por el sonido, ofrecía una buena cantidad.

Contuvo un escalofrío. Por menos de eso algunos habían terminado en la picota.

El oficial no cogió nada, no hizo nada ni dijo nada durante un rato, que a Justa se le hizo interminable. Luego, simplemente, se dio media vuelta y se marchó por el mismo sitio por el que había aparecido. Los reales del secretario regresaron al mismo lugar de donde habían salido. El estómago de Justa burbujeaba por dentro.

—¿Y ahora? —murmuró ella tiempo después, cuando el silencio se hizo tan pesado que le oprimió el pecho.

—Ahora esperamos —decretó su compañero.

Justa ya había alcanzado el límite de la desesperación cuando las zancadas del sotoalcalde regresaron. Esta vez, venía cargado. Transportaba un gran libro entre los brazos.

Lo dejó caer sobre la mesa abierto por una página y, cuando

el volumen dejó de bambolearse, el secretario no se lo pensó dos veces, lo hizo girar hacia él y comenzó a revisar las líneas escritas.

—Acusada de ejercer arte de sastre —musitó.

Así que era eso. La amiga de Clara se echó a temblar. La acusación era cierta, ella lo sabía. Alzó la vista hacia el secretario en busca de una señal esperanzadora. Dejó escapar la respiración al observar que los labios de aquel hombre se curvaban en una ligera sonrisa.

—Una acusación hecha por un niño. Esto no vale nada.

—No soy yo quien tiene que decidirlo —se defendió el hombre del otro lado de la mesa—. Por menos se han desollado espaldas.

Justa se estremeció solo de pensar en el castigo que podían aplicar a Clara.

—No desde hace más de cuatro años, cuando el rey firmó la pragmática en la que las conmutaba a cambio de vergüenza pública.

—Conozco a gente que preferiría llevar la espalda llena de verdugones ocultos que pasar por ese trance público —añadió el guardián con un encogimiento de hombros.

Justa imaginó a Clara expuesta en medio de la calle, de rodillas y con la cabeza y las manos sujetas en unos agujeros de una tabla y se echó a temblar.

—¡No lo permitáis! —exclamó con un hilo de voz.

Fernando de LaGavia se volvió hacia ella.

—Vos esperad en la calle —farfulló entre dientes.

—Prefiero quedarme.

El secretario se dirigió al otro. Ahuecó la capa y dejó ver la bolsa de nuevo. La insinuación era clara. No le gustaban los testigos. Y menos si se trataba de una mujer. Se iban de la lengua con facilidad.

—¡Largaos o me encargaré de que se quede aquí dentro de por vida! —amenazó el guardia a Justa.

La cólera con que lo dijo indicó a Justa que aquel hombre era muy capaz de cumplir sus amenazas.

Retrocedió sin apartar la vista de ninguno de los hombres. Cuando llegó a la esquina del pasillo, les echó una última mirada y se dio la vuelta. No había dado ni dos pasos cuando se produjo el intercambio. El pesado bulto desapareció entre las ropas del sotoalcalde.

Este levantó una ceja, complacido consigo mismo. Aquel lunes dos de abril había sido buen día, se dijo, con la mano apoyada sobre su nueva fortuna mientras iba a buscar a la prisionera número veintitrés. «Una boca menos que alimentar, una celda menos que limpiar y una presa menos que vigilar.»

Alguien debería agradecérselo. Al fin y al cabo, hacía un favor al imperio.

Se había hecho de noche y Justa todavía esperaba. Ya no le quedaban uñas que comer, pensamiento que apartar ni suelo que recorrer. Según pasaba el tiempo sin que Clara saliera por la puerta, su excitación había ido en aumento.

Al principio, se había quedado en el zaguán. Nerviosa, había atravesado el portal una y otra vez, frotándose las manos sin cesar. Hasta que los guardias la habían echado a la calle.

Y allí estaba ahora, rezando a Dios para que olvidara la justicia de los hombres y aplicara la suya propia, la buena, la divina. El Señor no podía permitir que Clara sufriera. «Por dar unas puntadas en una tela.» Por quebrantar la ley. «¡Ay, Dios! ¿Cómo lo vamos a solucionar?», pensó angustiada en el mismo instante en el que una figura conocida traspasaba la entrada de la cárcel.

La embargó una mezcla de desilusión y de alegría.

Joos se acercó a ella y la empujó al refugio del umbral. La oscuridad los protegería de las miradas curiosas.

—¿La has encontrado? —preguntó ciñendo los brazos en torno a ella con ternura.

—Sí, no, no lo sé —confesó Justa con la cabeza apoyada en su pecho—. ¿Recuerdas al inquilino del sastre? Estaba dentro, intentando mediar por ella.

Los pulmones de Joos se expandieron de alivio.

—Me dijiste que trabajaba para el estado, que era...

—Es el secretario de un juez —terminó Justa—. La han apresado por trabajar en la sastrería.

—¿Por bordar?

—Por hacer jubones y greguescos, por coser ropa de hombre.

Joos separó a Justa de sí y la miró a los ojos.

—Tú lo sabías. —Su novia hizo un gesto afirmativo. Él la atrajo de nuevo hacia sí—. ¡Buen Dios! ¿Qué habremos hecho Niek y yo para que nos toquen en suerte unas amadas tan cabezotas?

Pero su voz mostraba el orgullo que sentía por la mujer que se acurrucaba entre sus brazos.

—Creo que ha sido el muchacho el que la ha denunciado —comentó Justa un rato después.

—¿Quién?

—El ayudante del sastre. Estaba enfermo cuando Clara llegó y ocupó su lugar.

—Así que ha sido por animosidad hacia ella.

—¿Tú crees que el secretario podrá hacer algo para sacarla de ahí?

—¿Qué te ha parecido a ti? Tú eres la que lo has visto ejercer su oficio.

—Parece un hombre de recursos.

—El cielo te oiga —farfulló Joos—. Si las mujeres tienen el mismo aspecto que los hombres que yo he visto meter en estos muros... —calló. Dibujó en su mente una señal de la cruz.

Justa recordó al amigo de su enamorado.

—Y tú, ¿has visto a Niek?

—Tampoco. Pero sé de él. El trabajo de vigilante puede ser muy aburrido. No hay como comenzar una conversación trivial y, después, hacerla virar hacia donde quieres.

—¿Qué has averiguado?

—Se peleó con Tomás Sánchez en uno de los teatros de la villa. El empresario llamó a los alguaciles y los encerraron.

—Y Molina ha sacado al otro y lo ha dejado a él dentro —constató Justa al recordar a los hombres con los que se habían tropezado.

—Eso parece, sin embargo, no me extraña en absoluto. Nadie me quita la idea de que ese hombre fue el culpable de que lo echaran de palacio. Odia a Niek.

—¿Una pelea? ¿Esa es su única falta?

—Por lo que me han dicho, sí.

—En ese caso, lo soltarán pronto. ¿Sabes si está bien?

—Al parecer, tiene la cara llena de golpes. Nada grave. Me han asegurado que se pasa el día cantando, así que no estará muy mal.

La puerta se abrió en ese instante y una figura femenina apareció en el umbral.

Clara los miraba con semblante cansado. Justa se soltó de Joos y se abalanzó sobre ella.

—¿Te han hecho algo? ¿Te encuentras bien? ¿Te han golpeado? —preguntaba Justa sin dejar de toquetearle por todo el cuerpo.

—Está bien —contestó Fernando de LaGavia, que salía detrás de ella.

Clara mantenía la serenidad a base de férrea disciplina y sujetó a su amiga por los brazos para obligarla a calmarse.

—¡Justa! Tranquila. Estoy bien.

Los sollozos llegaron antes que el abrazo.

—No te puedes ni imaginar lo mal que lo he pasado —lloraba Justa sin poder contener los nervios.

Clara la mantuvo abrazada unos instantes, pero en cuanto las lágrimas subieron a sus párpados, se separó de su amiga. Llevaba un día entero sin dejar de pensar; en Nicolás, en su padre, en ella. Había sido suficiente, ya había llorado demasiado.

Apartados de ellas, en la esquina del edificio, Joos y Fernando parecían discutir. El músico hablaba y gesticulaba sin cesar y el secretario lo miraba con algo parecido a la inquina. ¿Cuál sería el motivo del litigio? Pero en ese mismo instante, como si hubiera notado su mirada, el secretario levantó la cabeza. Al ver que Clara lo observaba, abandonó a Joos y lo dejó con la palabra en la boca.

—Deberíamos irnos —sugirió el amanuense mientras la agarraba por el codo—. Aquí ya no hay nada ni «nadie» que nos retenga.

Pero el músico se había unido a ellos, dispuesto a hacer algo por su amigo.

—Clara tiene que saber... —comenzó.

Justa intuyó lo que Joos estaba a punto de decir y desvió la conversación.

—Lo que tiene que saber —ratificó ella a todo correr— es que la esperan en su casa.

Ya buscarían la manera de auxiliar al cantor, pero ahora lo principal era no perturbar a Clara más de lo que ya estaba.

La sonrisa de Fernando de LaGavia indicó que estaba de acuerdo con ella.

De nuevo lunes y de nuevo estaba Joos delante de la cárcel. Habían pasado quince días desde que habían sacado a Clara de aquel edificio, desde que Fernando de LaGavia la había rescatado.

Los dientes del músico chirriaron solo de pensar en el secretario, encantador con unos y hostil con otros, benévolo con Clara y rencoroso con Niek.

Cuando aquel día Joos lo había abordado a la salida del penal y le había explicado la situación del cantor, se había negado a ayudarlo. «Haré lo que esté en mi mano —habían sido sus primeras palabras, para después añadir—: para que permanezca en su celda todo el tiempo que sea menester». Él se había quedado atónito y le había recriminado su conducta tan poco cristiana.

Pero pronto había comprendido su arrebato. En cuanto el secretario se volvió y posó los ojos sobre las mujeres, el gesto se le relajó por completo.

Joos lo tuvo claro. Aquel hombre se interesaba por Clara; Niek era su más directo competidor y no le iba a allanar el camino.

Así que había hecho lo único que se le ocurrió. Si aquellos dos no tenían especial predilección por Niek, él sí la tenía; por algo eran amigos, lo habían sido desde siempre, inseparables, aliados, incondicionales, y no tenía intención de que eso cambiara. Menos ahora que el cantor lo necesitaba y no tenía a nadie más a quien acudir. Si él le fallaba en aquel momento, ¿cómo iba a salir de allí?

Así que había apelado a la única persona que estaba allí que podía sentir por Niek algo distinto a la animadversión. A pesar de las circunstancias. No le habían dejado otro camino. Por eso había intentado explicárselo a Clara.

Pero hasta eso le había salido mal. Justa le había cortado la frase con más limpieza que si hubiera utilizado una espada ropera. Y Clara se había quedado sin saber que Niek y ella habían estado separados durante unas horas por un par de patios, varias galerías y unos cuantos guardias. Y que lo seguirían estando por la desconfianza, la prevención y los celos de las dos personas que habían hecho tanto por ayudarla.

Así pues, a Joos no le había quedado más remedio que asumir que estaba solo en aquello y, a riesgo de que Molina le descubriera, había falsificado un permiso para ausentarse de palacio; uno cada dos días. Y cada dos días, se había plantado en la cárcel para preguntar por su amigo.

Las noticias eran contradictorias, mucho. Dependiendo del guardia con el que hablara, Niek era un loco genial o estaba poseído por el demonio. En lo que todos coincidían era en que se pasaba el día entero trabajando y parte de la noche canturreando, y en que la mayoría de los presos, y gran parte de los guardianes, lo aborrecían.

—Sabía que no me fallarías —anunció Nicolás en cuanto puso un pie en el exterior y se encontró con él.

Ambos se fundieron en un abrazo sincero.

—Debería haberlo hecho. Tenía que haberme quedado en palacio y haberte dejado a tu suerte. Es lo que te mereces.

—Por eso es por lo que te escogí como amigo, porque eres el más leal.

Joos le palmeó la espalda.

—Di más bien que porque fui el que te tocó al lado en la carreta y porque soy el único que ha podido soportarte durante todos estos años —se chanceó—. ¿Algo de la comida que he traído llegaba hasta tu celda?

—Algo —contestó Nicolás—, lo suficiente para acallar el estómago de vez en cuando. Recuérdame no volver a entrar en este sitio, la atención es horrible. Por cierto, gracias también por tu intervención con lo otro. Ya me han contado que si no hubiera sido por ti, ahora no caminaría erguido como lo hago ni tendría la piel de la espalda en el mismo sitio que cuando entré.

El músico soltó un suspiro de alivio. Había pasado los últimos dos días pensando en si los escudos de oro que había entregado al alguacil de la prisión habrían servido para librar a su amigo de los azotes que le estaban reservados.

—No las des. Fueron los propios guardianes los que me insinuaron que el sotoalcalde es de entendimiento fácil. Bastan unas monedas y en el libro se registran penas no cumplidas. De lo que te tienes que alegrar es de estar de nuevo fuera. ¿Cómo te encuentras? Estás más delgado.

—Y con una nueva nariz —añadió Nicolás divertido.

—Veo que te lo tomas a broma.

—¿Tengo mal aspecto? Al principio pensé que el canalla de Tomás Sánchez me la había roto, pero ahora no estoy seguro.

Joos lo examinó más de cerca.

—Aún quedan rastros de la paliza. Las manchas debajo de los ojos todavía sombrean. Pero no creo que nadie se dé la vuelta por la calle para mirarte. Eso sí el tono de tu piel se ha suavizado todavía más. Es lo que tiene permanecer encerrado durante tanto tiempo.

Nicolás elevó los ojos al cielo. El brillo del sol era lo que más había echado de menos allí dentro. El brillo del sol, el aire, las nubes. Y a Clara.

Había pensado mucho en ella. En lo que le había dicho, en lo que había sentido al tocarla, en cómo ella se había estremecido en sus brazos. Había pensado mucho en lo que iba a hacer a partir de ahora.

Se subió la cinta del zurrón, del que sobresalía un rollo de papel.

—Vámonos. Tengo cosas pendientes.

Joos bajó la vista al cuello de Nicolás y fue cuando se dio cuenta de que por debajo del jubón no vestía nada.

—Has perdido la camisa. Te la han robado. ¡Malditos bastardos!

Nicolás detuvo a su amigo.

—No ha sucedido nada de eso.

—¿Y entonces?

—Digamos que la he utilizado para otras cosas más importantes.

—La has entregado a cambio de comida.

Nicolás simplemente sonrió.

—Vámonos —dijo de nuevo al tiempo que echaba a andar—. Esto no puede esperar.

Llegaron a la plaza de la sastrería en menos de lo que se baila una pavana. Joos lo detuvo antes de alcanzar las escaleras.

—Niek, no se si deberías. Ella te echó de aquí.

—¿Lo sabes?

—Justa me lo ha contado. Clara no sabe dónde has estado todos estos días. Verás... —dudó si decirle que a Clara también la habían encerrado en la cárcel.

—No te preocupes, no voy a hablar con ella. Joos —dijo de pronto— eres un buen amigo, el mejor. —Estaba emocionado.

Joos le agarró del antebrazo. Había entendido. Fuera lo que fuese lo que Niek iba a hacer, no quería testigos.

—Y lo seguiré siendo. —Un gesto con la cabeza y un apretón de manos les sirvió para saber que estaban de acuerdo, que siempre lo estarían—. Ya sabes dónde encontrarme. Hazme saber de ti —le pidió mientras le entregaba una bolsa con monedas.

En otro momento, en otras circunstancias, en otro tiempo, Nicolás se habría sentido ofendido y habría rechazado la ayuda de su amigo. Pero ya no. Después de todo lo que le había sucedido, había descubierto que la dignidad y el honor eran otra cosa distinta a la soberbia. Cogió el dinero sin pensarlo.

—Lo haré, en cuanto sepa dónde paro. Apunta esto a lo que ya te debo. Te lo pagaré íntegro. Un último favor —pidió.

—Dime.

—Necesito una vihuela.

—Déjalo de mi cuenta.

Nicolás esperó a que la figura de Joos desapareciera calle abajo antes de moverse. Descendió las escaleras con precaución. El día era cálido y el joyero trabajaba, como siempre, con la puerta abierta. El vecino del sastre lo miró un instante, pero perdió el interés cuando vio que el joven seguía hacia la sastrería.

Nicolás pasó sin llamar. El taller estaba vacío. Esperó. El señor Luis oyó el sonido de la puerta al cerrarse, salió de la alcoba y se encontró con él.

Los dos hombres se miraron fijamente durante unos instantes. Después, el sastre se dirigió a la cocina.

—Clara, hay un cliente esperando.

—¿No podéis atenderle vos, padre? Ya veis cómo estoy.

Su padre le sonrió. Tenía las manos metidas en la mezcla que estaba amasando. Se había pasado la mano por la cara y una estela de polvo blanco teñía una de sus mejillas.

—Pregunta por ti. Date prisa antes de que se marche. Y, muchacha, límpiate la cara—señaló.

Clara introdujo las manos en la jofaina y restregó una contra la otra con rapidez. Con un trapo, que humedeció en la misma agua, se limpió donde su padre le había indicado. Se desprendió del delantal y se dirigió al taller sin atusarse más. Sin duda sería la viuda de Brañas con otro encargo. Mejor hablar con ella lo antes posible, a la mujer no le iba a hacer ninguna gracia cuando se enterara de la decisión que había tomado. Después de la denuncia que Miguel había puesto en su contra, había decidido que la vida al margen de la ley se había terminado. Fernando tenía razón, se lo había dicho en una ocasión y le iba a hacer caso. Se acabó bordar para otros, a partir de ese momento lo haría solo para ella. Ella cosería y ella lo vendería. Todavía no sabía cómo lo iba a conseguir, todavía no se lo había contado a su padre, pero lo haría; se lo explicaría y lo conseguiría, se dijo al entrar en el taller.

Nicolás pensó que era lo más bonito que había visto nunca. Traía la cara manchada, el cabello despeinado, los puños arremangados y el cuello de la camisa abierta. Estaba preciosa.

Clara se detuvo cuando lo encontró ante ella. Habían pasado dos semanas desde la última vez que lo había visto, quince días en los que ella no había hecho más que pensar en él, en dónde estaría, en cómo estaría y en que lo necesitaba a su lado. Hasta se le había pasado por la imaginación salir a buscarlo. Así se lo había dicho a Justa el día anterior, pero su amiga se había mostrado más prudente de lo esperado. «¿Cómo lo vas a encontrar si no sabes dónde puede parar?», le había preguntado. No, no lo sabía, pero al menos le desaparecería la sensación de haber dejado morir aquella relación apenas iniciada.

Y ahora lo tenía delante. Había venido a ella. Los ángeles habían escuchado sus plegarias.

—Nicolás... —titubeó.

Él la detuvo con un gesto y abrió el macuto. Un rollo de papel y una tela delicadamente doblada aparecieron sobre el mostrador.

La mirada que le dirigió el hombre que amaba la dejó sin aliento. Le temblaban las manos y se las sujetó sobre el pecho para que no se le notara. El trozo de papel, que Nicolás le había dejado en la cesta de la costura y en el que le declaraba su amor, crujió dentro de su ropa.

Nicolás no podía apartar la vista de sus ojos, de sus labios, del contorno de su cara. Le había asegurado a Joos que no hablaría con ella, pero no pudo resistirse.

—Eres lo mejor que me ha pasado —musitó.

Clara no tuvo ocasión de contestar. Nicolás ya había desaparecido. Y ella lo había perdido. De nuevo.

Los ojos se le llenaron de lágrimas.

21

Dos días había tardado en reaccionar, en volver a encontrar la decisión que le había hecho marcharse de Segovia, en hacer reaparecer la valentía al aceptar trabajar junto al sastre, en retomar la osadía para convencer a su padre de que se ofreciera para coser los vestidos del teatro. Cuarenta y ocho horas en las que lo único que había hecho había sido mirar y tocar, revisar y repasar aquellos papeles, aquella tela, aquellas notas.

Nicolás le había regalado un villancico, un romance, un tiento, una fantasía, un motete, una canción. No lo sabía. No tenía ni idea de qué era lo que él le había escrito, pero una cosa tenía clara, lo había compuesto para ella. Y el hecho de que se le hubiera terminado el papel y hubiera continuado escribiendo en la tela de la espalda de su propia camisa la llenaba de una emoción indescriptible.

Clara se acercó a la puerta del taller con el candil en la mano. Se aseguró de que estuviera bien cerrada. Hacía tiempo que su padre y Fernando se habían retirado. Ella se había demorado más tiempo de lo normal para finalizar las labores de la cocina y dejar en remojo las sopas de pan en el desayuno del día siguiente. Puso la lámpara sobre la mesa del taller y la despejó de tijeras, hilos, alfileres, cajas y jabones. Se acercó al arcón en el que guardaban las telas y los sobrantes con los que se quedaban, tan pequeños que ni los dueños de las ropas advertían su falta. Sacó un trozo de la holandilla azul, la misma con la que estaban confeccionando los ropajes de la función del teatro, y la extendió sobre la mesa.

Dibujaría primero todos los símbolos. Las líneas de la partitura, con punto recto y en negro; las notas, a base de bodoques. Le habría encantado hacerlas en oro y plata —a sus ojos no había otra forma de representar aquellos maravillosos acordes—, pero lo había desechado por demasiado costoso.

El color blanco sobre el fondo azul quedaría estupendo. Sería como el brillo de las estrellas en la noche en la que se conocieron, el color de la nieve sobre las montañas de Valsaín al atardecer, el reflejo del sol sobre los ojos de Nicolás y la representación de la intensidad de sus sentimientos. Quedaría perfecto.

¡Solo dos días y habían cambiado tantas cosas!

Tan pronto como su padre se enteró de que el paso de Clara por las mazmorras reales había sido por la inquina de su ayudante, lo había echado. El chiquillo se había marchado cabizbajo y avergonzado, aunque con una carta de recomendación en el bolsillo para que entregara en el gremio, que el sastre había consentido en redactar solo después de escuchar los ruegos de su hija.

También habían cambiado la orientación del negocio. La idea había sido de Fernando, al que le habían bastado unas horas para solucionarlo. Aquella misma noche le había traído la autorización por la que su padre pasaba de ser el propietario de una sastrería a ampliar el negocio. «Puntillas y bordados» eran las palabras que aparecerían sobre la puerta; «Puntillas y bordados», en un lado y «Sastrería», en el otro. Y en el centro... aquello que tenía entre las manos y a lo que aún no había dado forma.

Cogió un trozo de jabón bien afilado y empezó la tarea. Con una cinta bien tirante comenzó a trazar las líneas de la partitura. Una, dos, tres, cuatro, cinco filas; bien centradas y separadas una de la otra por la anchura de una mano. Se apartó de la mesa y observó la pieza desde unos pasos más atrás. Regulares. Perfectas.

Desplegó el primero de los papeles. Ni le hacía falta mirar las notas para saber cómo y dónde estaban situadas. Se las sabía de memoria. Las primeras eran las mismas que Nicolás había pintado en la fachada de la sastrería. Tomó aire y comenzó. Con impaciencia, con seguridad. Hizo las tres primeras y volvió a revisar el trabajo. Sonrió, satisfecha consigo misma. Movió el candil hacia la derecha y continuó con las siguientes. Perdió la noción del tiempo.

—¿Trabajando tan tarde?

Clara dio un respingo y se volvió asustada. Respiró aliviada cuando vio a la persona que hablaba.

—Espero que no os hayáis alarmado —se disculpó con el secretario.

Él negó.

—Leía unos papeles. Estaba a punto de acostarme.

—Trabajáis en exceso.

Fernando de LaGavia sonrió por toda respuesta. Se había pasado toda la mañana y parte de la tarde con la gestión del cambio de la sastrería en otro negocio, había tenido que redactar tres documentos distintos y pasarse de un despacho a otro para conseguir las firmas y los sellos necesarios. Y como había desatendido su propia labor, no le había quedado más remedio que llevarse a casa el trabajo sin terminar. Esperaba que el juez no se extrañara al día siguiente cuando le dejara sobre la mesa el doble de papeles de lo acostumbrado.

—Estaba a punto de hacerlo cuando he visto la luz —se excusó el secretario, señalando el candil.

—Tenía que haberlo dejado para mañana. Hoy solo iba a pensar en el diseño, pero al final... —se justificó. Clara se hizo a un lado para mostrar, orgullosa, el trabajo que tenía extendido sobre la mesa.

A Fernando le mudó el gesto cuando sus ojos se posaron en la tela. Se quedó lívido. Clara notó de inmediato cómo cambiaba el rostro del secretario y, con rapidez, se puso delante de la labor que apenas había empezado.

—Ha estado aquí.

Había perdido la amabilidad de siempre y su mirada se había endurecido.

Clara se sintió intimidada. Supo que su nuevo proyecto, el proyecto de su nueva vida, estaba amenazado. Extendió los brazos y apoyó las manos en el borde de la mesa que tenía a su espalda sin apartar la vista de la figura que se alzaba ante ella.

—¿A quién os referís? —balbuceó.

—A él —contestó el secretario con inquina—, a ese músico. Ha venido a veros. Lo han soltado.

Clara se debatía entre la alarma ante la reacción de aquel hombre y la curiosidad de saber de qué estaba hablando.

—¿Soltado de dónde?

—Tenía que haberse quedado dentro —sentenció el inquilino con la mandíbula tensa por la rabia.

—¿De qué estáis hablando?

—Si hubiera sido por mí, a estas horas seguiría en una celda, o mejor, estaría remando en un galeón en medio del océano. Eso es lo que se merecen los delincuentes como él.

—¿Me estáis diciendo que Niek ha estado preso?

Clara había enfatizado el nombre flamenco de Nicolás para dejar patente la intimidad que había entre ellos. La provocación hizo efecto y al secretario se le aflojó la lengua.

—En el mismo sitio y al mismo tiempo que vos; en la prisión. Y allí tenía que haberse quedado.

—Pero ¿por qué?

—Ni lo sé ni me importa. Por vagabundo, por vago, por fracasado.

—Si algunas de esas fueran razones para hacer apresar a un hombre, la mitad de la población de la villa estaría dentro de esos muros.

—Pues habrá sido por ladrón —dijo con desprecio.

«Por quedarse con ella.»

—Sabíais que estaba allí y ni os molestasteis en avisarme —le reprochó ella.

Pero aquella frase solo sirvió para avivar el rencor del inquilino del sastre.

—Ese amigo suyo, el que os esperaba a la salida, quiso que hiciera algo por él.

—Y vos... —comentó Clara para forzarle a continuar.

Él hizo un gesto de repulsión.

—Reservo mis favores para la gente que me importa —anunció con voz agria—, como vos —dulcificó el tono a la vez que adelantaba una mano hacia Clara.

Ella se inclinó hacia atrás y esquivó la caricia de aquel hombre. El hombre amable y generoso se había transformado ante sus ojos en otro necio y egoísta.

—Os desconozco —le espetó ella después de hacer un gesto de desprecio—. No sé lo que ha cambiado para que penséis que yo... Es cierto que os agradezco lo que habéis hecho por mí y por mi padre, pero entenderéis que mi gratitud no vaya más allá de eso.

Pero el secretario estaba decidido a no dejar que otro disfrutara de lo que por derecho le pertenecía. Salvó el espacio que los separaba y la agarró por el brazo.

—Yo os libré del encierro y os he conseguido los cambios en el negocio que deseabais. He comprometido mi propia seguridad por vos.

—Nada de lo que habéis hecho se os ha pedido —contestó ella, intentando soltarse sin conseguirlo.

Él tiró de la tela que ella intentaba proteger, la arrojó al suelo y la pateó.

—Ya veo que preferís a los que os desprecian y os abandonan, y hacéis a un lado a los que os protegen.

Y sin decir nada más, inclinó su rostro y oprimió los labios contra los de Clara. Ella quiso rechazarlo. Lo empujó, pero Fernando de LaGavia era un hombre corpulento y estaba fuera de sí. Se apretó contra ella y la aprisionó contra la mesa. Buscó su cuello, su rostro, recorrió sus brazos, mordió sus labios. Clara contuvo la repugnancia que le daba que aquel hombre la tocara como lo había hecho Nicolás.

—¡Soltadme! —gritó cuando se desembarazó de su boca—. No sois más que un bárbaro.

En vez de ello, él apretó sus caderas contra Clara.

—¿Pensabais que podíais jugar con mi hombría?

La respuesta llegó del otro lado del taller.

—Os decís un hombre, pero dudo de que lo seáis. Soltad a mi hija en este instante o... —le amenazó el sastre mientras se acercaba, renqueando y en camisa de dormir.

La cara del secretario pasó del furor a la mueca burlona. Soltó a Clara y se enfrentó al sastre.

—¿Qué haréis? No sois más que un viejo.

El señor Luis levantó el bastón y lo descargó con toda la fuerza de su, aún no recuperado, brazo. El secretario lo interceptó con facilidad y arrojó el cayado a un lado. El palo se deslizó por el suelo hasta estrellarse contra uno de los muros del taller.

—¡Fuera de esta casa!

El grito de Clara lo hizo volverse. Había abierto la puerta de la calle y permanecía junto a ella, desafiante.

—Estoy aquí por derecho propio, la costa de arriendo así lo ha dispuesto. No podéis obligarme a marcharme, no me voy a ir.

—Lo haréis y ahora mismo. Os doy dos minutos antes de salir a la calle o comienzo a gritar que habéis estado a punto de violentarme.

La carcajada del secretario debió de escucharse en casa de los joyeros.

—Nadie os creerá y, aunque lo hagan, no es nada que no pueda solucionarse con una bolsa llena de monedas.

—No cejaré hasta que el tema llegue a palacio. Todos en la corte conocerán vuestra bajeza. El rey y la reina son personas rectas y piadosas y, sin duda, presionarán a vuestro valedor, el juez, para que se desprenda de vos. Terminaréis en la cárcel, sin otra cosa que hacer que apuntar en un libro los nombres de los presos que tan generosamente mandáis a galeras.

—Nada de lo que decís es cierto. No tenéis ninguna potestad para que se cumplan vuestras amenazas.

Tenía razón, pero Clara no estaba dispuesta a pasar ni un instante más bajo el mismo techo que aquel hombre. Así que no se amedrentó.

—Lo haré llegar a oídos de doña Leonor de Mascareñas. Sé dónde encontrarla, puedo llegar a ella, la conozco —mintió—. Era el aya del infante don Carlos. Con seguridad, no tardará en llegar a oídos de la reina —afirmó con decisión—. Tenéis el cargo arrendado, vos mismo me lo explicasteis. A buen seguro que no será difícil conseguir que pase a manos de otro y os veáis despojado de él.

Clara vio que los ojos de Fernando de LaGavia vacilaban.

—Si me echáis, perderéis los derechos del nuevo negocio.

—No veo cómo. Ni mi padre ni yo os entregaremos el documento. Y si intentáis algo, tendréis que explicar cómo habéis conseguido esa licencia en tan breve tiempo. Vuestro propio prestigio quedará en entredicho. ¿Os vais a marchar ahora u os vuelvo a recordar aquello a lo que os exponéis si permanecéis más tiempo en esta casa?

—Ya la habéis escuchado —ratificó el sastre por si le había quedado duda de lo que él opinaba al respecto.

Clara, mientras esperaba a que el secretario tomara la decisión definitiva, se acercó al lienzo sobre el que iba a bordar la partitura que Nicolás le había compuesto y lo recogió. Fernando de LaGavia dio un paso atrás cuando ella lo dejó sobre la mesa y lo extendió con cuidado.

Y Clara supo que la de aquella noche había sido la última cena que había cocinado para él.

Aquel era el tercer día que Nicolás regresaba a esa casa y estaba nervioso.

La primera vez que había llamado a la puerta de la vivienda más grandiosa de la plaza de Santo Domingo solo había podido presentarse. El hombre que le escuchaba al otro lado del umbral le había emplazado para el día siguiente.

El segundo le había respondido que el dueño de la casa le recibiría y, cuando a Nicolás se le iluminó el rostro, había añadido: «la jornada de mañana».

Y allí estaba.

Le habían hecho pasar a una pequeña estancia, que contaba únicamente con la silla de madera en la que se sentaba y con otra más cómoda, con el asiento y el respaldo de cuero labrado, destinada, sin duda, a cobijar las posaderas del dueño de la casa.

Sacó por cuarta vez el rollo de papeles de la bolsa y lo deslió. El crujido de los pliegos llenó todos los rincones de la habitación.

Ni sabía para qué se había molestado en plasmar una pequeña

muestra de su ingenio cuando estaba tan seguro de que los conocimientos musicales de aquella gente se limitarían a aplaudir los desafines de la hija mayor y los falsetes de la pequeña.

Y lo sabía porque se había informado bien de las personas entre las que pretendía ganarse las monedas a partir de ese momento: familias acomodadas que estaban lejos de pertenecer a la nobleza, pero que obtenían pingües ganancias con el comercio desde que la corte se había establecido en Madrid.

Pasó la vista por la primera composición; el motete era la pieza más formal que había llevado. En la segunda de las hojas, Nicolás había plasmado un villancico, algo más ligero. En la tercera, un sencillo romance; fácil de recordar y fácil de cantar. Y en la cuarta, una chacona, por si a las pupilas les gustaba bailar y su progenitor se lo permitía.

En función de la actitud del mercader —puesto que a eso se dedicaba el *paterfamilias* de aquella casa, a mercadear con carnes y aves de calidad que ocupaban la mesa de los que ostentaban título en la Villa y Corte—, le enseñaría la composición que mejor le pareciera. Además, por si le pedía que interpretara alguna de aquellas piezas, había llevado con él la vihuela que Joos le había conseguido. Por eso y porque dejarla en la posada en la que se alojaba era del todo impensable si la quería recuperar al día siguiente.

De ninguna de las maneras quitaría la vista de encima a la escribanía, a los pliegos de papel, comprados esta vez con el dinero prestado por su amigo, ni al instrumento musical. Junto con su talento, aquellos eran sus utensilios de trabajo, los únicos que tenía, con los que saldría adelante y los que le darían la ocasión de presentarse ante Clara con las manos llenas; llenas de promesas, llenas de oportunidades, llenas de amor.

La puerta se abrió en ese instante y Nicolás se puso en pie de inmediato. La cabeza del criado que le había atendido hasta entonces desapareció y dio paso al dueño de la casa; un hombre recio, al que no le había dado tiempo aún de deshacerse del sombrero ni del manto. El hombre acababa de llegar de la calle. «Y al parecer ha vuelto deprisa», pensó cuando le notó la cara congestionada.

—Os concedo dos minutos para explicarme lo que venís a decirme —le espetó.

Nicolás no esperaba semejante trato y se quedó atónito. Pero la confusión le duró un instante. Solo un necio desaprovecharía el tiempo que aquel hombre le ofrecía. ¿Dos minutos? Le bastaría con uno.

—Yo conseguiré que sus hijas provoquen la envidia de sus vecinos.

El hombre no reaccionó de ninguna manera. Al principio.

—¿Y qué es lo que gano yo con eso?

Así que era menos avispado de lo que los beneficios de sus negocios indicaban. Sería un genio con la venta de animales, pero no sabía gran cosa de lo que era necesario para ascender en sociedad.

—Sus hijas serán la admiración de todos, de los que simulan no conoceros y de los demás; destacarán sobre el resto —aseguró el músico—. El canto y la interpretación de un instrumento son capacidades que pocas personas poseen. Ellas las sumarán al resto de las virtudes y atraerán todas las miradas. Una hija diestra y admirada puede ser de mucha ayuda para un progenitor.

La alusión era obvia. Los ojos abiertos del hombre le dijeron que comprendía lo que Nicolás insinuaba. «Y su mujer también», se dijo el músico cuando escuchó un ligero carraspeo desde el pasillo de la casa. El comerciante se dio la vuelta y salió de la estancia sin decir palabra.

De la conversación que tenía lugar entre el matrimonio, le llegaron susurros entrecortados que apenas entendió. Pero el tono de voz con el que se había pronunciado la última frase le dejó claro el resultado de la consulta.

El hombre podía ser el propietario de todas las granjas de vacas, ovejas, cerdos y gallinas que quisiera, sin embargo, en aquella casa, la que tomaba las decisiones era la mujer.

La puerta volvió a abrirse.

—No os voy a dar ni un solo real más de lo que otros pagan, por mucho que hayáis cantado ante el rey.

—Ni yo os lo voy a cobrar, os doy mi palabra.

El hombre lo miró con suspicacia.

—¿Lo juráis?

Así que además de rico, era desconfiado.

—Por mi honor. Lo firmaré si así lo deseáis. Solo os pediré una cosa aparte del estipendio que pactemos. —El hombre elevó una ceja—. Deseo que, si quedáis contento de los progresos de vuestras hijas, consintáis en hablar de mí a vuestras amistades.

El mercader aún tardó un rato en tomar la decisión. Nicolás aguardó. Esperaría lo que hiciera falta.

Por fin, le tendió la mano.

—Tenéis cara de ser hombre de palabra y de que no prometéis aquello que no podéis cumplir.

Nicolás se limitó a sonreír y a apretar la mano.

Con un poco de suerte, las hijas de aquel hombre no serían demasiado torpes y él conseguía sacar algo bueno de ellas. Con un poco de suerte, se haría un nombre como profesor de música. Con un poco de suerte, podría mirar a Clara a los ojos y volver a repetirle que la amaba. Y con un poco de suerte, ella lo aceptaría.

—No entiendo cómo vas a encontrarlo haciendo un bordado.

—Es que aún no te lo he contado —explicó Clara sin levantar la vista del bodoque que estaba terminando—. Pásame la tijera, anda.

—¿Ya has finalizado?

—Esta sí. Ahora empiezo con la siguiente.

Justa miró a su amiga mientras esta cortaba la hebra de la nota que acababa de bordar.

—Si sé que no vas a hacerme caso, me quedo en la iglesia. La imagen de Nuestra Señora tiene mucha más conversación que tú. Los dos últimos domingos que he pasado contigo no me has escuchado y, mucho menos, me has hablado. Bordar y bordar es lo único que haces.

—No te quejes tanto. Sabes que te oigo.

—Oír no es lo mismo que prestar atención. Y tú eres la única persona a la que puedo contar según qué cosas.

Clara terminó de enhebrar la aguja y la pinchó en la tela.

—Aquí me tienes, con los oídos abiertos, para lo que quieras. ¿Cuál es el problema?

—Es mi hermana. Quiere presentarme a su esposo —dijo con la voz estrangulada.

—Si quieres mi opinión, ya era hora. Hace más de cinco meses que se limita a reunirse contigo en Santa María.

—No soy más que una criada —declaró Justa y se dejó caer en el asiento libre, al lado de Clara.

—¿Piensas que él no te aceptará? Tendría que hacerlo puesto que eres la hermana de su esposa. —Clara posó una mano sobre la de su amiga—. Y una mujer excepcional.

—No creo que la familia Vargas se alegre de emparentar con alguien como yo, con una igual a las chicas que friegan y cocinan para ellos.

—¿Y eso te incomoda?

—Un poco —confesó Justa.

Clara le confirmó su apoyo con otro apretón y sonrió ante el gesto de desamparo de su amiga. Siempre tan sincera, siempre tan expresiva. Y no como ella que había ocultado sus sentimientos ante todo el mundo, incluida ella misma; que había confundido el camino que debía seguir y había permitido que su cabeza dominara a su corazón; que no había sabido reconocer la verdad y había aplastado la esperanza.

—¿Y qué sucederá si no te admiten? ¿Temes que le obliguen a no volver a encontrarse contigo?

—La verdad, no lo sé. Yo quiero seguir viéndola. Esa era la ilusión de nuestra madre y la mía cuando llegué a este país. Pero a veces me trata como lo haría con una desconocida.

—Dale tiempo. No todos tenemos la misma facilidad que tú para simpatizar con la gente.

—Ni la misma despreocupación, dilo, dilo.

—No seas tonta, no era eso lo que pensaba. Lo que quería explicar era que el hecho de que quiera que la familia de su esposo sepa de tu existencia ya es un paso importante.

—Puede ser —concedió Justa—. De lo que sí estoy segura es de que nunca me sentiré con ella tan cómoda como contigo.

Clara no se pudo contener y le dio un fuerte abrazo.

Tenía suerte, en el mismo camino en el que Justa había perdido a quien era su familia, ella había encontrado a un padre y a una hermana. Aquel pensamiento provocó en Clara una emoción inmensa, como si después de un esfuerzo titánico estuviera a punto de llegar a la meta. Ya había alcanzado casi todas las etapas, aunque aún le quedaba la cuesta final. Nicolás. Se separó de Justa antes de que las lágrimas le subieran a los párpados.

—Además, ¿no eras tú la que no hace mucho insistías en que nada es tan importante como el amor? Pues al parecer, a ese lo tienes bien sujeto —bromeó antes de volver a coger la aguja, insertarse el dedal y seguir con la labor.

—¿Crees que Joos querrá casarse conmigo? —La aguja se desvió y Clara sintió el pinchazo en su dedo.

—¿Cómo no va a querer? Tú eres una estupenda persona y él lo es aún más. Haréis un matrimonio perfecto.

Justa se echó a reír.

—Sí, que se pasará el día discutiendo.

Clara la acompañó en su alegría.

—Como todo buen matrimonio.

Pero Justa ya no la escuchaba. En realidad lo que había dicho no era cierto, no del todo. Joos y ella se enfadaban, sí, se contradecían, sí, pero sobre todo se amaban. Aún tenía en la mente la escena que habían protagonizado aquella misma mañana. De pecaminosa la hubieran tachado la mayoría de las componentes de la Casa de la Reina. Por suerte, nadie los había visto.

Apenas se acordaba ya de cuál había sido la causa de la polémica. Había empezado por algo relacionado con la disposición de las mujeres en la iglesia de palacio. Ella sostenía que guardar los dos últimos balcones para los acompañantes de la reina y de todas las infantas no era suficiente. Era firme partidaria de que se les hiciera un hueco en el primer piso, reservado hasta entonces para los cantores y los músicos. Joos, en cambio, aseguraba que era un problema de comportamiento y que si las mujeres y ese «montón de hombrecillos serviles que las acompañan» se callaran durante la liturgia, no habría que separarlos. La discusión había subido de tono hasta que Joos había elevado una ceja con aire de suficiencia y murmurado entre dientes algo así como que «al final siempre consigo convencerte.»

Y ella había estado a punto de estrangularlo. Odiaba aquella actitud suya de músico arrogante que indicaba «tengo razón».

Le había dado un empujón para apartarlo de ella, pero Joos la había sujetado con fuerza de la cintura y la había mantenido junto a él.

—¿Eso es lo que pretendes hacer conmigo? ¿Obligarme a pisar el suelo que tú pisas sin que me dé cuenta? —había farfullado ella.

Y Joos simplemente le había sonreído. La había obligado a pegarse a él y había enterrado la cara en el hueco de su cuello.

—Lo que yo «quiero» hacer contigo —había susurrado en su oído— es rodar sobre un colchón de plumas, todas las noches, sin descanso.

Y a Justa no le había quedado más remedio que darle la razón; al final siempre conseguía convencerla. Y ella se dejaba. Aquella vez, también. Había sido perfecto. Lo único que hubiera mejorado el momento habría sido que el relleno del jergón fuera de plumas en vez de telas viejas.

La ensoñación de Justa finalizó cuando Clara volvió a hablarle.

—¿Lo habéis hablado ya?

—Joos dice que esperemos. Está pensando en buscar trabajo fuera de palacio. Como Nicolás.

Aquello sí, aquello sí que captó el interés de Clara, que abandonó de nuevo la labor para centrarse en la conversación.

—¿Crees que es fácil?

—No, pero Joos dice que se puede intentar. Desde que Niek falta, las cosas se han complicado. Molina ha encumbrado a Tomás Sánchez. ¿Recuerdas aquel desgraciado que nos...? —Clara asintió—. Él y sus acólitos son ahora los hombres de confianza del maestro. Nicolás era su mayor enemigo y Joos era el mejor amigo de este. Está convencido de que están esperando a que cometa un error para echarse sobre él, como hicieron con Niek.

El discurso de Justa arrancó una sonrisa a Clara. Joos dice

por aquí, Joos dice por allá, Joos dice, Joos cuenta, Joos... Su amiga estaba enamorada. ¡Y de qué manera!

—Así que estáis pensando en dejar la corte.

—Sería maravilloso vivir como personas normales, como tú, como la señora Engracia. Y en palacio no podríamos hacerlo. Queremos tener hijos, acostarnos juntos todas las noches y depender únicamente de nuestro capricho, no del capricho de otros.

—Las cosas no son fáciles aquí fuera. Tú misma ves la cantidad de mendigos que deambulan por la calle y malviven bajo el cobijo de la iglesia y de las gentes de bien.

—De todas maneras no podemos pensar en ello hasta que Joos haya encontrado otra ocupación. Dice que ahora es un buen momento. La ciudad se ha llenado de familias que prestan servicios a la corte y traen mujeres a las que entretener e hijos a los que educar. Asegura que hay varias casas nobles que tienen sus propios músicos. Ni que hablar de los profesores que se necesitan. Todo el mundo quiere sobresalir. Comienza a extenderse la costumbre de contratar uno para enseñar a los vástagos.

Clara regresó al bordado.

—Según lo cuentas, no parece complicado.

—¿No dices nada más?

—¿Qué quieres que te diga?

—Explicarme lo que vas a hacer con eso que tienes entre las manos sería una buena opción.

—Ya lo verás cuando lo haya terminado —contestó enigmática.

«Tú y otras cuarenta mil almas más.»

El hijo mayor del joyero se bajó de una escalera y Clara lo hizo de la otra. Dio un paso atrás y examinó la nueva fachada de la sastrería. Había quedado preciosa.

El sol lucía en todo su apogeo e incidía en el edificio con fuerza. El dibujo de la tela relucía.

—Exquisito —dijo la señora Engracia mientras se limpiaba las manos en la sobrefalda—. Espera a que la viuda de Brañas y el resto de los comerciantes vean esto; desearán no haberos dejado escapar. Serás envidiada todos por tener esas manos.

—Que Dios os escuche. Lo que hace falta es que a la gente le guste y le atraiga.

«Y Niek lo vea.»

—¿Cómo no lo va a hacer? Si parece una de esas colgaduras con las que los nobles adornan las paredes de los salones.

Clara sonrió ante la comparación. Sabía que no era cierto. Aquella labor no tenía nada que ver con los delicados hilos de seda de los tapices. Sin embargo, aceptó el halago, emocionada. Su obra no era tan lujosa, pero tenía muchísimo más valor, por lo que era, por lo que significaba.

—¿Qué os parece, señora Engracia? —preguntó el sastre, que se acercaba a las mujeres.

—Que ahora vais a atraer a tanto caballero ilustre que tendremos que adecentar la puerta de la joyería para estar a vuestra altura —contestó la vecina mientras se daba la vuelta—. Vamos, hijo —exhortó al muchacho—, padre te necesita.

Clara y el señor Luis los vieron entrar en su negocio. Ellos, en cambio, se resistieron a hacer lo mismo. La ocasión merecía quedarse un rato más allí fuera.

—Deberíais haberme dejado taparlas —comentó Clara sin apartar la vista de las notas que Nicolás había pintado durante tantas jornadas y que aún permanecían en el muro.

—Nada de eso. Las pruebas de amor nunca se destruyen —contestó su padre con una mano sobre su hombro.

—Se acabarán borrando con el tiempo.

—Para entonces, ya no serán necesarias —añadió él, volviendo a observar la labor de su hija.

Habían montado la tela sobre un bastidor que el sastre había fabricado con cuatro varas de madera. La señora Engracia tenía razón; a poco tardar, aquel bordado estaría en boca de todo el que pasara por el mentidero de San Felipe y, en un par de días, lo sabría el resto de la villa.

—¿Creéis que vendrá?

Clara no había podido evitarlo y había expresado sus temores en voz alta. Calló en cuanto se dio cuenta de que su padre la había oído. El sastre apretó los dedos que aún mantenía posados sobre ella.

—No lo dudéis, hija. Sería el mayor de los necios si no lo hiciera.

Y si alguna opinión había sacado de las horas que Nicolás Probost había pasado en su casa era que aquel muchacho era de los que aprovechaban las oportunidades.

22

Y en verdad que lo hacía.

—Señora —se despidió con una inclinación—, no olvidéis que es menester que vuestras hijas repitan el estribillo varias veces a lo largo de la tarde si queréis que estén preparadas para la representación.

La mujer frunció el ceño.

—¿Lo estimáis oportuno? Su padre piensa que ya están preparadas. Son aún muy pequeñas y cree que tanto trabajo no las beneficiará.

Nicolás paseó la vista sobre las dos chiquillas, que se refugiaban al lado de su madre con la cabeza baja y las manos a la espalda.

«Decid mejor que sois vos la que opináis de ese modo.»

Nicolás miró de nuevo a las niñas. Lo cierto era que no lo hacían mal. ¿Quién sabía de dónde habían sacado aquellas voces?

«De sus padres no, desde luego.»

Habían avanzado mucho en aquellas semanas desde que las habían dejado a su cargo, pero aún...

—Deben practicar más —dijo de forma enérgica—. De vos depende que hagan un buen papel ante vuestras amistades.

La mujer no se atrevió a replicar. Nicolás lo agradeció puesto que sería inflexible en aquello. No en vano, él también se jugaba algo importante. «Muy importante», se dijo mientras atravesaba la puerta de aquella casa y salía al exterior. Su futuro dependía de aquellas dos pequeñas y de otros siete más, cuyos padres confiaban en él para que sus retoños se lucieran. Y él necesitaba el dinero y la estabilidad de un trabajo remunerado. La próxima vez que se presentara ante Clara, ella no tendría nada de lo que dudar. No se preguntaría cuál sería su intención, no se plantearía otra cosa que no fuera que aquella vez él estaba allí por ella, únicamente por ella.

Le diría que descendería al mismo infierno si con eso... No, no diría nada, no harían falta las palabras. Simplemente la besaría y le susurraría al oído la canción que había compuesto para ella. Su canción, la de ambos. Aquellas notas eran su declaración de amor.

«*Cor tuum, anima mea*», finalizaba el último verso. «*Tu corazón, mi alma.*»

La cogería entre sus brazos y la mantendría pegada a él. Para siempre. Lo haría. Esta vez sí, esta vez la obligaría a aceptarlo. La convencería de que su obsesión por que él no se quedaría con ella mucho tiempo no era más que un absurdo, que solo era miedo a que le hicieran daño.

Otra idea se coló en los pensamientos de Nicolás. ¿Se habría descubierto ya el sastre? ¿Sabría ella que era el padre al que tanto aborrecía? Y por un momento, le entró el pánico. ¿Y si lo había hecho? ¿Y si Clara lo sabía? ¿Y si se había marchado? Nicolás detuvo el paso ante la idea de no volver a verla. No, no había ocurrido. Joos le habría informado, se lo habría contado, habría encontrado el modo de hacérselo saber.

Tan abstraído estaba que no se dio cuenta de que interrumpía el camino de un aguador de cuba.

—Disculpad, señor —dijo el chico que transportaba dos enormes cubos, de los que colgaban media docena de toscas tazas de no más de medio cuartillo cada una.

Nicolás se hizo a un lado y lo dejó pasar. El muchacho, libre ya de obstáculos, reanudó el paso y retomó la melodía que silbaba.

El músico se dio la vuelta de repente y se quedó mirando la espalda del que se alejaba. Aquella música...

Las campanas del monasterio de las Descalzas Reales tocaron a Vísperas. Llegaba tarde a la siguiente clase. Si de algo se tenía que preocupar era de ganarse una buena reputación como profesor. Y la puntualidad formaba parte de ella.

Y la paciencia, también.

—Estoy cansada de repetir lo mismo una y otra vez. ¿No podéis enseñarme algo más alegre? —insistía la hija de los Soncillo.

—¿El Kyrie eleison os resulta pesado? Nada hay más sencillo que estos tres versos.

—No me gusta repetir lo que se canta en la iglesia.

La criada, que velaba desde una esquina de la habitación que nada incorrecto sucediera entre profesor y alumna, levantó la cabeza de la labor que tenía entre las manos y miró a la caprichosa hija de sus señores.

—Tendréis que repetirlos. Forma parte de vuestro aprendizaje.

—¿No podéis enseñarme algo más alegre? ¿Eso que se escucha por la calle, esa melodía que todo el mundo tararea?

—¿Qué melodía? No sé de qué habláis.

—Hay un ciego en la plaza del Arrabal que la repite todo el día. Ayer acompañé a Cándida —explicó en dirección a la vieja criada— y lo escuché. Había un montón de gente a su alrededor y varias personas tarareaban la canción a la vez que el anciano. ¿No la habéis oído?

La expresión de la muchacha era de completa estupefacción, como si lo considerara un músico incapaz por no conocer la tarada de la que le hablaba.

—Dejémonos de inalcanzables. Repetid lo que os he mandado —ordenó, molesto por que la chica lo hubiera sorprendido en falta—. No os olvidéis de erguir vuestra espalda antes de comenzar.

La muchacha lo miró ceñuda, pero comenzó a cantar al ver el gesto de determinación en el rostro de su maestro.

El resto de la clase la impartió completamente despistado. Había cometido varios fallos con el instrumento y no había corregido a la muchacha las veces necesarias. Nicolás solo se enteraba de los descuidos de la chiquilla cuando esta se paraba y lo miraba, consciente de la equivocación. El músico tenía la cabeza en otro sitio. Y todo porque se le había ocurrido enlazar las palabras de su alumna con la música que silbaba el aguador con el que se había tropezado. «La melodía que todo el mundo tararea —había dicho ella—. La que todo el mundo tararea.»

Nicolás dio un gran rodeo para pasar por la plaza del Arrabal. Lo tenía que confirmar. Si no lo hacía, se pasaría toda la noche dando vueltas en el jergón y sin dejar de pensar.

Fue fácil dar con él. El viejo estaba en el lugar más concurrido de la explanada; a la puerta de la panadería, donde los habitantes de Madrid entraban y salían sin descanso a pesar de que el día estaba ya terciado. Y como había descrito la muchacha, bien rodeado de gente. Chiquillos, vendedores, clientes y curiosos escuchaban lo que decía.

Se aproximó al grupo con decisión y se hizo paso entre la gente hasta situarse en la primera fila. Un viejo, desdentado y con barba larga, se apoyaba sobre una caja de madera que ya había empezado a desarmarse. La vihuela descansaba sobre su regazo.

—Cantadla de nuevo —dijo una mujer baja, regordeta y con el pelo oculto bajo un pañuelo.

El ciego volvió la cabeza hacia donde procedía la voz.

—Seguro que os sobra una «blanca» en vuestra bolsa.

Pero antes de que a la mujer le diera tiempo a contestar, Nicolás lanzó dos monedas al sombrero que el mendigo había dejado en el suelo. El anciano reaccionó con el sonido de las piezas de cobre sobre el resto. Lo vio apoyar el mástil del instrumento en el brazo y comenzó a cantar.

Nicolás se deshizo por dentro.

Aquellas eran sus notas; aquellas, sus palabras.

El hombre puso voz a su ternura y a sus temores, a su afecto, a su amor; le dio expresión a su corazón y vida a su pasión.

La turbación guio los pasos de Nicolás desde la plaza del Arrabal hasta la plazuela de la sastrería.

Se tambaleó cuando miró hacia el taller. Nada ni nadie le había preparado para aquello. No tuvo más remedio que detenerse y apoyarse en el edificio más cercano. Nunca hubiera imaginado sentir un alborozo tan intenso que lo dejara sin respiración. Pero así fue.

Se quedó maravillado, encandilado, con la mirada perdida en aquel firmamento de notas musicales, fascinado con la energía que irradiaban, exultante con el amor que emanaba de ellas.

Porque, si en algún momento, en alguna ocasión, Nicolás temió que Clara no lo amara, la duda desapareció por completo cuando su mirada se posó en lo que colgaba encima de la puerta de la tienda.

Aquello era una insignia, un distintivo, una enseña, un grito, una llamada.

Aquello era un canto de amor. Y él era la persona a la que iba dirigido.

La fuerza volvió a él, cruzó la calle y se sentó en el primero de los escalones. Ahora que lo sabía, ahora que Clara lo había gritado al viento, lo disfrutaría durante un instante. No había prisa. «Sé dónde encontrarla.» Sonrió solo de pensarlo.

En el banco de la plaza, tres muchachos tampoco despegaban la vista de la partitura bordada. Ni se habían percatado de su presencia. Murmuraban la canción una y otra vez en voz baja. De vez en cuando, le llegaban retazos de la melodía, sin embargo, Nicolás no los miró ni una sola vez; no conseguía apartar los ojos de la tela.

Era toda una obra de arte. No había visto nada tan bello en la vida. «A excepción de su rostro.»

Cuatro eran los pentagramas y cuatro las letras iniciales. Aunque ninguna de ellas formaba parte de su obra. Él había seguido la costumbre de remarcar en grande la primera letra de cada uno de los versos, pero las suyas no eran aquellas. Las suyas eran una E de *et*, una A de *anima*, una C de *cor*, y otra A de *amore*. Clara en cambio las había precedido de otras cuatro letras.

Las leyó de arriba abajo, deprisa. «NIEK», decían.

Y por segunda vez en aquel rato, a Nicolás se le paró el corazón. Y el alma se le hinchó de alegría. A punto estuvo de levantarse y acudir a la llamada de Clara, pero se dominó. Quince días había tenido ella para impregnarse de los sentimientos que él le había confesado y él deseaba ahora escuchar los suyos. Quería mirarla a los ojos y no tener que decir nada ni que ella se lo dijera a él. Quería saberlo antes de verla. Quería sentirlo antes de hablar. Quería tocarla en silencio, observar sus pupilas e intuir sus lágrimas de felicidad. Quería abrazarla sin dudar de que ella lo rodearía con sus brazos y no lo soltaría nunca. Pero sobre todo, quería mirarla y que la palabra «siempre» se reflejara en sus ojos.

Y así, con la convicción de haber penetrado en la mente de Clara, se dispuso a disfrutar de aquella obra que daba voz a sus palabras, en la que ambos habían unido sus silencios, en la que habían trenzado sus corazones, en la que habían atado sus almas.

La tela era azul, «como el cielo», «como el mar, como mis propios ojos»; las letras, plateadas «como el brillo de su pelo bajo la luz de la luna»; las notas blancas como las flores, como la nieve, como las nubes, «como la piel de sus pechos»; las líneas del pentagrama eran negras, como el azabache, «como sus pestañas». Al final de la composición, Clara había añadido un texto que no había salido de la mano de Nicolás. COMPOSITOR: NICOLÁS PROBOST, decía en color bermellón, «como sus labios, como nuestro amor».

La partitura era perfecta, «como ella».

Y de repente tuvo prisa por tenerla a su lado.

Se puso en pie y salvó los escalones de un salto. Por el rabillo del ojo, vio a los tres muchachos dar un respingo cuando apareció en medio de la plaza.

—No os olvidéis —les dijo antes de que se repusieran del susto— de afinar bien vuestras voces antes de pronunciar una sola de esas notas.

—Sí, maestro —balbuceó uno de ellos.

Pero Nicolás no escuchó la respuesta. Asió el tirador de la puerta del taller y la abrió de golpe, esperando encontrar los oscuros ojos de Clara mirándolo embelesada.

Y descubrió la afilada mirada de una multitud de matronas que se volvieron hacia él.

—Tendréis que aguardar —apostilló con rudeza la más cercana a la salida y que aferraba una vara de tela.

Lo habían mirado a la vez y a la vez dejaron de hacerlo cuando los ojos de todas regresaron a lo que acaparaba su atención cuando les había interrumpido.

Había una gran cesta de mimbre llena de bordados y de puntillas sobre el mostrador. Dos de las mujeres rebuscaban en ella y dejaban a un lado las que les parecían más hermosas. El resto esperaba su turno.

El sastre trabajaba muy concentrado en la otra esquina de la mesa. Tenía una pieza de tela extendida y marcaba con decisión unas líneas sobre ella. A su lado, un muchacho de no más de ocho o nueve años, que Nicolás no había visto antes, lo observaba sin perder un detalle de sus movimientos.

No había ni rastro de Clara.

Comenzó a ponerse nervioso. Debió de hacer un ruido de decepción porque el sastre, que había terminado de marcar el contorno de unas calzas, levantó la cabeza y lo vio.

El músico no pudo distinguir si lo que aparecía en la cara del señor Luis era una sonrisa o un gesto de preocupación.

¿Dónde estaba Clara? Lo invadió el desasosiego. Inquietud que aumentó cuando el padre de Clara dejó lo que tenía entre las manos, rodeó el mostrador y se acercó hasta él.

—Pasad —le ordenó, sin atender a las miradas de censura de las señoras que se agolpaban en la tienda.

Nicolás traspasó la línea imaginaria que separaba a las clientas del vendedor.

—¿Dónde...?

—Subid —fue lo único que le dijo antes de empujarle hacia dentro.

Nicolás atravesó la alcoba de las telas, abrió la puerta que daba acceso al resto de la casa y voló por las escaleras. Los sonidos de sus pisadas sobre la madera silenciaron las protestas de las parroquianas que se quejaban en el piso de abajo. Llegó arriba en un suspiro y, al siguiente, descubrió que Clara tampoco estaba allí.

Las dos estancias del piso superior estaban abiertas. Abiertas y vacías. Y él estaba solo.

¿Qué pretendía el sastre? Ya había puesto un pie en el escalón para volver a bajar y pedirle explicaciones cuando la parte baja de la escalera se oscureció. Y una figura comenzó a subir.

Por el paso uniforme de quien ascendía Nicolás supo que no era el sastre.

Clara. Y por la decisión de sus pisadas ella no sabía qué o quién la esperaba arriba.

Ojeó las dos estancias que se abrían ante él. Había una camisa sobre una de las camas y los adornos del cuello indicaban que femenina. No se lo pensó dos veces y se coló dentro.

No le cabía tanto gozo en el pecho.

Los pasos se acercaron y se detuvieron. Dudaban. Avanzaron de nuevo. Nicolás relajó los rasgos al imaginar la emoción de tenerla entre los brazos. Esperó y se preparó. Sin embargo,... nada sucedió. Los sonidos se alejaron de él.

La alarma le agarrotó los músculos, pero la imagen de Clara y su deseo por ella lo hizo moverse. Y ya, sin disimulo y sin fingimiento, salió de aquella habitación y se coló en la contigua.

Allí estaba, de rodillas, sujetando la tapa de un arcón, buscando algo que no terminaba de encontrar. Ni se enteró de que no estaba sola.

El peso que colgaba de su corazón desde la última vez que la había visto se desprendió, cayó al suelo haciéndose añicos y dejó a Nicolás liviano y feliz.

Con cuidado para no llamar su atención, se apoyó en la jamba de la puerta dispuesto a alargar un instante más aquel momento.

—¿Necesitas ayuda? —le preguntó cuando le fue imposible controlar las ganas de contemplar su rostro.

El movimiento de Clara se detuvo. Las manos se pararon, el cuerpo le dejó de reaccionar y sus ojos se posaron en un punto imperceptible del cierre del arca. Se quedó parada, clavada en el suelo al escuchar su voz. Todo le dejó de funcionar, todo menos la mente. Dos palabras se repitieron en su cerebro una y otra vez. «Ha regresado, ha regresado, ha regresado.» Y su corazón, que había dejado de palpitar, volvió a moverse, más rápido, más vivo, con más fuerza que nunca.

No lo pudo soportar más y se volvió hacia él.

El milagro que esperaba desde que colgó el bordado sobre la puerta del taller se acababa de hacer realidad. Nicolás había acudido, lo tenía ante ella. Y sonreía.

Se puso en pie y la tapa del cofre se cerró de repente haciendo un ruido infernal. Ella ni se enteró. Tenía toda la atención, todos los sentidos, puestos en el hombre que tenía delante; en el músico, en el cantor, en el desterrado, en el don nadie, en el profesor. En Niek. No le importaba quién era, cómo vivía ni a qué se dedicaba. Solo sabía que era a él a quien quería a su lado los años que le restaban de vida, que sería él el que cortaría los troncos que arderían en su hogar, la persona que irrumpiría siempre en sus sueños y el que aparecería en sus fantasías, que serían su voz la que buscaría a cada momento, y su piel la que echaría de menos; que era su cuerpo el que quería en su cama, su cara lo que viera por las mañanas a la luz del amanecer y era con él con quien quería ser enterrada cuando el Señor los llamara a su lado.

—Nunca cambiarás, siempre vas y vienes a tu antojo —le recriminó ella con los ojos brillantes y la voz temblorosa.

Nicolás le echó una mirada profunda antes de hablar.

—Nunca cambiarás, siempre haces que regrese a ti —apostilló él con una gran sonrisa.

Fue solo un gesto, un leve gesto, apenas un breve movimiento. Clara vio sus manos extendidas y el cielo se abrió para ella, el sol volvió a brillar, las plantas a reverdecer y los pájaros a cantar.

Se precipitó en sus brazos y Nicolás la abrazó con la confianza de un hombre decidido y la pasión de un hombre enamorado.

Quiso explicarle que la amaba, pero Clara ya lo estaba haciendo por él. Sin darle tiempo a respirar, ella se apoderó de su boca y se adentró en él. No pidió permiso, no lo necesitaba. Él era suyo, lo había sentido la primera vez que lo había besado en Valsaín, lo había sabido el día que golpeó al sastre, lo supo en el teatro y el día que la abrazó en la calle. Pero sobre todo lo sabía ahora, cuando la besaba, cuando la acariciaba, cuando la protegía, cuando la deseaba.

Compartieron cientos de besos, provocadores, tiernos, deseados; arrebatadoras caricias y sensibles torturas. Hasta que uno de ellos recobró la razón y detuvo al otro.

—No podemos...

—No vuelvas a hacerlo —susurró Clara sin atender a la prudencia de Nicolás.

Él apartó a un lado la cautela y se perdió en la nebulosa de placer que aquella mujer le provocaba.

—¿Que no vuelva a hacer qué? —preguntó cuando volvieron a separarse—. ¿Impedir que cometas una locura teniendo a la mitad de las mujeres de la villa en el piso de abajo?

—Irte, volver a marcharte, dejarme atrás, volver a separarte de mí —murmuró Clara y le mordisqueó el lóbulo de la oreja.

Nicolás sujetó su cara y la volvió hacia él. La obligó a mirarle. Ella abrió los ojos y él le abrió su corazón. Puso toda su alma en la respuesta.

—Nunca —dijo con la voz rota por el deseo.

«Nunca, nunca, nunca, nunca», repitió ella para sí una y mil veces mientras él buscaba su rostro, besaba sus labios, abría su boca y trababa su lengua con la de Clara. «Nunca, nunca, nunca, nunca, nunca.»

Y Clara se unió a él, a su furia, a su pasión. Y lo besó y lo besó.

Y cuando los besos no fueron suficientes, soltó su capa, acarició sus brazos, desabrochó la cuera, soltó el jubón, se deshizo de él y tiró de la camisa hasta sacarla de los greguescos. Deslizó las manos por debajo del tejido y lo tocó.

Los músculos de su vientre se contrajeron. El roce dejó a Nicolás sin aliento. Apenas se dio cuenta de lo que hacía, simplemente obedeció a lo que le pedía su cuerpo, la sujetó por la cintura y la atrajo hasta él. Con fuerza.

Clara fue consciente de la necesidad de Nicolás cuando sintió la presión de su entrepierna contra ella. Percibió su propia urgencia por tocarlo, su deseo por tenerlo por entero. Y se estrechó aún más.

Comenzó a desatarle la última prenda. Se le enredaron los

dedos en la tela. La excitación agarrotaba sus nervios y apenas avanzaba. «¡Malditos botones!»

Nicolás posó las manos sobre las suyas y la obligó a detenerse.

—No, cariño, no, así no. —Clara alzó la cabeza y lo miró aturdida. Él depositó un tierno beso en sus labios entreabiertos—. No es un buen momento —dijo dirigiendo la mirada hacia la escalera.

A Clara le llegó la lucidez y claudicó. Sin embargo, no fue capaz de separarse de él. Lo rodeó con los brazos y apoyó la cabeza en su pecho.

—Es la segunda ocasión que me contienes —murmuró.

—Si no recuerdo mal, tú también me has rechazado varias veces.

—Espero que no se convierta en costumbre —respondió ella un instante antes de posar sus labios sobre la piel del pecho masculino, que asomaba por la camisa entreabierta.

Él se estremeció. Esperó a retomar de nuevo el control sobre su cuerpo y, solo entonces, la instó a mirarlo de nuevo.

—No temas. Esta noche hazme un hueco en tu cama.

—¿Te has olvidado de mi padre?

Los labios de Nicolás se curvaron en gesto alegre.

—Sé por propia experiencia que el sastre tiene el sueño profundo —dijo y volvió a probarla.

Sabía deliciosa. Era deliciosa.

Clara se reclinó en él de nuevo y la quietud regresó a ellos.

—Ni siquiera me has preguntado lo que siento por ti —comentó Clara, rompiendo el sosiego del momento.

—No hace falta. Lo has gritado a los vientos y el aire lo ha hecho llegar hasta mí.

—Lo has visto —constató ella.

—Lo he visto y lo he oído. Al parecer es la melodía preferida de la villa. —Le dio un beso en la sien, agradecido—. El bordado es una belleza.

—Tú lo creaste.

Nicolás la obligó a separase de él para mirarla a los ojos.

—Tú fuiste mi inspiración. Es tu canción.

—Tuya es la composición y, por lo tanto, el mérito.

—Yo la creé para ti, eran mis sentimientos —le vibró la voz—. ¿Tengo que volver a decirte que te amo? Me da la impresión de que empiezo a repetirme —añadió divertido.

—No podías habérmelo dicho de una forma más bella, Niek, yo también...

Nicolás le puso un dedo delante de la boca para volver a acallar lo que estaba a punto de decir por segunda vez.

—No hace falta. Lo sé. —Volvió a besarla—. ¿Crees que esas dos palabras pueden superar lo que has creado para mí? En todos los años que pasé en la corte nunca me había sentido tan adorado, ninguna mirada, ningún elogio, me ha hecho sentir tan amado como cuando he visto tu bordado. He imaginado tus manos en cada una de las puntadas, he visto tus retinas en cada una de las notas, he imaginado tu sonrisa en cada una de las líneas de la partitura y ¿sabes lo que he pensado? —Clara negó en silencio—. Que quería escribirte cientos de canciones y que tú las bordaras para mí.

—Lo haré, las bordaré, llenaré la casa de telas, inundaré la villa con ellas. Me aseguraré de que todos sepan quién eres, el valor que tienes, pero sobre todo, lo mucho que te amo.

—Ya lo has hecho. Ya has tenido la valentía de decírselo al mundo. Ahora, gracias a ti, medio Madrid sabe quién soy, el resto, quién eres tú, y todos sin excepción conocen lo que hay entre los dos. ¿Sabes lo que eso significa?

Clara lo sabía, que sus nombres comenzarían a sonar en los mentideros de la villa si no lo hacían ya. Pero ¿a quién le importaba? No a ella, desde luego, pensó mientras respondía a sus caricias.

—Fue mi padre quien me dio la idea. Yo tenía tu camisa entre mis manos sin saber exactamente qué hacer con ella cuando me dijo: «Vuestros artes se adaptan.»

¿Cuándo le había Clara desabrochado los botones que aún se mantenían atados? Nicolás se rindió a su propio deseo y permitió que le quitara la camisa. ¿Qué importancia tenían unas horas? Enganchó la puerta con el tacón de la bota y la empujó para que se cerrara.

Condujo a Clara hasta el centro de la estancia, chocaron con la cama y se dejaron caer sobre ella.

—Ese padre tuyo resulta que tiene más juicio que nosotros dos juntos —musitó al tiempo que comenzaba a desvestirla.

—Es porque él sabe bien que, cuando un corazón enamorado se rompe, lo único que se obtienen son miles de pedazos de amor con el nombre de la otra persona escrita a fuego sobre ellos.

—¿Es eso lo que te ha sucedido a ti? —preguntó Nicolás mientras le descubría los hombros y parte de los pechos y comenzaba a besarlos.

—¿A ti no? —suspiró Clara sin poder evitar que su cuerpo se arqueara contra él.

—Sí —ratificó, obligándola a que le mirara—. Sí —afirmó de nuevo antes de bajar la cabeza y continuar delimitando el borde de la camisa abierta con la punta de la lengua.

Pero Clara no estaba dispuesta a ser parte pasiva aquella vez. Ella había sido la que había dado el primer paso en su relación y ella sería la que la retomara otra vez. Había descubierto qué se sentía al dejarse llevar por el tacto de Niek y ahora iba a ser él el que cayera desmadejado sobre el lecho.

Le dio un empujón hacia un lado y se puso sobre él.

El movimiento pilló a Nicolás completamente desprevenido. Clara lo tenía fuertemente sujeto con las piernas; tenía los brazos atrapados a lo largo del cuerpo y no podía moverse. Y fue precisamente ese momento, antes de que su mente se diluyera en el alborozo de tenerlo a su lado y en el gozo de su propio corazón, el que Clara escogió para hacerle saber lo que Nicolás no le había dejado declarar antes.

—Y ahora... —comenzó.

—Ahora me vas a decir que ya me he propasado lo suficiente y sales corriendo escaleras abajo.

—No has acertado —contestó ella y le besó en la base del cuello—. Ahora voy a contarte un secreto—. ¿Sabes qué fue lo que me atrajo de ti la primera vez que te vi? —dijo justo antes de depositar un beso sobre sus labios.

Cuando Nicolás quiso reaccionar, Clara ya estaba demasiado lejos de su boca.

—¿Mi gallardía?

—No has acertado —contestó mientras ponía un dedo sobre sus labios para indicarle que se había quedado sin premio—. Te lo diré de todas maneras. Tus ojos.

Lo besó en los párpados.

—¿Y?

—¿Crees que hay más?

—Espero que haya más.

—Y tu nariz. —Y lo besó en la punta de la nariz.

Las comisuras de la boca de Nicolás se curvaron hacia arriba.

—¿Y?

—Y tu boca. —Y lo besó en la boca de nuevo.

Pero esta vez, Nicolás estaba preparado y no la dejó escapar hasta que sus sentidos se quedaron ahítos de probar sus labios.

—¿Y? —preguntó a continuación.

Clara contuvo los jadeos antes de contestar.

—Y tu voz. —Y lo besó en la garganta.

—¿Y?

—Y tu apostura. —Y lo besó primero en un hombro y luego en el otro.

—¿Y?

—Y la anchura de tu pecho. —Y lo besó en un pezón y luego en el otro.

—¿Y?

Ella se deslizó hacia abajo y Nicolás aprovechó para soltarse de la sujeción de sus piernas y se dirigió a los botones de la camisa de Clara.

Clara notó cómo sus manos se colaban por debajo de la tela y dio un respingo cuando sus dedos pellizcaron sus pezones.

—Y tus suaves manos. —Y colocó sus manos sobre las de él y le invitó a cubrir sus pechos y a masajearlos con suavidad.

Notó cómo una suave calidez se extendía por ella y los músculos se contrajeron por debajo de su estómago.

Nicolás sintió el movimiento involuntario y se le escapó una sonrisa.

—¿Y? —susurró, ayudándola a desprenderse de la camisa y atrayéndola sobre él.

El roce de sus senos contra el vello del pecho masculino estimuló el deseo de Clara y sintió cómo la fuerza se le diluía poco a poco. A punto estuvo de dejarse caer y perderse en el placer de su propio disfrute, pero logró controlarse.

—Y tus fuertes brazos.

Nicolás alcanzó sus nalgas y las apretó con fuerza por encima de la falda. Frunció el ceño cuando fue consciente de que descubrir solo parte de la desnudez de Clara no era suficiente. La necesitaba desnuda sobre él, debajo de él, donde fuera. Quería desprenderse de todos los estorbos que impedían la intimidad de sus cuerpos.

Buscó las cintas que le ataban la ropa a la cintura y las desató con rapidez. La obligó a moverse un poco, solo lo suficiente para poder deslizarle falda y saya hasta los tobillos. Le faltó tiempo para deshacerse él también de sus ropajes y regresar al punto en el que estaban; ella tumbada sobre él y él con las manos en... cualquier parte del cuerpo de su amada.

Nicolás la sintió estremecerse. La cámara del sastre estaba fría. Rodó sobre ella y la cubrió con el torso y las piernas. Comenzó a lamer uno de sus pezones con tranquilidad. El vello de Clara volvió a erizarse. Pero esta vez no era de frío, sino de algo mucho más delicioso.

—¿Y qué más te atrajo de mí?

—¿De verdad quieres saberlo? Tu suficiencia —confesó Clara, hundiendo las manos en su pelo.

—Dirás mi arrogancia —rectificó Nicolás mientras deslizaba una mano por su vientre sin dejar de mordisquearle la cima de su seno.

Clara se agitó impaciente.

—Tu genialidad —apuntó ella y le recorrió la columna vertebral, desde la base de la cabeza hasta el final de la espalda.

—Dirás mi aptitud —apuntó él.

Ella sonrió cuando recordó la conversación en la capilla de Valsaín en la que ella le discutió que su voz fuera únicamente fruto del trabajo. Pero se quedó sin habla al notar cómo sus dedos se deslizaban entre los pliegues del centro de su placer. La humedad de la zona indicó a Nicolás que ella estaba preparada y dispuesta para él.

—¿Estás segura? —susurro él cuando ella abrió las piernas y flexionó las rodillas para darle cobijo.

—¿De tu don? —bromeó ella—. Como nunca —aseguró mientras lo atraía hacia ella y buscaba su boca.

Nicolás la apretó contra él, humedeció sus labios, los mordisqueó, atrajo su lengua y la atrapó en una espiral de placer. Puso su alma en aquel beso. Lo que fuera con tal de que ella no fuera consciente de lo que venía a continuación.

Un movimiento rápido y la penetró. Ella se quedó inmóvil un instante y en los ojos aparecieron las primeras lágrimas de dolor.

—¿Estás bien? ¿Quieres que...? —preguntó nervioso.

—Bésame de nuevo —musitó.

—Pídeme lo que sea, que te lo daré.

Y Clara le tomó la palabra. Y le pidió más, más caricias, más besos y más abrazos; más, muchos más. Más susurros, más palabras y más canciones; más, muchos más. Más lisonjas, más halagos y más atenciones; más, muchas más. Y, por supuesto, más amor.

Las piernas volvieron a enlazarse, las manos a unirse y las miradas a trabarse. Clara volvió a ofrecerse y Nicolás a entregarse. Los cuerpos volvieron a atarse y a bailar acompasados. Volvieron a unirse y aquella vez no fue dolorosa sino todo lo contrario. Tenerlo dentro de ella le provocó una sensación indescriptible. Era como formar parte de él.

Clara comenzó a moverse poco a poco. Nicolás la miró a los ojos y notó su asentimiento y siguió su ritmo.

Los lentos movimientos del principio dieron paso a otros más alegres, más vivaces. La perlas del sudor marcaban una partitura en los vientres de los amantes, mientras estos se entregaban a la creación de los acordes más bellos. Y es que aquella melodía, que estaban componiendo, era, sin duda, la más afinada, la más armoniosa y con más musicalidad que nunca nadie había creado.

Los gemidos de ambos fueron el broche final de la tonada, de una canción secreta e íntima que nunca compartirían con nadie más.

Clara no se movió hasta un rato después, cuando el cuerpo de Nicolás comenzó a pesarle. Él se hizo a un lado y la cubrió con los restos de sus propias ropas. Pasó el brazo por detrás de la cabeza de Clara, la acomodó sobre su pecho y comenzó a cantar. Su canción. La de ellos.

El sastre aún atendía a la última de las clientas cuando escuchó la melodía.

—¿Qué es eso? —preguntó la mujer.

—Será alguno de esos músicos ambulantes que piden por las calles —se dio prisa en contestar.

La mujer frunció el ceño como si la respuesta no le convenciera.

El señor Luis disimuló una sonrisa Él sabía bien de dónde venía aquella música, procedía del piso de arriba.

Epílogo

Un clamor general se elevó por el corral. Cristóbal de la Puente miró con orgullo el escenario. Su primera figura saludaba a la concurrencia por quinta vez y recibía con una sonrisa los pitos y los gritos del enfervorizado público. Elevó la vista hacia los aposentos, las rejas y las celosías. En todas ellas se veían manos de hombres y mujeres que aplaudían sin cesar. Dejaría que Elena disfrutara un poco más del éxito y después saldría al escenario para recibir la ovación destinada a él. ¡Buenos desvelos le había costado!

El teatro estaba a rebosar de gente. En las galerías, que recorrían los tres lados del patio que el escenario dejaba libres, no cabía un hombre más. Tanto en la primera cazuela como en la del segundo piso, las señoras daban buena cuenta de los vestidos de la una, de la otra y de la de más allá. ¡Ni que decir el silencio que se había hecho cuando Elena había salido al escenario! Había sido indescriptible. Y no solo por estar vestida de hombre sino por la hermosura de los ropajes. Con seguridad, tendría que lidiar con la amonestación de los tertulianos del piso más alto, pero ya había contado con la hostilidad de la Iglesia desde el momento en el que ideó la comedia.

¡Y pensar que había estado a punto de anular la representación!

Desde que había despedido a Nicolás Probost todo habían sido complicaciones. Nunca debería haber cedido a las presiones de Pedro de Molina. El maestro de la Capilla Musical de la corte había aparecido unas horas antes que el músico con insinuaciones, veladas al principio y más directas después, para que se desembarazara de él. En el momento, no había accedido a lo que le pedía, sin embargo, cuando las palabras tuvieron otro cariz menos amable, no le había quedado más remedio que tomarlas como lo que eran: burdas amenazas.

«Me encargaré de que os quedéis fuera de todas las celebraciones del día del Corpus Christi», le había dicho. Y no había más que mirarle el rostro para darse cuenta de que era un hombre que cumplía las amenazas.

Así que se había deshecho del cantor y había aceptado la sugerencia de Molina.

Tomás Sánchez era poco más que un músico de segunda fila. Nada de lo que le había presentado le había convencido. Sus composiciones eran poco claras, la música resultaba confusa y las notas se oían poco nítidas. El resultado era borroso, como si alguien hubiera pasado la mano sobre la partitura y hubiera mezclado unos sonidos con otros. Ni siquiera había acertado con la adaptación de las canciones populares. Se quedaban en eso, en populares; les faltaba música y les sobraba ruido.

Hasta había llegado a dudar de que fuera el autor de lo que le presentaba. Un día, que le había preguntado por una de las canciones de la entrega anterior, ni se acordaba de ella. Y una semana después apareció ante él, tambaleándose, sin las partituras prometidas y con una garrafa de aguardiente en las venas. Estaba tan borracho que apenas pudo explicar lo que había sucedido con las canciones. El empresario entendió algo sobre su brazo herido, sobre la gente que le abandonaba y que se quedaría tullido de por vida. De la Puente puso más interés cuando mencionó el nombre de Nicolás Probost, pero aparte de cuatro palabras malsonantes y varios insultos al cantor no consiguió más información. Cuando le preguntó por la música que se suponía que tenía que presentarle aquel día, no supo qué contestar. Así que el empresario se dio por vencido y lo emplazó para dos días después.

Pero lo que Tomás Sánchez le entregó aquel otro día tampoco lo satisfizo.

Se pasó una semana pensando en cómo abordar a Pedro de Molina para que le diera una solución, puesto que había sido por su culpa por lo que estaba en aquella situación. Faltaban menos de tres semanas para el estreno, aún no tenía la música y el músico principal, que también tenía que dirigir al resto de los ministriles, no estaba preparado para hacerlo.

La solución le había llegado de la mano del marqués de Liche y del Carpio, encargado de todo el entretenimiento de la Villa y Corte. Había ido a verle para tratar el tema del Auto Sacramental del día del Corpus cuando este le había contado la última historia que corría por Madrid. Al parecer, no faltaban muchas jornadas para que el nuevo maestro de la Capilla Musical de Felipe II llegara a la capital, venía de camino desde Flandes. El reinado de Pedro de Molina había terminado.

Aún esperó unos días a que el rumor tuviera fuerza suficiente y que fuera confirmado por fuentes cercanas al emperador, y cuando todo esto sucedió, le faltó tiempo para ir en busca de Nicolás Probost.

Sabía dónde encontrarlo, todo el mundo en la villa lo sabía. En casa del sastre Luis Román.

Y había sido la decisión acertada. El músico no solo había terminado el trabajo en el tiempo estipulado sino que le había regalado algunas de las composiciones más hermosas que se habían escuchado nunca. Eso por no hablar de su poder de mando para organizar a los ministriles y de la forma en la que daba los tonos de comienzo de las canciones.

—Ha sido magnífica. Hacía tiempo que no disfrutaba tanto —dijo Justa a Clara mientras esperaban a que les llegara el turno de salir de la cazuela—. Elena Carrillo es maravillosa. ¿Has visto cómo baila y qué voz tiene? ¿Y lo bien que representa el papel de hombre engañado? Tenía que haber convencido a María para que nos acompañara. Digo yo que el tieso de su suegro aprobará que su familia asista a este tipo de actos, puesto que también acuden eclesiásticos. Apuesto a que la mitad de los nobles que asoman a las ventanas estarán mañana en la casa de los Vargas comentando lo que han visto hoy aquí. Y la tonta de mi hermana sin poder disfrutarlo. ¿Crees tú que...?

Clara exhaló un suspiro y dejó que su amiga continuara con su arenga contra la familia de su hermana. Observó a su esposo. Ayudado por Joos, recogía las partituras que el grupo de ministriles había usado en la representación. «Mi esposo», repitió. Le encantaba cómo sonaba. Nicolás elevó la cabeza cuando notó la mirada de Clara clavada en él. Los ojos de ambos sonrieron al unísono.

Nicolás no podía estar más orgulloso, Clara no podía estar más feliz.

Apenas hacía dos semanas que el sacerdote del convento de Santa María de los Ángeles había bendecido su unión y habían estado muy atareados desde entonces. Demasiado atareados en opinión de Clara.

Durante el día, ella cosía y atendía la tienda y él se pasaba las horas fuera de casa, en sus clases o en el teatro. Pero al caer la noche, ambos dejaban lo que tuvieran entre manos y se encontraban en la cocina. Mientras Clara intentaba hacer la cena, Nicolás jugaba a que no la hiciera. Le quitaba las cosas de las manos, le soltaba el fardal, le escondía los cacharros y le daba fogosos besos que la dejaban indefensa y sin aliento. Nicolás nunca cejaba y ella, lo reconocía sin vergüenza, esperaba ansiosa la llegada de aquellos momentos, que duraban hasta que el estómago de su padre se quejaba e irrumpía en la cocina. Pero el sastre era un buen hombre y, en cuanto la comida desaparecía de los platos, los mandaba a descansar con una sonrisa en los labios mientras él se quedaba recogiendo los restos de la cena.

Las escaleras de la sastrería eran mudos testigos de que Nicolás y Clara no siempre alcanzaban la alcoba con la necesaria rapidez.

El sastre estaba cada día más recuperado. Su cojera mejoraba a ojos vista, más desde la ampliación del negocio. Él había retomado su trabajo. Atrás quedaban los días en los que Clara era la persona que cortaba y unía las piezas. Y aún y todo apenas le daban las horas para atender la tienda y sus bordados, porque ya únicamente bordaba.

Había llegado a un acuerdo con la antaño viuda de Brañas, y reciente señora de Salgado.

La viuda seguía teniendo el derecho de venta de los cuellos y puñetas que Clara confeccionaba y, a cambio, le enviaba a todas aquellas clientas que se interesaban por las labores más finas. Como había finalizado ya con las vestiduras de Elena Carrillo, había comenzado un faldón de bautizo y, a su término, le esperaba un encargo muy especial: crear una mantilla. Tenía una idea muy clara de lo que quería. Y si el resultado era tal y como había pensado, su nombre aparecería de nuevo en boca de la gente.

—¿Me estás haciendo caso?

Clara notó el tono de irritación de Justa y decidió atenderla.

—¿No ves que te escucho? —mintió.

—¿Has visto a la mujer de la ventana del segundo piso? Esa que estaba asomada, vestida de verde, al lado de otra joven que tenía un tocado...

—¡Miras los vestidos de las damas y ni siquiera te has dignado comentar lo que te ha parecido la ropa de la intérprete!

Su amiga se rio a carcajadas mientras la hacía levantarse y seguir al resto de las mujeres que ya habían abandonado el asiento.

—Que es una maravilla. ¿No te lo digo todos los domingos que paso a visitaros?

—¿Crees que habrá gustado a la gente? ¿Crees que se habrán fijado en ella?

—Tranquilízate, que mañana la cola de clientes llegará hasta la puerta de Guadalajara.

—Eres una exagerada.

—¡Pero si ya lo hace! Tu padre tendrá que pedir al gremio que le asignen otro ayudante más.

—Tendría que haber venido. ¿Por qué crees que no habrá querido acompañarnos? Yo estaba decidida a que disfrutara de esto. El éxito de la representación también es suyo.

—Pues yo creo que lo ha hecho por vosotros. Para que podáis saborear vuestras victorias juntos, y solos. Elena Carrillo ha sido la intérprete, pero ten por seguro que tu trabajo y la música de Niek ha sido una parte importante de su triunfo. Y eso sin hablar de la exquisita interpretación de «mi» enamorado —añadió con mucho orgullo.

Había sido una suerte que Nicolás hubiera podido incluir a Joos entre el grupo de músicos de la compañía. Conocía los rumores de que Molina tenía los días contados, pero Joos había preferido incorporarse al corral de comedias cuando se había presentado la oportunidad.

—Sí, quizá tengas razón y mi padre haya pensado en dejarnos el protagonismo —dijo Clara pensativa.

—Date prisa que ya no queda casi nadie. Nos estarán esperando fuera.

—O pidiendo una jarra y comiéndose unas nueces.

En efecto, Nicolás y Joos estaban en la alojería,* situada en la vivienda que separaba el corral de la calle. Pero no estaban solos.

—Señoras —saludó Cristóbal de la Puente cuando las vio aparecer. Se dirigió a Clara—: Reiteraba a vuestro marido la suerte que he tenido al poder contar con él.

Clara miró de reojo a Nicolás. Este se llevó la mano a un costado en un rápido gesto e hizo una señal de asentimiento con disimulo. Habían cobrado.

—La suerte ha sido de ambos —contestó Nicolás—. Por ventura vos necesitabais un músico y yo estaba libre.

Ambos sabían que las cosas no habían sido así exactamente, pero la educación los hizo callar.

El empresario se volvió a Clara y se inclinó en una venia.

—Saludad a vuestro padre.

—De vuestra parte —agradeció Clara.

—Y decidle que el lunes a más tardar me acercaré para hablar con él..., y con vos, de los vestidos para la nueva representación.

Clara contuvo el deseo de ponerse a brincar. Su padre estallaría de contento. Lo habían conseguido. Y conseguiría tam-

---

* Aloja: bebida compuesta de agua, miel y especias, como canela o pimienta blanca.

bién que el nombre de su progenitor apareciera en el cartel junto al de los intérpretes.

—Se lo diré —contestó sosegada.

Cristóbal de la Puente volvió a saludarles y dejó a las dos parejas a solas.

Nicolás hizo deslizar a Clara por el banco hasta tenerla a su lado.

—Como un cordero comiendo de tu mano lo tienes —murmuró mientras la tomaba por la cintura y le daba un beso en el cuello.

—Nos ve todo el mundo —le amonestó Clara, pero sin hacer un solo gesto para apartarse de él.

—Ya somos la comidilla de la villa. Gracias a ti y a tu bordado, todo el mundo nos conoce —dijo e hizo una seña hacia Joos y Justa, que no conseguían apartar la vista uno del otro—. Aunque creo que no a mucho tardar los nombres de otros comenzarán a sonar en los corrillos y se olvidarán de nosotros.

Clara sonrió.

—Deberían casarse cuanto antes.

—Creo que Joos acaba de pedírselo —susurró Nicolás al ver a Justa abrir los ojos como si fueran dos soles—. Será mejor que nos marchemos.

—¿Tú crees?

—Sí. Él tiene la misma cara de necio que cuando yo solicité tu mano.

A Clara no le quedó más remedio que reírse.

—Tú nunca tienes cara de tonto.

—Eso me lo dices a solas. ¿Crees que a tu padre le molestará que hoy no cenemos con él? —le preguntó con la pasión refulgiendo en sus pupilas.

Clara se levantó de repente y lo arrastró con ella.

—Probemos.

Salían por la puerta cuando un hombre, que les esperaba en la calle, los abordó.

—Soy el comisario de la Cofradía de la Soledad, estamos preparando una nueva representación y hemos pensado... ¿Sois vos el sastre?

—No.

—¿No sois el propietario de la sastrería que ha confeccionado los maravillosos ropajes que lucía Elena Carrillo ahí dentro?

Una enorme sonrisa apareció en la cara de Nicolás.

—Tendrá que hablar con ella —dijo señalando a su esposa—. Yo solo soy un músico.